LA RECETA SECRETA
DE LAS SEGUNDAS OPORTUNIDADES

J. D. BARRETT

LA RECETA SECRETA DE LAS SEGUNDAS OPORTUNIDADES

Traducción de Aida Candelario

Umbriel Editores

Argentina • Chile • Colombia • España
Estados Unidos • México • Perú • Uruguay

Título original: *The Secret Recipe for Second Chances*
Editor original: Hachette Australia
Traducción: Aida Candelario Castro

1.ª edición Marzo 2019

ISBN: 978-84-16517-13-8
E-ISBN: 978-84-17545-09-3
Depósito legal: B-4.875-2019

Fotocomposición: Ediciones Urano, S.A.U.
Impreso por Romanyà-Valls, S.A. – Verdaguer, 1 – 08786 Capellades (Barcelona)

Para Charles y Eve Hughes,
en homenaje a las comidas que compartimos

1
Lucy

No estoy segura de si hay un plato en concreto que me hiciera darme cuenta sin lugar a dudas de que Leith y yo habíamos terminado. Pensándolo bien, sí, hay uno: el pargo asado relleno de lima kafir, jengibre y citronela que horneé cuando fuimos de vacaciones a Seal Rocks…, donde se suponía que intentaríamos arreglar las cosas, volver a conectar. Él usó una espina como palillo. Leith usa prácticamente cualquier utensilio, accesorio, prenda de ropa, menú u otro objeto inanimado a modo de palillo… y, como resultado, tiene unos dientes sanos y brillantes.

¿Fue el pescado o el hecho de comprender que todo lo relacionado con su forma de comer me molestaba?: el chasquido de su mandíbula, el fuerte ruido que hacía al tragar, la forma en la que cargaba los guisantes con el tenedor… Ese día me di cuenta de que estaba fantaseando con levantar el tenedor, dejar caer los guisantes sobre su cabeza y clavarle los dientes del cubierto en el dorso de la mano.

Aunque yo era consciente de que no era una idea positiva, no era amable ni real, fue tan intensa que me hizo comprender que no habría reconciliación.

Eso y el hecho de que él se había acostado con otras tres mujeres, dos de las cuales trabajaban para nosotros.

Pero, aún peor que cualquiera de estas faltas, está el simple hecho de que a Leith no le gusta compartir la comida. ¿Cómo acabé casándome con alguien —precisamente un chef, como yo— que se niega a compartir la comida? Para él, siempre se trata de una competición para ver quién pidió el mejor plato, la mejor combinación de ensalada o el mejor batido. Con él, no hay armonía en un plato de pasta, ni en nada.

No quiero ponerme a darle vueltas a «¿En qué estaba pensando?» —mi mejor amiga y mi madre ya se ocupan de eso—, porque estaba enamorada de él y nos fue bien durante un tiempo.

Creamos juntos el Circa, un restaurante que se ha convertido en el local de moda para los *yuppies* de mediana edad que buscan distracción marital en el boato de los menús impresos en papel caro y el servicio obsequioso.

Me pregunto cuántas vidas habrán salvado los platos que servimos, gracias a su mera habilidad para distraer: «Deja de regodearte en tu angustia, el pollo está envuelto en llamas en una bandeja y lo traen a la mesa». Unas buenas pocas, espero. El Circa también se ha convertido en el lugar elegido por los *hipsters* internacionales adinerados para declararse de forma memorable: «Le propuso matrimonio en el Circa, el célebre y exclusivo restaurante de Sídney premiado con tres gorros» es una frase común en la sección de anuncios matrimoniales del *New York Times*. Debo admitir que hay cierta ironía en la cantidad de horas que me he pasado a lo largo de los últimos tres años horneando pasteles y suflés, preparando sopas y ensaladas en los que ocultar anillos de compromiso de forma elegante y experta (nadie se ha tragado ninguno todavía: casi nunca se comen el plato que contiene el anillo, todos están demasiado ocupados sacándole fotos), mientras mi propio matrimonio estaba desahuciado.

La mayoría de los que se declaran optan por deslizar el anillo con suavidad por la mesa, mientras que unos pocos hacen todo el numerito de ponerse de rodillas; siempre justo antes del postre, por lo que la tasa de consumo de *panna cotta*, *crème brûlée* u otra creación cremosa perfectamente preparada procedente de la cocina es prácticamente nula cuando esto ocurre. Los que hincan la rodilla siempre me ponen nerviosa, no solo por temor a que los camareros tropiecen con ellos o les caigan encima, sino también porque ponerte de rodillas en un restaurante concurrido transmite cierta desesperación, por no decir insensatez. Después de todo, ¿y si la respuesta es no?

En fin, parece que nosotros (la industria de la restauración) nos hemos convertido en el destino favorito para los enamorados. Y no me hagas hablar de San Valentín: oficialmente, el día más agotador, desilusionante e ingrato para los restaurantes y las floristerías de todo el mundo. Es irónico (además de doloroso, humillante y, sencillamente, una mierda) que Leith y yo creáramos juntos el arquetipo de un restaurante que invita al amor mientras mutilábamos y acabábamos matando nuestro matrimonio.

Julia, mi mejor amiga, dice que su matrimonio con Ken se parece al pollo asado de su madre: un poco seco, algo frío, pero aun así te resulta reconfortante, te sacia y te pasas toda la semana anhelándolo. Mi madre nunca ha preparado un asado: es demasiado vulgar y no encaja con su rollo *hippy* vegetariano. Siempre hay tofu de por medio en sus actividades culinarias, preparado de una forma que hace que resulte incomible: tofu calentado en el microondas, tofu cocinado al estilo suizo y, su mayor extravagancia sin lugar a dudas, las tetas de tofu (dos rodajas de piña en lata Golden Circle con dos circulitos de pastoso tofu frito encima y, para rematar, un chorro de salsa de ostras). La forma de cocinar de mi madre puede hacerte perder las ganas de vivir, pero hay que admitir que le gusta experimentar. Me crio en una comuna, donde solían describirla como una rebelde culinaria y una entusiasta anarquista de la comida. Esos elogios hacen que suene más impresionante de lo que era. En realidad, eso solo quería decir que mi madre casi nunca tenía que cocinar, y yo me pasaba gran parte del año contando los días que faltaban para irme a pasar las vacaciones al pueblecito costero de Manyana con mis abuelos, que me daban comida de verdad: maravillosa y auténtica comida casera, como sabrosa carne molida con puré de patatas y judías frescas, pastel de pescado con nata y vieiras frescas o costillar de cordero asado con la salsa de menta del abuelo elaborada con menta picada recién recolectada del jardín, mezclada con vinagre y una pizca de azúcar y agua. Yo soñaba con el pastel de manzana de la abuela y le escribía cartas hablando del tema; le pedí que me enviara la receta y practiqué con ella durante las vacaciones para que, cuando regresara al calor y la horrible vida en la comuna, pudiera recrear en cierta medida lo que sabía que debería ser un hogar. Mi madre se lo tomó como una afrenta.

La comuna estaba situada cerca de Casino, al norte de Nueva Gales del Sur. La dirigía el gurú —o Bhagwan— estrella de la época y todos llevaban ropa de color naranja y diferentes tonos de rosa. Se suponía que era una especie de utopía, pero hacía calor y era un infierno: estaba llena de moscas, yonquis espirituales y personas que habían dejado sus estudios y creían que encontrarían la iluminación a través de múltiples parejas sexuales. Puesto que para los adultos la mayoría de las noches consistían en sesiones de meditación en grupo seguidas de porros, ácidos y sexo; los niños prácticamente íbamos a nuestro aire. Solíamos escabullirnos y pasábamos el rato en una granja de ganado vecina hablando de las hamburguesas que a veces nos comíamos cuando íbamos a la ciudad haciendo autostop. Mientras aferrábamos el grasiento papel en el que el huevo y la grasa de la carne se filtraban a través de la salsa barbacoa y el panecillo tostado, hacíamos cola delante del teléfono público y nos turnábamos para llamar a gente del otro lado…, es decir, a cualquiera que no se viera obligado a vivir en la comuna. Supongo que la comida siempre ha sido mi salvación. Y, en cierto sentido, supone una forma de rebelión contra mi madre, que está a punto de echarse unas risas a mi costa.

Después de vivir con Leith en un precioso apartamento en Elizabeth Bay con vistas al puerto durante los últimos siete años, cinco de ellos casados, ahora mi única opción es mudarme al cutre apartamento de dos dormitorios de mi madre en Glebe, sin trabajo, sin ahorros, sin pertenencias y sin perspectivas reales.

¿Sabes eso que dicen de que hay que tener cuidado con las epifanías? (Es evidente que esa gente ha tenido una y ha salido mal parada.) Pues ojalá alguien me hubiera advertido antes de tener la mía.

Me llegó después de darme cuenta de que quería clavarle un tenedor a Leith. «Lárgate. ¡Ahora mismo!», gritaban las voces de mis antepasados por mis venas. En cuanto regresamos de aquellas vacaciones infernales, empecé a tener el comportamiento típico de una persona que ha experimentado una epifanía: soñaba despierta constantemente, escribía diarios, tenía visiones, buscaba en Internet propiedades que nunca podría permitirme y daba vueltas con el coche buscando… ¿qué, exactamente? ¿Paz? ¿Respuestas? Por ahora, solo sé que mi única salida de esto, mi única salvación, será de nuevo por medio de la comida.

Mis paseos suelen terminar en el Harry's Café de Wheels y las respuestas adquieren la forma de un perrito caliente con chili que me como mientras me siento a observar la base naval y el pintoresco surtido de residentes, personal y clientes que ahora viven, trabajan y se divierten en el enorme y largo edificio que en otro tiempo fue la nave de esquilado. Por lo general, una parte del perrito con chili termina en mi ropa; pero, en cuanto a proporcionarme respuestas, resulta útil. Desde allí, me dedico a pasear en coche por Woolloomooloo y Potts Point, examinando detenidamente las calles que han logrado mantener sus raíces bohemias, las calles de las que no se han apropiado los promotores inmobiliarios y los *yuppies*, principalmente porque forman parte del patrimonio de la ciudad.

Potts Point es un lugar curioso: es como si se produjera una gran división en la fuente situada en Macleay Street, donde se une con Darlinghurst Road. A pesar de múltiples intentos, una fuerza mayor que la propia calle se asegura de que todo lo que queda al sur de la misma tenga mala pinta; pero al norte prosperan las floristerías, las carnicerías *gourmet* y las zapaterías exclusivas, así como los templos para acicalar a los perros y comprar correas y los negocios de venta de quesos selectos. Si sigues hacia el norte, la edad de los residentes aumenta, al igual que sus ingresos; elegantes edificios *art déco* albergan a actores famosos, obstetras y sus adineradas esposas, hombres muy atractivos y numerosas cafeterías excelentes. En esta zona, el café y la comida son magníficos. Los alquileres de los restaurantes también están muy lejos de mi alcance; pero, si sigues bajando hacia Woolloomooloo (esta probablemente sea la mejor palabra del mundo; al parecer, viene de la lengua aborigen y significa «lugar de abundancia»), abunda de todo: me encanta esa mezcla de lo popular y lo sofisticado, de destartaladas viviendas públicas junto con elegantes ciclistas vestidos con indumentaria de licra que suben trabajosamente por la colina con las caras coloradas. En las calles laterales hay varios edificios abandonados, que todavía parecen mantener una relación más estrecha con sus orígenes de clase obrera que con el aburguesamiento que tiene lugar a solo unas calles de distancia.

Y es aquí donde lo encuentro. En una de las pocas calles sin vistas al puerto color zafiro ni a los jardines que solían encantarles a los murciélagos. En una diminuta y abandonada calle sin salida en la que a poca gente le gustaría aparcar. Allí, en la esquina, se alza un edificio independiente de una sola planta, descolorido, destartalado, antes apreciado, que hace mucho tiempo estaba pintado de rosa, pero el paso de los años ha dejado a la vista una primera capa gris que se está descascarillando como la nariz empolvada de una anciana tía. Aparco el utilitario, el antiguo orgullo y alegría de mi abuelo, salgo y miro a mi alrededor. Me disculpo por hablar como una *hippy* —créeme, sé lo irritante que es—, pero el lugar transmite un aire de soledad y deja escapar un suspiro casi audible cuando toco la puerta principal. Echo un vistazo a través de una sucia ventana frontal en la que han clavado paneles de aglomerado. Me pregunto si habrá okupas viviendo allí; pero, en cambio, veo una sala oscura y desierta durante mucho tiempo, llena de mesas y sillas vacías…, ¡un restaurante! Las posibilidades de que una chef con el corazón roto, sin trabajo y a punto de quedarse en la calle encuentre un viejo restaurante abandonado son más o menos las mismas que las de que una mujer heterosexual de más de treinta años que vive en los barrios residenciales situados al este de Sídney encuentre marido.

Intento atisbar algo más, pero solo consigo ver las mesas y las sillas, de los años setenta, sucias y vacías. Hay varios juegos de saleros y pimenteros repartidos al azar por las mesas y veo algún que otro jarrón de cerámica para una sola flor. Me dirijo al lateral del edificio, que parece ser un punto de recogida de orina de perros, vagabundos y juerguistas nocturnos que se han equivocado de calle. Solo hay una ventana lateral y está demasiado alta para mí, así que cojo un cubo de basura con ruedas que hay allí cerca para usarlo de escalera. No destaco por mi destreza atlética, pero trepo, me tambaleo, y luego me enderezo y escudriño el interior. No cabe duda de que es un restaurante. Un enorme horno a gas domina la zona de la cocina y los electrodomésticos de los años ochenta permanecen en su sitio desde los últimos platos que sirvió el restaurante. Hay mesas de trabajo, calentadores, un frigorífico…

Me va invadiendo la emoción, pero entonces aparece un vagabundo y me grita por mover el cubo de basura. Se detiene al ver el destrozo que el perrito con chili ha dejado en mi blusa blanca, se me queda mirando un momento y luego me pide un cigarrillo. Lo único que tengo son dos onzas de una tableta de chocolate Cadbury Dairy Milk, que le ofrezco y él toma con recelo.

Le pregunto por el restaurante, pero él simplemente se ríe, chasquea la lengua y me dice que vuelva a poner el cubo donde estaba. Y me advierte que es muy probable que me pongan una multa por aparcar en zona prohibida. Coloco el cubo en su sitio obedientemente y regreso a mi utilitario.

Emprendo una frenética búsqueda por Internet tratando de encontrar más información sobre el edificio y entonces veo mi reflejo en el retrovisor. Parezco una loca, tengo el cabello rubio enmarañado y manchas de salsa de tomate en la cara. El sol se está poniendo y Leith estará a punto de abrirles las puertas del restaurante a nuestros clientes… Pienso en Julia, que me diría que respirara hondo y asimilara la realidad. Pero sé que no le haría caso. Es demasiado tarde: no puedes dar marcha atrás a una epifanía.

Regreso al apartamento que comparto con Leith, cargo mi vida en el coche y me voy a casa de mi madre.

Perritos calientes con chili

Ingredientes

Para el chili:

- 2 cucharadas de aceite de oliva, y un poco más para las salchichas
- 500 gramos de carne molida
- ½ cucharadita de pimentón dulce ahumado
- 1 cebolla, picada muy fina
- 2 dientes de ajo, picados muy finos
- 2 cucharadas de concentrado de tomate
- 1 cucharadita de salsa Worcestershire
- 1 guindilla, sin semillas y picada muy fina, o 2 cucharaditas de chili molido o ½ cucharadita de copos de chili
- 400 gramos de tomate troceado en lata
- Sal, para sazonar

Para los perritos calientes:

- 6 salchichas para perritos
- 6 bollos para perritos, abiertos por la mitad
- Crema agria
- Queso rallado (yo uso uno fuerte)

Elaboración

Para preparar el chili, calienta el aceite en un cazo a fuego medio. Añade la carne molida, removiendo continuamente con una cuchara de madera para asegurarte de que se distribuye de manera uniforme. Continúa hasta que esté aplanada y dorada, soltando jugo. Agrega el pimentón, la cebolla y el ajo y cuécelo, removiendo hasta que la cebolla empiece a ablandarse. Añade el tomate concentrado, la salsa Worcestershire y el chili y remueve para combi-

narlos. Por último, añade los tomates y hiérvelo a fuego lento, removiendo de vez en cuando, durante media hora o hasta que la salsa se espese. Sazona con sal.

Precalienta a fuego medio un asador. Haz un corte longitudinal en las salchichas, sin dividirlas del todo, y aplica un poco de aceite en la superficie cortada. Cocina cada lado hasta que estén crujientes y calientes. También puedes hervir las salchichas en un cazo con agua durante 5 minutos y escurrirlas.

Coloca las salchichas en los bollos y cúbrelas con el chili, la crema agria y el queso rallado.

Otra opción es ir al Harry's Café de Wheels al atardecer, con una botella de champán y muchas servilletas, hacer tu pedido, recibirlo... y sentarte a disfrutar.

2
Lucy

No puedo decir que mi madre se alegre demasiado de verme..., pero por lo menos está despierta.

—He dejado a Leith.

—Ya era hora.

—No fue fiel.

—¿Y quién lo es?

No aparta la mirada de la gigantesca pantalla de televisión situada en un lugar de honor junto a su otro altar: su *puja*.

Mi madre no es una gran fan de la monogamia —su época en la comuna contribuyó a ello— y, a lo largo de los últimos años, tras una vida romántica muy ajetreada y numerosos novios inútiles, ha decidido centrarse en su gato, sus programas de televisión y los «remedios medicinales» que me hace hornearle. Y eso que antaño fue una debutante, la admitieron en varias escuelas de arte y era la mujer más guapa de Manyana, su pueblo natal. Vale que Manyana solo tenía 798 habitantes, pero mi madre era despampanante de joven: piel aceitunada, ojos verdes, una risa bonita y el poder de hacer que los hombres estuvieran dispuestos a realizar todo tipo de extrañas proezas por ella, lo que sacaba de quicio a mis abuelos. Supongo que mamá pensó que esa era su mejor opción laboral: conseguir que los tíos hicieran cosas por ella y le compraran regalos. Aparte de unas prácticas de joyería que acabó abandonando, nunca ha tenido un trabajo normal, lo cual es parte del motivo por el que no acabo de tragarme todo ese rollo espiritual *new age*. Creo que mamá confundió mudarse a una comuna, fumar marihuana, entonar cánticos y discutir con sus novios con tener una vocación. Siempre ha querido escribir una novela romántica, pero también ha querido siempre abrir una tetería, montar una peluquería canina y convertirse en gurú. En este momento, nadie llama a su puerta para ofrecerle acceso a cualquiera de estas destacadas opciones laborales; así que, por ahora, su vida se limita a estar sentada en el sofá y echar las cartas de vez en cuando en el mercado.

Mi vida es así de glamurosa.

A los sesenta y pocos años, mi madre todavía es guapa, es una especie de mezcla entre una antigua chica popular, una *hippy* y una muñeca Kewpie. Los hombres todavía la invitan a salir, pero a ella ya no le interesa eso. Creo que se agotó.

—Necesito quedarme aquí —anuncio.

—Vale.

—No tengo dinero —añado.

Mamá se encoge de hombros con su habitual actitud indiferente ante las vicisitudes económicas de nuestra vida, un enfoque que por desgracia parece que he heredado.

—Voy a abrir mi propio restaurante —digo, aparentando desparpajo.

Este es el momento en el que la mayoría de los padres sensatos te harían sentar, llamarían a su contable e intentarían quitarte esa idea de la cabeza. O, en un mundo ideal, te ofrecerían ayuda. Mi madre por lo menos me mira, antes de volver a concentrarse en *Veterinario al rescate*.

—Qué bien.

Y eso es todo.

Llevo mis maletas y las cajas mal empaquetadas al cuarto de invitados y encuentro un sitio entre los desechos del último *hobby* de mi madre: hacer colchas. La habitación es un santuario para sus pasatiempos del pasado: macramé, diseño de tarjetas, punto de cruz, costura con patrones centrándose en chándales de felpa… Numerosos proyectos, ninguno terminado, cubren la cama. De las paredes cuelgan eslóganes espirituales enmarcados y fotos del Bhagwan, incluyendo una que siempre me hace reír: mamá, resplandeciente con un atuendo de tafetán color albaricoque, a los pies del Bhagwan, que le da golpecitos en la cabeza con una pluma de pavo real mientras le mira el escote. Sobre el trono del gurú hay una pancarta que pone: «Gira mundial del Bhagwan Santosha, 1987 - "Vivimos en un estado de Gracia"».

Despejo un poco la mullida cama individual, me tumbo mirando al techo y cuento hacia atrás hasta que suena el teléfono. Julia siempre me llama a las 7 de la tarde, después de acostar a Attica. Esa mujer es un fenómeno. No se salta ni una noche, el hecho de que yo tenga mucho trabajo en el restaurante no la disuade. Cuando Julia se compromete a hacer algo, se obliga a sí misma (y a menudo al resto de nosotros) a cumplirlo.

—¿Estás en casa de Sara?

—Sí.

—Sabes que podrías quedarte aquí. Eres una de las pocas personas que le cae bien a Ken.

—Gracias, pero probablemente sea mejor que me quede con mi madre por ahora.

—Veo que tener un bebé de trece meses hace que mi casa no resulte demasiado acogedora.

La voz de Julia hace que el mundo recupere la cordura.

—¿Cómo se lo tomó Leith? —me pregunta.

—No le gustó la idea.

—Por no decir otra cosa. Apuesto a que está cagado de miedo porque el restaurante va a perder un gorro sin ti.

—Tal vez esté cagado de miedo por perderme. —Sé que ese comentario solo se sustenta en una leve y menguante esperanza.

La voz de Julia adquiere un tono de advertencia.

—Más bien la *idea* de perderte.

—No estoy segura de que haya mucha diferencia a las tres de la madrugada.

—Lucy…

Me siento, preguntándome de pronto cómo abordar esto.

—Me he enamorado —consigo decir.

Julia se queda sin aliento: la alegría se impone a su necesidad de inhalar oxígeno. Continúo antes de que ella hable.

—De un restaurante.

Ella exhala y resopla, indicando que no le convence la idea.

—Está en Potts Point.

A Julia le encanta Potts Point.

—Nunca podrás permitírtelo.

—Más bien cerca de Woolloomooloo.

—Aun así, no podrás permitírtelo *y* te atracarán y/o violarán.

—Fue como si suspirara cuando lo encontré, como si se sintiera aliviado.

Se produce una pausa

—Cielo, ¿has estado comiendo las galletas de Sara?

—Hablo en serio. Es un viejo restaurante que parece llevar décadas vacío.

—En Sídney, eso no ocurre sin una buena razón.

—Pero...

—Cariño —me interrumpe, cogiendo impulso, y se pone en modo «instructor de taller ocupacional para personas con discapacidades emocionales»—. Céntrate solo en sacar el resto de tus cosas del apartamento, librarte de Leith y encontrar un trabajo. Podrías conseguir uno estupendo. Neil volvería a contratarte sin dudarlo... ¿Me estás escuchando? ¿Lucy?

Jugueteo con uno de los tapices de macramé inacabados de mi madre. Tal vez debería empezar a hacer macramé..., tal vez debería colgar el teléfono, darme un baño caliente y pensar detenidamente las cosas.

—Sí, sigo aquí. Ha sido un día agotador...

—No te comas las galletas de tu madre.

—No lo haré.

—Luce, ya has sufrido mucho, ahora no es el momento de lanzarte a abrir un restaurante. ¡Tú sabes mejor que nadie cuántos fracasan!

Es cierto, aproximadamente el veinticinco por ciento de las fabulosas inauguraciones acaban en insolvencia y bancarrota. Pero yo les llevo ventaja en ese sentido: no tengo nada que perder.

—Mi madre me está llamando —digo, aunque las dos sabemos que no es verdad.

—De eso nada.

—Vale, simplemente, necesito colgar.

Julia suspira y luego añade con su voz firme:

—Pasaré a buscarte a las ocho de la mañana e iremos a echarle un vistazo.

Eso es lo que me encanta de Julia: siempre está dispuesta a contradecirse por el bien de nuestra amistad.

—Te quiero. Buenas noches.

Cuelgo y me quedo mirando el contrato de arrendamiento de tres meses que tengo en las manos. ¿Cómo se abre un restaurante con quinientos dólares?

3

Lucy

Despierto y sigo las sombras del techo, observando cómo forman un patrón unificado que parece reflejar pérdida. ¿Cómo es posible que las certezas del día puedan disolverse por completo hasta transformarse en la desorientación y los ataques de pánico de las 3 de la madrugada? ¿Por eso los gurús espirituales la consideran la hora más psíquica para meditar? A menudo me pregunto qué pasaría si examinaran una muestra representativa de todos los habitantes de mi huso horario para comprobar cuántos más estarían despiertos a las 3 de la mañana, sin incluir a los borrachos ni a los noctámbulos que todavía no se han acostado; aquellos que nos despertamos bruscamente cuando nos asalta el temor a nuestra propia mortalidad, como si la vida cotidiana fuera un sueño. El amortiguado sonido ambiente muta en una intensa sensación de pánico, dolor y pérdida. Supongo que esta es la razón por la que abundan comentarios en blogs y chats a esta hora: el ciberespacio es un buen sitio para reunirse y engañarte a ti mismo diciéndote que no estás solo.

Pero, en realidad, aparte de los ronquidos constantes de mi madre en la habitación contigua, no hay nada. Ni mensajes de Leith ni ramalazos de inspiración mostrándome cómo hacer que un restaurante *pop-up* de tres meses funcione sin dinero. Julia tiene razón, me estoy complicando la vida. ¿Por qué?

No quiero estar aquí. El único sitio en el que quiero estar es...

Aparco frente al destartalado edificio de mis esperanzas. El vagabundo está fuera, despotricando en dirección a la ventana delantera. Al verme, sacude la cabeza, luego me saluda con un gesto y se marcha.

Tengo las llaves en la mano. Iba a esperar hasta venir con Julia mañana. Ahora mismo estoy temblando y estoy convencida de que están a punto de atracarme/violarme/asesinarme: gracias, Jules.

Cuando introduzco la llave en la cerradura, oigo de nuevo aquel cuasi suspiro. Giro la llave y, milagrosamente, la puerta se abre. Aunque no estoy segura de por qué me parece milagroso: después de todo, me puse en contacto con el agente inmobiliario, firmé un contrato de alquiler a corto plazo y entregué el dinero. Supongo que no estoy acostumbrada a que las cosas salgan bien. El agente inmobiliario pareció sorprenderse de que quisiera usar el local para un *pop-up*. Hizo algunas llamadas donde no pudiera oírlo y regresó ansioso por conseguir que yo firmara, por lo que supuse que me estaba engañando de algún modo. Pero, aun así, firmé.

La electricidad no está conectada, por supuesto, así que me alumbro con el móvil. Todo está inmóvil, polvoriento y sucio debido a años de abandono. Caben cincuenta clientes como máximo. Oh, Dios, seguro que hay ratones, aunque el agente inmobiliario me aseguró que habían fumigado hacía poco: supongo que eso quiere decir unos cinco años. Aun así, el local transmite calidez, los ecos de muchos menús maravillosos…, alguien le tenía mucho cariño a este lugar. Voy a la cocina. Todo sigue en su sitio… desde 1982. Al parecer, ese fue el año en el que el restaurante cerró. Se llamaba Fortuna. Qué ironía.

Una batidora Kenwood como la de mi abuela se yergue en todo su esplendor junto a un arcaico robot de cocina y los cuchillos siguen en su sitio. Me acerco al horno, una enorme monstruosidad a gas de ocho quemadores que me indica que el antiguo dueño de este sitio se tomaba muy en serio el calor.

Abro los cajones: todos están repletos de cosas que puedo usar y uno está lleno de libros de cocina y ejemplares de *Vogue Entertaining*, *Gourmet Traveller* y otras revistas de la época para *gourmets*. Me siento como si hubiera abierto la caja de Pandora al ver cientos de recetas para platos que ya no forman parte de nuestra psique colectiva, salvo por algunas reinterpretaciones a manos de chefs *hipsters* urbanos. Me siento en el paraíso, pero mi teléfono está a punto de quedarse sin batería. Y entonces lo encuentro. Dentro de un ejemplar de *Gourmet Traveller* de diciembre de 1981 hay un librito rojo. Está lleno de recetas escritas con una letra característica; recetas hermosas y audaces creadas con devoción y estilo. Comida de la época de mi infancia, platos que puedo imaginarme comiendo a familias felices y parejas sofisticadas: langosta Thermidor, solomillo Wellington… Estoy muerta de hambre. La mayoría de las recetas vienen acompañadas de anotaciones y una lista de fechas, posiblemente de las diferentes veces que se sirvió dicho plato. Reviso la sopa de cebolla a la francesa y veo una única fecha: mi cumpleaños. Es decir, mi fecha de nacimiento, el 11 de julio de 1980. ¿Quizá la sopa no estaba buena y el chef nunca volvió a prepararla? Pero es una receta tan hermosa: la cantidad de cebollas, la técnica para rehogarlas, la forma de cortar las baguettes y tostarlas con gruyer. Solo hay un comentario al lado: «Perfección».

El zumbido de mi teléfono me saca de esta ensoñación sobre una utopía de queso. Es Leith. La fotografía que aparece en la pantalla crea su propia sombra en las paredes mientras observo su rostro. No voy a contestar, no voy a contestar. Ay, Dios, es evidente que se siente tan solo y hecho polvo como yo. Cuando estoy a punto de responder, una puerta se cierra de golpe y el móvil se apaga. Gracias, universo. Ahora tengo que encontrar la forma de salir de aquí en medio de la oscuridad.

¿Qué ha sido de mi vida?

4

Lucy

Julia toca el claxon y mamá pone los ojos en blanco. Ambas disfrutan de esta relación de desdén mutuo. Aunque coinciden en qué partes de mi vida necesitan mejorar e incluso han llegado a aliarse por ese motivo…, eso y su odio por Leith.

—Dile que entre en vez de pitar.

—No puedo, llegamos tarde. ¿Quieres venir?

Mi madre luce su bata de terciopelo escarlata y está sentada en el sillón reclinable con los pies en alto. Tiene la boca rodeada de migas de brownie.

—La artritis me está dando guerra y, además, Sandy va a venir luego a hacer un poco de reiki.

Oír mencionar a Sandy y el reiki, sobre todo en la misma frase, hace que me den aún más ganas de salir por la puerta.

—Vale.

—Te irá bien.

—Creo que hay ratas.

—Es tu destino.

Le doy un beso a mamá en la coronilla. Su inquebrantable excentricidad me consuela. El claxon vuelve a sonar.

—Oh, cállate ya, Julia.

Mi madre acompaña estas palabras con un gesto indescifrable: algo a medio camino entre hacer una peineta y agitar el mando a distancia como si fuera una varita mágica.

Me dirijo hacia mi destino, que en este caso es el gigantesco todoterreno de Julia para la ciudad. El aspecto y la forma de conducir de Julia son los propios de una mujer cuya vida cuenta con un seguro completo. Hay una sillita infantil, con bebé incluido, instalada con precisión militar en el asiento trasero. La magnificencia de Julia y su vehículo hace que Attica (que lleva un peto de diseño y de género neutro) y yo parezcamos dos Pulgarcitas de visita en el país de la gente grande.

Subo y beso en la mejilla tanto a Julia como a su versión mini.

—No me puedo creer que firmaras un contrato de alquiler sin enseñarme el sitio primero.

—Buenos días. Voy a enseñártelo ahora —respondo con un destello de rebeldía juvenil.

Julia gruñe, aplicando la disciplina que siempre le ha faltado a mi madre. Teniendo en cuenta que tengo treinta y tantos años, cualquiera pensaría que ya habría superado esta fase, pero ¿las decisiones estúpidas tienen un límite de edad?

Me enfurruño y, durante un rato, viajamos en medio de un silencio interrumpido únicamente por balbuceos infantiles.

—Leith me llamó.

—¿Ya te ha ofrecido ser socios legales en el Circa?

—No lo sé. El teléfono se me quedó sin batería.

—Bien.

Julia gira el volante y se incorpora al carril izquierdo mientras pasamos junto a los trabajadores de Macquarie Street que se dirigen a sus puestos de trabajo y sus reuniones de trabajo. Todos parecen tan adultos y centrados contra el telón de fondo del revoltijo de rascacielos reflectantes y reliquias de arenisca de Sídney. Incluso Attica, que lo observa todo sin pestañear, parece aventajarme en cuanto a madurez. Julia va a odiar el restaurante.

—Busqué la dirección en Internet. Es una calle horrible y el restaurante lleva cerrado desde mil novecientos ochenta y dos.

—Ajá.

Debería haber venido sola.

—Un restaurante no está tanto tiempo cerrado sin un buen motivo.

—Gracias, Confucio.

—Está claro que alguien no ha tomado café esta mañana.

—Mamá no toma cafeína…, solo hachís.

Dejamos atrás el parque y el muelle, que reluce bajo el sol de otro día perfecto que la mayoría de la gente olvidará. Julia toca el claxon y les da instrucciones a conductores que no pueden oírla mientras de los altavoces del vehículo brota una música irritante cantada por los Pitufos.

Tengo el estómago revuelto, incluso después de parar para tomar café. Sé que Julia necesita ver el restaurante, pero también sé que su visión realista va a hacer oficial que he perdido un tornillo.

Nos detenemos enfrente del restaurante. El vagabundo está en cuclillas delante del edificio, limpiándose las uñas con una cerilla. Se encoge de hombros cuando lo saludo con la mano. Julia hace un ruido al tragar saliva, intentando no juzgar… pero juzgando.

—¿Él también viene con el restaurante?

Julia aparca en doble fila, luego bajamos y se asegura tres veces de haber cerrado.

—Jules, ¿y Attica?

—Mierda. —Va derechita a por su bebé—. De vez en cuando me olvido de que la tengo.

Está bien comprobar que es humana y falible; creo que, a veces, ambas nos olvidamos de ese hecho.

Entramos, fregonas, baldes y lejía en mano. Nuestra misión, en cuanto Julia termine de echarme el sermón, es eliminar la primera de las numerosas capas de mugre que cubren el pequeño restaurante.

Attica comienza a explorar los enchufes, así que su madre la coge en brazos rápidamente. Julia da dos pasos hacia el centro del local, sujeta a Attica con más fuerza y mira a su alrededor.

—«Vaya porquería de sitio.»

—Gracias, Jules.

—Bette Davis, en *Más allá del bosque.*

Aliento con mucho gusto la pasión de Julia por las pelis antiguas porque hace aflorar su vena romántica.

—¿Ah, sí? —digo con una sonrisa.

—Esa frase le viene como anillo al dedo. Ay, Lucy, ¿qué has hecho?

Julia expresa mis pensamientos en voz alta. A la luz del día, el ruinoso estado del diminuto local se ve amplificado.

—Aunque no huele mal…, qué raro.

Se asegura con una inspección olfativa.

—El aroma de años cocinando probablemente ha impregnado las paredes.

—Patatas al horno —murmura Julia, respondiendo a una pregunta silenciosa.

Tiene razón: este lugar huele como los asados de domingo en casa de mis abuelos.

Se oye un ruidito y Julia retrocede.

—Dios mío, hay un nido de pájaros en la esquina.

Nos miramos la una a la otra y luego levantamos la vista hacia el nido, con gorrión incluido.

—Por lo menos no es una paloma. Ni una rata. —Intento mantener una actitud positiva desesperadamente.

Julia me toma de la mano, me mira fijamente y habla despacio, como se hace con la gente a la que se le ha ido la olla.

—Cariño, si vamos a ver al agente inmobiliario, puedo emplear mis dotes de abogada y podemos intentar recuperar tu fianza.

Si Julia hubiera conocido al agente inmobiliario, sabría que eso era muy poco probable.

—No. Estoy…, estoy decidida a intentarlo.

Asiento con la cabeza. Ella me mira. Asiento con más ímpetu, esbozando una sonrisa un tanto maníaca y levantando las cejas. Ella inhala. Yo también. Ella resopla. Yo hago lo mismo. Ella suelta un largo suspiro. Yo asiento otra vez…, asentimientos de refuerzo, se podría decir. Julia cede.

—Así que lo has alquilado por tres meses. ¿Cuándo quieres abrir?

Hago una pausa, intentando aparentar que estoy considerando una amplia variedad de fechas posibles.

—El jueves.

Julia me lanza otra mirada que significa: «Estás como una cabra».

—¿El próximo jueves?

—No, tonta, cómo iba a hacerlo.

Julia me clava una mirada intimidante.

—¿Cuándo?

—Dentro de tres jueves.

Me esfuerzo por no parpadear. Pienso ganar este duelo de miradas.

—¿Incluyendo o excluyendo el que pasó ayer?

Ella sabe que no se me dan bien las fechas. Parpadeo.

—Incluyéndolo.

Sé lo que va a decir a continuación: va a convertir «vale» en una palabra de tres sílabas.

—Vaaaale.

Bingo.

—Así que dispones de algo más de dos semanas. Para crear un restaurante.

Enfatiza «crear» dando a entender que me va a hacer falta hilar paja para transformarla en oro mientras estoy encerrada en una celda.

—En eso consisten los negocios *pop-up*: hacen ¡pop! y aparecen de repente... —Me quedo callada.

—¿Cómo...? ¿Quién...? Quiero decir, ¿quién te va a ayudar aparte de mí?

—Bueno, hablé con Maia y Hugo, y ambos están muy interesados.

—¿Tienes dinero para pagar sus sueldos?

—Todavía no.

Julia entorna sus ojos de abogada, de color azul claro y demasiado perspicaces.

—¿Cuánto dinero tienes, Luce?

—Un poco... Le dije a Maia que podía ser socia.

—¿De todo esto? —Julia gira despacio, observando la pintura desconchada, los rodapiés astillados, el estercolero literal y metafórico en el que se ha convertido el suelo—. Apuesto a que no cabía en sí de alegría. —Se vuelve para proseguir con el interrogatorio—. ¿Y Leith lo sabe?

—No exactamente.

—Cariño, si se lo contaste a dos de sus empleados clave e intentaste robárselos, se va a enterar... y no le va a gustar. Yo no tengo ningún inconveniente con eso, pero ya sabes lo cretino que puede ser, y *tú* lo dejaste, te fuiste de casa y decidiste abrir un absurdo restaurante *pop-up* en un lapso de veinticuatro horas.

Ay, Dios, me he vuelto loca.

—¿Estás segura de que no vas a volver con él?

Hay otro duelo de miradas en progreso cuando una puerta se cierra de golpe. Debe ser la misma que se cerró anoche, la que da a los baños.

—Ya sabes que llevamos un mes separados. Simplemente, me mudé de forma oficial anoche.

—Ajá. Bueno, empecemos. Tengo que llevar a Attica a clase de música a las dos.

Julia coge una escoba y se pone manos a la obra. Attica se entretiene con un montón de papel que coloca diligentemente dentro de un cubo antes de vaciarlo de nuevo en el suelo y reírse. Me dirijo a la cocina y me pongo a trabajar. El sin techo canturrea mientras orina contra un lado del edificio. Somos como una gran familia...

5
Lucy

Estoy limpiando el estante intermedio del frigorífico cuando la electricidad se reactiva y Julia grita. Las luces se intensifican y se atenúan. Salgo corriendo al comedor.

—¿Qué pasa?

—Las luces funcionan.

Levanta la mirada y señala la reliquia con forma de vieja y mugrienta araña que zumba e intenta brillar.

—Ya lo veo.

—Es que cien vatios acaban de mostrarme una vista clara de la mierda que es este sitio.

La intensidad de las luces oscila de nuevo. Un estrépito hace que las dos nos giremos a tiempo de ver cómo una zarigüeya se asoma por la parte baja de la antigua chimenea.

Ambas gritamos. Julia agarra a Attica, que ni se inmuta y gorjea. Tengo que reconocer que la niña se ha portado genial toda la mañana, entreteniéndose viendo limpiar a su madre.

—¡Atrápala! —chilla Julia.

—¿Con qué?

—¡Él! —Señala con un gesto brusco de la cabeza hacia la forma musculosa y atractiva que ha aparecido en la puerta.

—Reparto. La puerta de servicio estaba cerrada.

No puedo evitar sonreírle a Henry. Se trata del sobrino de nuestro repartidor en el Circa, que acaba de abrir su propio negocio; tengo suficiente relación con él como para fiarme de sus fuentes, pero no tanta como para que Henry tenga contacto directo con Leith. El pedido, semejante a la tierra prometida, consiste en ingredientes básicos que encargué anoche: arroz, aceite, manteca, vinagre…

—¿Sabes atrapar zarigüeyas? —grita Julia.

Henry parece un tanto asustado, pero está claro que decide que, entre la zarigüeya y Julia, la zarigüeya es la mejor opción.

—Lo intentaré, pero creo que podríamos llamar a alguien.

—Ella no tiene dinero —responde Julia, girando la cabeza en mi dirección—. Tendrás que hacerlo tú.

Henry me dirige una sonrisa de disculpa y poco después consigue devolver a la zarigüeya y al gorrión al amplio mundo. Luego observa el diminuto comedor asimétrico.

—Es un local interesante —comenta en voz baja.

—¿Estás de broma?

—¿Te parece bien pagar esto en efectivo? —Henry me mira de reojo, moviéndose incómodo.

—Dale tu tarjeta de crédito —me indica Julia.

Este es el momento que he estado temiendo…, otro más. Ni siquiera soy capaz de fingir que puedo hacer frente a otro duelo de miradas.

—Mi tarjeta está ligada a la de Leith.

—¿Y qué?

—Que me di de baja la semana pasada y Leith congeló las otras cuentas conjuntas esta mañana.

Julia suelta un gemido.

—¿Aceptarías un cheque? —sugiero.

Henry desliza los pies por el suelo, acentuando su incomodidad.

—Eh…, tiene que ser en efectivo.

—¿Por qué? —lo interroga Julia, adoptando de nuevo su actitud de fiscal.

—Bueno, es que… supongo que Leith avisó al tío Les, que le dijo a mi padre que tenías problemas de dinero.

—¿Hizo eso?

—Sí, en el correo electrónico.

—¿Qué correo electrónico? —pregunta Julia entornando los ojos. Presiento que se avecina un desastre.

—El que envió a todos vuestros proveedores anoche. Dijo que quería avisar de que os habíais separado y que estabas pasando por ciertas… dificultades.

—¿Qué tipo de *dificultades* dijo que tiene?

—Que estás sufriendo una crisis nerviosa… y estás sin blanca…, en bancarrota, quiero decir.

—No está en bancarrota. No tiene suficientes posesiones ni deudas para declararse en bancarrota.

—¡No estoy sufriendo una crisis nerviosa!

¿O tal vez sí? Miro a mi alrededor otra vez. Probablemente, sí.

Henry asiente con dulzura y de forma poco convincente.

—Claro.

—Leith me está saboteando.

Henry asiente de nuevo. Su sonrisa parece algo menos nerviosa.

—Sé cómo son las rupturas. Mi novia y yo hemos tenido nuestros momentos.

—Tienes diecinueve años. No se tienen *momentos* hasta que no se cumplen los veinticinco, como mínimo. —Julia siempre equipara el calado psicológico con una edad específica.

Un arrebato de indignación hace que me sonroje mientras saco mi cartera y le paso doscientos ochenta dólares a Henry.

—Tengo dinero.

—Sí, está claro que te sobra —comenta Julia, que me mira sacudiendo la cabeza y con las cejas enarcadas.

—Genial, gracias —dice Henry, claramente aliviado—. Y, oye, estoy seguro de que este sitio va a molar. —Apenas le vacila la voz al hablar.

Las luces parpadean de nuevo.

Julia mantiene las cejas levantadas mientras acompaño a Henry y su caja de comestibles a la cocina. Después de que el joven se marche, ella aparece sosteniendo a Attica, que, desesperada por caminar, agita todas las extremidades, haciendo que Julia parezca un desconocido monstruo escocés de seis brazos surgido de las profundidades.

—¿Cuánto dinero tienes exactamente?

Me encojo de hombros.

—¿Exactamente? —Suspiro—. Novecientos setenta y dos dólares, menos gasolina.

La realidad de la cifra se estrella contra el suelo y retumba creando una discordante sinfonía de desastre.

—¿Eso incluye los permisos del ayuntamiento y el seguro?

—Sí.

En realidad, no.

—Te haré un préstamo.

—No —protesto de inmediato, y con firmeza—. Tal vez no pueda devolvértelo, y luego me sentiré mal y te evitaré y esto arruinará nuestra amistad.

—Veo que ya lo has considerado.

Pues sí.

—Te donaré cinco mil dólares —afirma, rebatiendo mi tono firme con una finalidad que hace que tanto Attica como yo nos quedemos inmóviles—. Puedo declararlo como caridad y así al menos podrás comprar un poco de pintura. Yo me encargaré del seguro y tú del permiso del ayuntamiento. Un momento, ¿estás llorando?

—No. —Va a ser que sí—. Puede que un poco. No quiero caridad.

—Oh, por favor, guárdate el orgullo para luego, después de abrir. Tengo que llevar a Attica a casa. —Julia me envuelve en un abrazo maternal que consigue que el mundo deje de estar del revés momentáneamente—. Ahora, deja de berrear. Te llamaré esta noche.

Julia sale por la puerta con su andar majestuoso, como si fuera la reina de Saba. Y reaparece momentos después para coger su bolsa de pañales. Luego se aleja en su todoterreno hacia el crepúsculo: mi heroína.

Odio la autocomplacencia y supongo que debería hacer algo productivo…, así que me pongo a sollozar.

Después de un rato, cojo el librito rojo que he estado llevando conmigo y hojeo las entrañables recetas, buscando algún tipo de señal del universo, del ámbito de los lectores del tarot y los asesores de feng shui que he repudiado repetidamente. La sopa de cebolla a la francesa reaparece. Me estoy muriendo de hambre. Tengo cebollas y la mayoría de los ingredientes básicos y, además, necesito familiarizarme con mi nueva cocina poniéndola a trabajar. Así que, en un intento por calmarme, comienzo a cortar cebollas, llorando a mares.

6
Lucy

Corto, sollozo, me sorbo la nariz, gimo... Es una receta preciosa... Odio a Leith... pero no es todo culpa suya..., o tal vez sí... si hubiera mantenido la bragueta cerrada..., pero, para ser sincera, siempre ha faltado algo entre nosotros..., y luego está eso que hace al masticar..., pero ¿quién lo tiene todo? ¿Quién lo hace todo bien? Yo no soy perfecta precisamente: soy temperamental e hipersensible, soy una esnob para la comida... salvo para los perritos con chili, me sonrojo con demasiada facilidad, se me traba la lengua al hablar y mi cerebro tiende a quedarse paralizado cuando me encuentro en un aprieto... Todavía no he dominado el *risotto* (¿qué chef que se precie no domina el *risotto*?), sufro un síndrome premenstrual espantoso... Me gusta poner mis pies fríos contra extremidades calientes, aunque eso despierte a mi pareja... Me cuesta decir que no... Huyo de las situaciones que no me gustan en lugar de hacerles frente... Me asalta un estornudo agudo cuando me pongo nerviosa... Ay, Dios mío, soy básicamente mi madre, pero con el pelo rubio. Me... cago... en la leche.

Me pasan una cebolla. Murmuro un «gracias» y sigo cortando. Entonces me acuerdo de que estoy sola.

—De nada —oigo que dice una voz profunda y resonante, que no le pertenece a Leith... ni a nadie que conozco.

¿Sabes esa sensación que experimentas cuando te das cuenta de que te has disociado de la realidad hasta tal punto que sales de tu cuerpo y te miras desde fuera? Probablemente no, porque probablemente estás cuerda, te casaste con tu primer novio y vives en la casa que les compraste a tus abuelos, situada a la vuelta de la esquina de la casa en la que viven tus padres. Probablemente empiezas a hacer planes para Navidad en mayo y tienes los números de contacto de la policía, los bomberos, la ambulancia y tus cinco mejores amigas impresos y pegados en un panel de corcho cerca del teléfono en la cocina. Ojalá yo fuera así, pero no lo soy; por lo tanto, me arriesgo a echar un vistazo y compruebo que la mano que me pasó la cebolla tiene un brazo pegado. Es peludo y masculino. El brazo está cubierto con una manga que parece un… Vale, hay un hombre vestido con un caftán, bastante peludo y no exento de atractivo sentado en mi mesa de trabajo. Huele bien, así que no pertenece al clan de mi amigo el sin techo; huele como el restaurante…, a asados y vitalidad. Trago saliva, consciente de que esta será la última vez que pueda hacerlo, porque estoy a punto de morir a manos de un asesino psicópata peludo, de olor agradable y que está como un tren. De repente, mi mente me recuerda que una vez leí en alguna parte que, si miras directamente a los ojos a tu asesino, eso hace que le resulte más difícil llevar a cabo la tarea. Así que levanto la mirada hacia el rostro del futuro asesino vestido con caftán y veo unos labios, una nariz y unos ojos bellamente esculpidos; esos ojos, parecidos a dos estanques infinitos de color verde musgo, brillan con picardía e inteligencia… y me miran directamente y con curiosidad.

—Entonces, ¿puedes verme? —Esa voz otra vez. ¿Todos los aspirantes a asesinos hablan así?

—Sí…

—Y oírme también… Bien, bien.

En sus labios se dibuja una sonrisa que tiene el efecto hipnótico de hacerte creer que el universo fue creado solo para este momento. ¿Qué rayos está pasando?

Estornudo.

—*Gesundheit!*

Esa voz sí la conozco, y proviene de detrás de mí. Me giro hacia Leith. Gracias a Dios. Pueden matarlo conmigo… o, tal vez, en mi lugar.

Al volverme, descubro que el hombre de la cebolla ya no está. Un momento. ¿El hombre de la cebolla ya no está? He perdido la cabeza por completo.

—¿Qué…, por qué… tú… aquí?

Eso es todo lo que puedo articular, lo cual no está mal teniendo en cuenta que estoy segura de que me van a poner una camisa de fuerza en cualquier momento.

—¿Qué clase de bienvenida es esa?

Leith se acerca para besarme, pero retrocede al ver que todavía sostengo el cuchillo en la mano. Adopta lo que sé que él cree que es una «postura favorecedora», lo que significa que realza sus bíceps, su estatura y, en momentos especialmente engreídos, su entrepierna.

—¿Por qué estás tan nerviosa?

—¿Qué? Eh, no, por nada. ¿Qué haces aquí?

Miro a mi alrededor otra vez. No hay nada, nadie... ¿Hola?

—Si la montaña no viene a Mahoma...

De vuelta a la rutina con Leith.

—¿Podemos dejarnos de clichés, aunque solo sea cinco minutos?

Leith se encoge de hombros y coge el pequeño recetario rojo.

—Qué mono.

Se lo quito de las manos. Siempre he odiado esa costumbre que tiene de dar por sentado que todo le pertenece; en especial, yo.

Sostengo el libro contra mi pecho mientras examino la mesa de trabajo donde estaba sentado el tío bueno. Por lo menos en mi alucinación tenía el detalle de ser increíblemente guapo y masculino, como salido de un viejo anuncio de Old Spice, aunque sin las cadenas de oro, pero... Oh, Dios...

—¿Estás bien, LiLi?

También odio que insista en llamarme LiLi con voz infantil y que use ese nombre para firmar las tarjetas por mí, y el hecho de que firme las tarjetas *por mí*, como si le diera miedo que escribiera algo más memorable que él para el cumpleaños de un niño de siete años, me saca de quicio. Leith me saca de quicio. Así son los tipos que te rompen el corazón. Cabrón.

—Sigues poniendo esa cara rara.

—Han pasado muchas cosas esta semana.

—¿Cuándo vuelves a casa?

Desliza sus manos perfectas (otro atributo que sabe cómo realzar) sobre los enseres de cocina, haciendo que tanto ellos como yo parezcamos ridículamente maltrechos en comparación. Su simple presencia me chupa el oxígeno de los pulmones.

—Cuando regresábamos de Seal Rocks, te dije que se acabó. Necesito espacio.

—Ya, pero no hacía falta que te fueras de casa.

—¿Cómo iba a tener espacio si no?

Se me queda mirando. Está claro que no sabe cómo responder a eso.

—¿Por qué miras alrededor así? ¿Hay alguien más aquí?

—¿Tú ves a alguien? —Intento emplear un tono desenfadado, pero me doy cuenta de que lo que digo no tiene sentido.

Leith evalúa a la mujer loca y de ojos vidriosos que tiene delante.

—Tal vez deberías volver a casa a descansar —dice por fin.

Quiere tener sexo. Yo no quiero tener sexo con él.

Me rodea con sus brazos y me atrae hacia él.

—Sé que te presioné con lo de las vacaciones. Era demasiado pronto, pero quería que todo volviera a ir bien.

Sigue abrazándome y, poco a poco, empiezo a derretirme. Ay, Dios, cómo me odio.

—Ven a casa a echarte una siesta y así estarás en plena forma para esta noche.

Y ahí está: el plan oculto de Leith. No quiere que falte al trabajo un viernes por la noche.

Me aparto.

—Necesito que te vayas.

—¿Por qué?

Verse rechazado, de cualquier forma o por cualquier motivo, es algo que escapa a la comprensión del ego de Leith.

—Porque no puedo tener espacio si tú estás en él.

—¿Y has decidido que *esto* es buena idea? —Su rabia aflora al instante—. ¿Quién dice que necesita una «separación de prueba» y luego cancela las tarjetas de crédito y alquila un local que ni siquiera es apto para ser un comedor de beneficencia?

Las luces parpadean.

—Incluso la instalación eléctrica es una chapuza. Ya me has castigado lo suficiente, ahora vuelve a casa.

¿Por qué los hombres piensan que los están castigando cuando las mujeres se enfadan porque les han sido infieles? ¿Por qué eso también es culpa nuestra? Te joden y luego te echan la culpa.

—No hago esto por ti, sino por mí.

—Y luego me acusas a mí de usar clichés. Nunca tengo ni la más remota idea de lo que te pasa, te evades a Dios sabe dónde.

Algo se rompe dentro de mí. Podría decir que una fuerza mayor que yo misma estalla, pero eso sería buscar una excusa. Toda la frustración de los últimos años, sobre todo de los últimos meses, se libera y un genio malvado escapa de mi interior.

Suelto un rugido.

—Quiero que te vayas, *eso* es lo que me pasa. Quiero que dejes de atribuirte el mérito por mis menús, que dejes de acostarte con nuestras empleadas y que te largues bien lejos de mí. Vete a la mierda de una puta vez.

Leith se queda tan atónito como yo. Nunca le he hablado así…, ni a él ni a nadie. Madre mía, qué alivio.

—Estás trastornada.

—Y tú eres gilipollas.

Me mira de arriba abajo. Sé lo que se avecina.

—Allá tú.

Odio esa expresión, que le oyó a un camarero *hipster* hace unos años y ha estado perfeccionando desde entonces.

Leith se marcha. Miro a mi alrededor. No hay nadie más aquí.

Sopa de cebolla a la francesa

Ingredientes

- 120 gramos de mantequilla
- 5 cebollas medianas, peladas y cortadas en aros
- 100 mililitros de vino tinto
- 1 cucharadita de mostaza Dijon
- Hojas de 4 ramitas de tomillo
- 4 hojas de laurel
- 150 mililitros de caldo de res
- 1 baguette
- 100 gramos de queso gruyer rallado
- 50 gramos de queso parmesano rallado
- Pimienta negra molida, al gusto

Elaboración

Calienta la mantequilla en una cacerola grande, honda y de fondo grueso (*Le Creuset* es ideal). Con la cacerola tapada, rehoga las cebollas suavemente durante unos 15 minutos o hasta que estén tiernas. Retira la tapa y sube el fuego hasta que las cebollas estén doradas y ligeramente caramelizadas. Ten cuidado de no dejar que se frían y queden crujientes.

Añade el vino (y, si te apetece, sírvete una copa), la mostaza, el tomillo y las hojas de laurel. Déjalo hervir hasta que el alcohol se haya evaporado; luego añade el caldo, baja el fuego y cuécelo a fuego lento durante unos 30 minutos, removiéndolo de vez en cuando.

Corta la baguette en rebanadas de 2 centímetros y tuéstalas ligeramente por ambos lados.

Sirve la sopa en cuencos aptos para el horno e inhala el aroma profundamente. Coloca 1 o 2 rebanadas de baguette encima y espolvorea generosamente con los quesos rallados y una pizca de pimienta negra. Deposita los cuencos debajo del gratinador caliente del horno. Cuando el queso esté dorado y burbujeando, retira la sopa del horno y sírvesela de inmediato a alguien que se merezca tu tiempo y saborear esta delicia.

7
Frankie

Tengo que reconocer que es una mujer enérgica. Y, lo que es más importante, tiene agallas. Después de que ese mamarracho que tiene por marido se marchara, ella se quedó a terminar la sopa. Y, madre mía, cocina muy bien. Lloró todo el tiempo, por supuesto; pero, en mi opinión, las lágrimas la habrían sazonado a la perfección.

La dejé tranquila, pero lo observé todo.

Le dio un cuenco a Bill antes de salir, que él devoró. Chica lista. Solo tiene que dejarse de lloros y mantenerse centrada y le irá bien. No es tan buena como lo era yo, aunque suelta casi tantas palabrotas. Oh, cómo me gustaría volver a probar esa sopa. No dejó nada aquí, la guardó en un táper y se la llevó a casa; parando en una licorería por el camino, si sabe lo que le conviene.

Se ha ido otra vez. Pero volverá, y ella será la clave. De eso estoy seguro.

Casi puede oír las palabras que intercambian los clientes, casi puede ver sus rostros llenos de expectación. Nota la calidez de este lugar porque siempre está abarrotado. Una multitud de clientes de la otra vida sigue aquí, consumiendo la comida que les hizo replantearse el divorcio o iniciar una aventura amorosa. La comida que les cambió la vida.

El edificio bulle con el parloteo de los muertos que cenan, tan distintos de los comensales muertos en vida, esas parejas que se sientan en silencio y llenan las horas de su matrimonio con empanadas de cerdo. Estas personas vivían para comer y, maldita sea, las adoro por ello. Independientemente del saldo de su cuenta bancaria, encontraban el modo de venir, ahorrando durante un año si era necesario, para que yo saciara su paladar. Y sigo a su servicio. Viví para alimentar a otros, para seducir a sus papilas gustativas.

Las mesas están llenas. Los Denison, nostálgicos ante un cóctel de gambas. Marie con su mousse de chocolate y su envarada hija, a la que le vendrían bien unos cuantos platos de pasta y que insiste en seguir a su madre a todas partes; a veces no puedes librarte de la familia, ni siquiera después de morir. Mi hermosa Tiffany se ríe con elegancia, observando la sala, esperando a su chica. El espantoso y deshonesto Mickey, el abogado, que consiguió reducirles la condena a tantos criminales: lo único que quiere es un estofado irlandés como el de su madre, salvo que le gusta más el mío. Clancy sopla diez velas sobre el pastel de helado que su tía me convenció para que hiciera. Tom apacigua a su padre borracho y ofrece un brindis.

Ella acabará viéndolo, debe hacerlo. No está sola.

Viola empuja la cara de Ted contra el merengue; siempre lo hace. Revivir los momentos más destacados es nuestro entretenimiento. Es apropiado que vengan aquí: nada puede renovar tu voluntad de vivir como una sabrosa comida, incluso después de que hayas muerto.

8
Lucy

Cuando llego a casa, mamá y Sandy están viendo un programa sobre confección de colchas; cada una tiene su labor en el regazo y cosen mientras miran fijamente la tele. Mi madre hizo que Sandy se interesara tanto en la elaboración de colchas como en *The Bold and the Beautiful*, y esta sigue sacándole provecho.

Sandy es una marchita experta en reiki obsesionada con las alpacas y con un hijo gay que lamenta que su madre carezca de estilo para la moda, la comida y el arte. Se enorgullece de haber renunciado a la moda, el cuero y los cuidados capilares. Creo que está enamorada de mi madre o, como mínimo, se trae una especie de rollo grupi.

Las cartas del tarot de mamá están sobre una mesita de centro abandonada. Las cojo con la mayor discreción posible, me sirvo una copa del *Chenin blanc* que compré en mi licorería favorita y me dirijo directamente a mi habitación.

Una vez allí, intento detenerme para no echar las cartas. Siendo la hija de la que posiblemente sea la mujer más implicada en los temas místicos que conozco, me da bastante vergüenza encontrarme en esta situación, realizando una cruz celta con las cartas del tarot..., pero ver cómo un hombre con caftán aparece y desaparece de la mesa de trabajo de tu cocina puede llevarte a hacer cosas poco gratas.

No creo en fantasmas. Bueno, eso no es verdad, sí creo en ellos... pero me gustaría no hacerlo. Creo que los fantasmas de la decepción y las relaciones fallidas pueden perseguirte toda la vida. Y el fracaso en sí mismo es un fantasma de una presencia atroz. Pero ¿un fantasma real, una aparición? Ni siquiera estoy segura de si creo en Dios o en la vida después de la muerte. Creo que los sentimientos entre las personas tienen vida propia, igual que los recuerdos; pero creer en un fantasma significa creer en un espíritu con algún tipo de existencia *post mortem*, y todo parece indicar que eso sería una locura. Por otra parte, según mi experiencia, que le debo sobre todo a mi madre, las vidas y las personalidades de la gente dejan tras de sí remanentes que perduran y nos rondan. No sé explicarlo, pero puedo sentirlo de vez en cuando. No de un extraño modo psíquico; simplemente, tengo el presentimiento de que alguien se rio aquí o lloró allí y que ese recuerdo significa algo para más de una persona y por eso persiste. ¿Eso es un fantasma?

Pero ¿que un hombre aparezca y desaparezca de mi cocina? ¿Quién es y qué hacía allí? ¿Y por qué yo lo vi cuando es evidente que Leith no? ¿Y por qué es tan guapo? No olía como un asesino mugriento, y me miraba con algo parecido a diversión. Un hombre con ojos pícaros trae problemas. Un hombre muerto con ojos pícaros sería aún peor.

Los únicos fantasmas con los que he intentado contactar alguna vez son los de mis abuelos. Cuando estaban vivos, eran los protectores de mi cordura y la razón por la que he logrado sobrevivir en este mundo. Pero no he visto a ninguno de los dos. Ambos estaban contentos con su vida; aunque, por supuesto, siempre se preocupaban por mamá y por mí. Cuando murieron, dejaron sus asuntos resueltos; ya era hora de ceder el testigo. Los invoco cuando preparo sus platos favoritos, están en mi mente casi todas las mañanas cuando me despierto…, pero eso me aporta paz. Los echo muchísimo de menos, pero lo único que deseo decirles es «gracias».

¿Aquel hombre era de verdad un fantasma? Sé que cuando a la gente se le va la olla puede sufrir alucinaciones auditivas y, en realidad, ¿por qué no iba a alucinar porque un hombre joven y guapo me estuviera ayudando a cocinar? Mi vida se ha ido por el retrete, así que él podría ser una especie de «hada padrina» imaginaria. Pero… *estaba* allí. Estaba y luego desapareció, y eso solo deja tres opciones: a) Estoy completamente loca (posible), b) es un fantasma (improbable) o c) es un truco de Leith. Aunque, pensándolo bien, Leith carece de imaginación para organizar algo así; su modo de actuar cuando no consigue lo que quiere es emplear la manipulación y la intimidación haciéndolas pasar por encanto.

Leith y yo nos hemos convertido en fantasmas el uno para el otro. Más allá de la irritación, las traiciones y la humillación, sabes que se ha acabado cuando cada conversación es una repetición y una anodina recreación de lo que pasó antes, como si hablaras siguiendo un guion. Cuando el tacto de la otra persona es como un recuerdo mientras todavía sigue ahí, porque, de algún modo, no hay conexión. Es como ver a alguien agitando los brazos cuando sabes que ya te has ahogado. El ritmo está desacompasado, la risa está desincronizada. Cuando ya no crees en esa persona. Cuando su amor ha demostrado ser falso y se retira hacia las sombras... sabes que es un fantasma. Sin embargo, lo que nadie te dice es que el hecho de que te ronde una relación muerta puede doler una barbaridad.

A esto ha llegado mi vida: a hacer la tirada de la cruz celta con las cartas del tarot en la cama de sobra de mi madre. ¿Por qué no vuelvo a mi casa y considero todo este «desafortunado episodio» una precrisis de los 40? Vuelve con Leith: resígnate, cocina, cómprate un perro, ten un hijo. Mierda, ¿me he inventado todo esto porque quería tener hijos? Un hombre peludo con caftán en un restaurante destartalado..., ¿qué diría Freud? Jung diría que *yo* soy el tipo del caftán; Freud sería más imaginativo y diría que envidio el pene de Leith.

Justo cuando acabo de colocar la última carta y estoy revisando el folleto explicativo, mamá, con su impecable sentido de la oportunidad, aparece en la puerta.

—No digas nada —le pido, casi suplicando.

Mi madre se encoge de hombros y se acerca para sumergirse en las cartas. Y quiero decir en un sentido literal: prácticamente se fusiona con ellas mientras las examina y les da golpecitos con el dedo, asintiendo y murmurando entre dientes.

—El ahorcado, bien.

—¿En serio? ¿Por qué está bien?

—Qué lectura tan estupenda.

Le he oído decir eso demasiadas veces a lo largo de los años, sobre todo a mujeres con el corazón roto, hijos sinvergüenzas o un bulto en el pecho.

—¿Y eso por qué? —la reto con el tono de duda habitual entre nosotras.

—Tienes un nuevo comienzo con la torre, tuviste que sacrificar algo..., supongo que es el restaurante, porque en mi opinión dejar a Leith no se puede considerar precisamente un sacrificio.

—Gracias, mamá.

—Eres pobre…

—¿Las cosas mejoran?

—Hay un hombre.

Me pongo derecha.

—¿Quién?

—Es poco convencional…, algo embaucador, un mago. Me gusta, es genial para ti. Ya iba siendo hora de que conocieras a alguien que supusiera un reto para ti.

Vacilo un momento y, luego…

—¿Está vivo?

La mayoría de la gente me preguntaría a qué venía eso, pero mi madre no. Ella simplemente hace una pausa para meditar su respuesta.

—Eso depende de cómo definas «vivo». Está *lleno* de vida. Vais a ayudaros mutuamente. El dos de copas: almas gemelas. Esperemos que tengas un bebé con él.

—Lo dudo mucho —me burlo. Entonces la miro—. ¿Eso está en la tirada?

—No, pero me gustaría ser abuela.

Típico de mi madre: incluso mis lecturas del tarot tratan de ella.

—Te esperan retos, pero… Ahí, el nueve de oros: tienes tu propio jardín…, nunca pudiste con Leith. ¿Dónde está ese restaurante?

—Ya te lo dije, en Woolloomooloo, en la esquina entre Myrtle y Webster.

—Ah…, te refieres al antiguo local de Frankie.

Siento que me falta el aire.

—¿Quién?

—Frankie Summers. Era el dueño y lo dirigía.

—¿Lo conocías?

Mi madre me mira como si acabara de decirle que no sabía que el hombre había pisado la luna.

—En los setenta, todo el mundo en Sídney conocía a Frankie. ¡Menudo bombón!

Me da un vuelco el corazón.

—Mamá, ¿tú…?

—¡No digas tonterías! Estaba muy ocupada con tu padre.

—¿Cuál de ellos?

—A quién le importa, ninguno valía para nada.

Ese es el tipo de cosas que me dice cada vez que le pregunto por mi padre (quienquiera que sea), algo que no hago con frecuencia... Me he pasado la mayor parte de mi vida intentando encontrarle sentido a mi madre y seguirle el ritmo. Toda curiosidad sobre mi linaje paterno se ha visto eclipsada por mis intentos por comprender y sobrevivir al materno.

Nos interrumpe el tono de llamada personalizado de Julia en mi teléfono.

—De todas formas, mi programa está a punto de empezar —dice mamá—. Asegúrate de poner una ramita de salvia en ese restaurante. Cuando pienso en todo lo que hicimos allí...

La voz de Julia se superpone a la de mi madre.

—Voy de camino a buscarte. —Noto la urgencia en su voz.

—¿Por qué?

—Para que puedas echarle la bronca a Leith en persona.

—¿Por qué iba...?

—Ese es el problema de las redes sociales —prosigue ella, indignada—. Es demasiado fácil destrozar por completo la reputación de alguien.

No tengo ni idea de a qué se refiere. Tal vez ha visto demasiados episodios de *Peppa Pig* con Attica y ha estallado...

—¿Julia?

—Se ha puesto a decir que llevas meses desquiciada, pero que ahora has perdido la cabeza por completo con este nuevo restaurante y que lo has alejado de ti...

Veinte minutos después me encuentro en el seguro interior del todoterreno, aunque lamentablemente no me protege de los tuits ni de los comentarios de Facebook. Tengo la boca seca y mi estómago ha asumido el papel de traductor, expresando mi resentimiento por medio de gruñidos audibles.

—Venga ya, se está comportando como un caso típico de gilipollas narcisista.

—Ya, ¡pero yo parezco una loca! Y la gente *espera* que los chefs sean gilipollas narcisistas, les ayuda a confiar en su comida. Sobre todo, los chefs famosos con varios libros publicados y su propio blog de YouTube..., canal... lo que sea.

—Es un robarrecetas sediento de publicidad… y tiene los dientes demasiado rectos.

—¿Podemos imprimir eso en una camiseta y convertirlo en el uniforme del personal de mi restaurante?

—Por supuesto.

Aparcamos fuera del Circa, el antiguo hogar de mis esperanzas culinarias. Los vestigios del atardecer le aportan un telón de fondo de un suave tono carmesí al que sigue siendo uno de los restaurantes más elegantes de la ciudad. Continúo leyendo los tuits y las publicaciones de Leith mientras me bajo del vehículo.

—¡No me puedo creer que haya puesto la fecha de apertura del restaurante! Ni siquiera *yo* tengo claro cuándo voy a abrir.

—Bueno, considéralo un favor. Se te da bien cumplir los plazos.

Al cruzar las puertas doradas del Circa, descubro que hay mucho ajetreo y los primeros comensales, que ocupan todas las mesas, se encuentran en medio de los entrantes y los platos principales. Nadie parece echar de menos mi forma de cocinar. Todo va perfectamente bien. Las terrinas, los patés, el gazpacho de langosta que ideé el verano pasado después de nuestro viaje a la isla de Flinders. Dios mío, ver a gente feliz disfrutando de la comida puede hacerte sentir más solo que la una cuando no tienes a nadie. Realizo algunos saludos de rigor y noto la mirada de desconcierto en los ojos de varios de mis clientes habituales. ¿He vuelto? No exactamente.

Me dirijo a la cocina. Todo marcha viento en popa bajo el férreo control de Leith. He de reconocer que sabe dirigir una cocina…, cabrón. Maia me lanza una extraña media sonrisa y parece encogerse un poco. Adoro a Maia, ha sido mi ayudante durante los últimos dos años y es una magnífica cocinera por derecho propio. Ha visto a Leith destrozarme y robarme, por lo que le pedí que fuera mi *sous-chef* en el *pop-up*. Y aceptó, creo. Dios, espero que ganemos lo suficiente para que pueda pagarle el sueldo. ¿Cómo voy a…?

Mi torbellino de pensamientos se ve interrumpido al ver a Leith, que está flameando la *crème brûlée*. Agarro un escurridor lleno de *fusilli* que hay cerca (no está demasiado caliente ni demasiado frío) y le lanzo el contenido. Por desgracia, él se agacha. La vida es así.

Por supuesto, elige la frase que más me hará enfurecer:

—Me alegro de que hayas vuelto.

Gilipollas.

—¿Qué intentas demostrar? —grito para hacerme oír por encima del ruido del nuevo robot de cocina que compré—. Ya te has quedado con el apartamento, el restaurante, la clientela. ¿Por qué haces esto?

—¿Hacer qué?

Intenta hacerse el tonto, aunque no se le da bien, mientras agita el soplete como si fuera un cetro, encendiéndolo de vez en cuando para añadirle un poco más de drama.

Le enseño mi iPhone a modo de respuesta.

—Bueno, nena, odio decirlo, pero ¿hay algo de lo que he puesto ahí que no sea verdad?

—¿Por qué no te limitas a tu propia vida y tus conquistas sexuales?

—No me gusta que intentes robarme a mi personal.

Vuelve a encender el soplete por última vez y luego lo sopla como si fuera una pistola y él el maldito John Wayne. En serio, este hombre es insufrible.

—¿Robarte a tu…? ¡Estamos hablando de Maia! —La aludida sigue cortando verduras con estoicismo, fingiendo que está sorda—. Te odia casi tanto como yo. Ya ha intentado dimitir tres veces. Y Hugo ni siquiera sería tu *maître* si no fuera por mí. Fue mío desde el principio.

—Puede ser, pero ¿qué clase de trabajo puedes ofrecerles? ¿Qué clase de salario?

—¿Por qué no descongelas nuestras cuentas bancarias para que pueda pagarles? —contraataco.

—No puedo, lo siento. Tú empezaste al cancelar las tarjetas de crédito conjuntas.

—Lo hice para evitar que me culparas de cualquier gasto. Déjame en paz. Deja mi negocio, mis amigos, mi *pop-up*, mis tetas y mi corazón en paz.

Leith sonríe como un idiota al oír eso. En lo único que está pensando ahora es en mis tetas.

Me vuelvo hacia Maia.

—¿Quieres venir conmigo ahora? No tienes que quedarte aquí.

Antes de que ella pueda responder, Leith se sitúa a su lado.

—Deberías contárselo, bizcochito.

Paso la mirada de uno al otro. Las náuseas que sientes cuando alguien te dice que tenéis que «hablar» o que la boda a la que acabas de llegar se celebró ayer resuenan por mi tracto digestivo.

—No.

Maia prueba tres frases diferentes, pero se decide por lo siguiente:

—Me subió el sueldo.

Toma ya. Creo que voy a vomitar.

—No me cabe duda. —Intento sonar irónica, pero fracaso—. Eres mi amiga.

Maia parpadea de forma estúpida. Conozco esa mirada, yo misma la tuve una vez: se está enamorando de él. Un estremecimiento de rabia me sube en espiral por la espalda.

—¿Cuándo? ¿Cuándo pasó esto? ¿Y cómo?

No obtengo ninguna respuesta.

—Tampoco te será fiel a ti, ¿sabes? Pensarás que el sexo es tan asombroso que no necesitará buscar en otra parte, pero lo hará. Y ¿eso que hace con la lengua? Lo deja después de los tres primeros meses.

Los ojos de Maia se niegan a encontrarse con los míos. Espero un momento. Leith sonríe con aire de suficiencia.

Mientras salgo con paso airado, oigo cómo Julia, que hasta ahora ha permanecido en segundo plano observando, lanza algún tipo de amenaza legal sobre difamación y órdenes de alejamiento, pero una ventisca azota mis oídos bloqueando todo sonido… hasta que oigo mi propia voz en el centro del comedor:

—Hola a todos. Espero que estén pasando una agradable velada y que la persona sentada a su lado sea alguien a quien amen, o por lo menos estimen, y no un gilipollas infiel como el tipo que dirige este sitio. Soy Lucy Muir. Soy…, era la *sous-chef* aquí. Soy la mujer que fue tan tonta como para enamorarse de un asqueroso mujeriego y casarse con él; pero me marcho y voy a abrir mi propio restaurante aquí cerca. Y, aunque todavía no esté incluido en la lista de los mejores restaurantes de la ciudad, no tardará mucho en estarlo. Va a ser genial, excelente, potente, y me gustaría mucho que todos ustedes asistieran a la inauguración. Traigan a alguien agradable…, no se permiten imbéciles. Ah, por cierto, Leith les cobra un quince por ciento adicional cuando ustedes mismos traen el postre porque es un imbécil. Nunca me gustó la idea. Buen provecho.

Salgo en medio de susurros y móviles apuntándome, con Julia a mi lado.

—Así no vas a acallar los rumores. —Percibo cierto orgullo en su voz.

—¡A la mierda los rumores! Voy a hacer que mi restaurante sea sensacional.

Y, durante un momento, sé que es verdad.

—Así se habla. ¿Has pensado qué nombre ponerle?

—Voy a mantener el que tiene: Fortuna.

—¿Podemos colocar un «buena» delante?

—Ya me dirá cómo quiere llamarse.

—A veces eres la digna hija de tu madre, doña susurradora de restaurantes.

Después de que Julia me lleve a casa, me encamino a otra noche en vela en la cama individual. Qué buenos tiempos…

Gazpacho de langosta

Ingredientes

- 8 tomates medianos, troceados y picados muy finos
- 1 ½ pimientos rojos, troceados y picados muy finos
- 1 ½ pimientos verdes, troceados y picados muy finos
- 2 pepinos ingleses, troceados y picados muy finos
- 1 cebolla roja mediana, troceada y picada muy fina
- ½ taza de aceite de oliva
- 1 cucharadita de vinagre balsámico
- Zumo de 1 limón
- ½ taza de caldo de langosta (frío)
- ¼ de taza de cilantro picado
- ½ taza de chiles jalapeños sin semillas y cortados en dados
- 1 cucharadita de sal
- ½ cucharadita de pimienta negra molida
- Carne fresca de langosta cocida de 2 ejemplares medianos, picada muy fina. Es mejor que las cuezas tú: mátalas de forma humanitaria, congelándolas antes de cocerlas.

Elaboración

Mezcla los tomates, los pimientos, los pepinos, la cebolla, el aceite de oliva, el vinagre, el zumo de limón y el caldo.

Pásalo a un recipiente no reactivo y agrega el cilantro, los jalapeños, la sal y la pimienta mientras lo remueves. Tápalo y déjalo enfriar 4 horas para permitir que los sabores entren en contacto y se conecten.

Cuando vayas a servirlo, vierte la sopa en tazones previamente enfriados y decora con la carne de langosta. Devóralo según de qué humor estés.

Nota: *naturalmente, puedes utilizar un robot de cocina para acelerar el proceso..., pero yo sigo siendo de la vieja escuela en cuanto al modo de picar los ingredientes, ¡y no querrás que quede demasiado pastoso!*

9

Frankie

Les reservé la misma mesa todos los martes durante doce años. Solían traerlo, él era su orgullo y alegría… y, entonces, un día, otro cliente me contó que hubo un accidente de esquí, una caída, y desde ese momento solo fue una mesa para dos. El chico solo tenía dieciocho años. ¿Cómo superas algo así? Respuesta: no lo superas. Empiezas a hablarle a la gente únicamente con frases cortas porque cualquier otra opción es demasiado insoportable. Dejas de preocuparte por si no les has sacado brillo a las botas, si no tienes las uñas limpias o si un vehículo se dirige hacia ti cuando cruzas la calle. Nada tiene importancia. Cada comida es un aniversario de la vida sin su hijo. Cuando están solos, no se molestan en conversar; cuando están solos, sus heridas rezuman arrepentimiento. Por lo general, él empieza bien: una breve conversación con Serge. Ella es elegante y reservada. Ambos buscan en el santuario del menú un momento de respiro frente a las alarmas que hace sonar su pérdida. Pero luego, entre un plato y otro, tras los primeros bocados y un breve intercambio de palabras, él se hunde cada vez más en su dolor; imagina con resentimiento a los jóvenes enamorados y a los nietos que nunca verá. Ella intenta centrarse en la comida y los otros comensales. Intenta hacer que el pesado silencio que se extiende entre ellos se suavice como una melodía, pero él mira fijamente su comida. Si él supiera, como yo sé ahora, que su hijo siempre estuvo allí sentado, observando con tristeza cómo sus padres se negaban a superar el dolor, a sanar y darle una oportunidad al futuro. Todas las semanas, él se sentaba allí, invisible. Deseando que su padre probara platos nuevos y que su madre mirara hacia adelante, no hacia el abismo de la desesperación de su padre. Los muertos quieren que vivas y devores la vida, no que te mueras de hambre recordándolos.

10
Lucy

No puedo dormir. ¿Qué era eso? *¿Quién* era?

11

Frankie

Me gustaría rendirle homenaje al humilde huevo. Me ha salvado la vida en varias ocasiones. Desde sus modestos inicios en la dieta de una persona con el huevo pasado por agua con tostadas cortadas en tiras hasta la elegancia del suflé, el huevo es el alma de las cocinas francesa e inglesa. ¿Qué sería la vida sin la salsa holandesa o la bearnesa, sin las tortitas, sin el quiche? Bien sabe Dios que necesitas muchas natillas en tu vida para poder hacerle frente. Pocas cosas satisfacen tanto como un huevo revuelto, o una tortilla de cangrejo y estragón para ofrecerle de desayuno a tu nueva amante. Qué vacía estaría la vida si no fuera por la mousse. Y, en cuanto al merengue, aunque fue la cruz de mi existencia mundana, una de las pocas recetas que nunca dominé, sigo rindiéndome ante sus densas cumbres blancas, su estilo y su delicadeza. ¿Y dónde estaría el beicon sin su majestuoso compañero, frito, rodeado de un manto blanco y rebosante de un manjar dorado como el sol?: el bálsamo perfecto para el mal tiempo y la resaca. Me inclino ante *l'oeuf*. Dios sabe que lo he llevado pegado en la cara lo bastante a menudo como para ser amigos íntimos.

¿Dónde está la chica? Ella tiene algo especial. No me cabe en la cabeza por qué lloraba por ese cretino. Aunque eso es lo que hacen las chicas buenas: llorar y suspirar por imbéciles. Yo debería saberlo bien, pues mis logros en el campo de la imbecilidad han sido destacados. No. Ella se merece a alguien mejor que él.

¿Dónde está?

12
Lucy

Son las tres de la madrugada, cuando incluso los fantasmas duermen y sientes que nunca volverás a tener compañía en el estricto sentido de la palabra. Esperas que nadie más tenga que soportar momentos como este, porque parecen infinitos e insuperables. Porque están llenos de dolor y nihilistas segundos perdidos.

Y es en estos momentos cuando recurro a él. No al porno ni al tarot, sino al librito rojo. Hojeo las recetas. ¿Son de él? Antes, por la tarde, me convencí a mí misma de que me lo había inventado todo; pero, a esta hora, la lógica importa poco y siento que solo encontraré consuelo a través de esas recetas escritas a mano. Es mi libro de oraciones para pasar una noche deprimente. Suflé de queso gruyer horneado dos veces... Oh, no me vendría mal uno. Los suflés, además de ser un tanto ostentosos, suponen una forma muy elegante de comenzar una comida; no llenan demasiado ni resultan tampoco frugales, son la unión perfecta entre estilo y sustancia. Añade a esto los matices jugosos y salados del queso y tienes un plato hogareño que encaja perfectamente en una mesa elegante. Me estoy muriendo de hambre. Las rupturas vienen bien para perder peso, pero el lamentable contenido del frigorífico de mi madre es aún mejor. Pero seguro que tiene huevos.

Pues no. Mi estómago ruge y quedan demasiadas horas hasta que salga el sol como para llenarlas con hambre y tristeza. Salgo de la casa.

Gracias al reparto de Henry, hay huevos en el frigorífico del Fortuna, y pronto me encuentro batiéndolos. Si hubiera una habitación arriba y pudiera vivir aquí..., el fantasma y yo. Cuanto más lo pienso, más me convenzo de que me lo inventé todo, con la ayuda de Freud o Jung. Ahora solo estamos los sonidos de la batidora Bamix y yo para recibir al amanecer. El vagabundo da un golpecito en la ventana y me saluda tocándose el sombrero mientras comienzo a preparar el suflé: por lo menos, hoy tendrá un buen desayuno.

Al restaurante todavía le falta muchísimo para estar listo, pero sigue resultando acogedor a su manera.

Maia. ¿Cómo la convenció para que lo dejara entrar en su corazón y en su cama? Pero si ella lo odiaba. Soy una auténtica idiota. ¿Por qué parece que soy de las pocas personas que creen que acostarse con tu jefe y marido de tu amiga no está bien? Por algún extraño motivo, puedo imaginármelos juntos; ella tampoco tiene imaginación para crear recetas, aunque cocina muy bien. Leith la deslumbrará con sus gilipolleces, sus historias sobre su aprendizaje en el Culinary Institute of America, sus roces con Gordon Ramsey, la invitación a convertirse en el chef privado de Madonna... Dentro de poco se vestirán igual, planearán eventos especiales en el restaurante, se codearán con los editores de importantes revistas de gastronomía y disfrutarán de cenas tardías en los mejores locales de la ciudad. La llevará al Golden Century a las dos de la madrugada a comer cangrejo con chili y ella se sentirá en la luna. Le prometerá de todo mientras hacen el amor y la desorientará de tal modo con el aguante de su polla que ella se olvidará del cumpleaños de su hermana, de su cita en la peluquería y de los sueños que albergaba. Estar a su servicio se convertirá en su misión. Apoyarlo, lavarle la ropa y ayudarlo a mantener un perfil destacado. Leith ha elegido bien, en muchos sentidos: a diferencia de mí, ella podría disfrutar con todo eso. Ay, mierda, creo que he batido demasiado los huevos.

—Será mejor que dejes de batir y lo metas en el horno antes de que se convierta en una frittata.

Mierda, mierda. Ha vuelto. De forma física, no como un espíritu; no es un contorno sino una persona real. Es él: el hombre del caftán. Aunque esta vez lleva un uniforme blanco de chef. Todavía está guapo, en realidad está aún más guapo; ¿cómo he conseguido que pase? Me quedo paralizada.

—¿Y bien?

Dejo escapar un extraño sonido sibilante que refleja a partes iguales terror, emoción y confusión mientras vierto rápidamente la mezcla del suflé en los ramequines y los coloco en el horno sin volver la mirada. Solo tengo que controlar mi respiración y dejar de temblar. No es más que un producto de mi imaginación, es mi *alter ego* subconsciente, es…

—Bien hecho.

Joder. Me quedo paralizada de nuevo, esta vez delante del horno.

—Sí, sigo aquí. Puedes darte la vuelta.

Tiene una voz firme y cálida, con un toque de picardía. Una voz propia de alguien que se conoce a sí mismo… o, al menos, lo sería si estuviera ligada a una persona viva, no a la creación de mi desquiciada imaginación.

No puedo darme la vuelta. Si me doy la vuelta y no hay nadie ahí, me echaré a llorar y tendré que acudir a un psiquiatra para que me dé cita. Si me doy la vuelta y *hay* alguien ahí, me moriré; probablemente sufriré una muerte larga y lenta por medio de un cuchillo para trinchar y pasarán días antes de que encuentren mi cuerpo, o algo aún peor.

En cualquier caso, sé en el fondo de mi ser que, si me doy la vuelta, toda mi vida va a cambiar.

Lo hago.

El tío bueno con uniforme blanco de chef sostiene el recetario.

—La seguiste con mucho respeto, salvo… ¿Por qué añadiste dos yemas más de huevo?

Paso a piloto automático.

—Los huevos eran pequeños y no tenían suficiente volumen.

—De acuerdo.

—¿Me estabas observando?

—Se te da bien batir, aunque podrías agregar más sal.

Así sin más, como si estuviéramos tomando café un sábado por la mañana, esta atractiva aparición se pone a charlar. Fragmentos de cordura se abren paso por mi cerebro y hacen funcionar mi garganta.

—¿Quién eres?

—Francis Summers. —Le añade un aire más formal a la presentación inclinando la cabeza—. La mayoría de la gente me llama Frankie. ¿Y tú?

—Lucy Muir.

—Lucy, Lucia… Lucille. Sí, tienes cara de Lucille.

Parece tan relajado, que debo haberlo entendido mal, debo estar confundida. Debe ser, simplemente…, ¿qué? Se me queda la mente en blanco de nuevo y emito otro silbido. Él parece estar esperando a que yo hable.

—He alquilado este sitio.

—Eso veo.

—¿Tú también?

—No me hace falta, soy el dueño. Vivo aquí…, a falta de una forma de expresarlo mejor.

—¿Eres el casero?

—Más o menos, sí.

Sonríe de nuevo; se trata de una sonrisa traviesa, sexi y varonil dotada de una intensidad que promete largas cenas y besos salados.

—Eres chef.

—Evidentemente.

—Entonces, ¿no te parece bien que el agente inmobiliario me lo alquilara? Es solo por tres meses.

—Lo apruebo. Ese libro es mío, por cierto.

—¿Quieres que te lo devuelva?

—Todavía no. Me he retirado, de momento. Y me alegra que estés aquí.

La cabeza me da vueltas y un rugido de olas llena mis oídos. Pregúntaselo…, pregúntaselo…

—Eres muy joven para retirarte.

Él sonríe y asiente. Pero no revela nada. Sigo presionando.

—¿Eres el hijo del hombre que dirigía este sitio en los años setenta y ochenta?

Ay, Dios, sé la respuesta antes de formular la pregunta. «Por favor, no lo digas; por favor, evapórate o derrítete…, pero no lo digas.»

—*Soy* el hombre que dirigía este sitio, y no ha habido nadie después de mí. Tengo un hijo, pero no tengo ni idea de si sabe hervir agua.

—Así que eres…, eres…, eh…

—Ya hemos pasado por esto, Lucille. Soy Frankie.

«Oh, no. Oh, santo cielo. Oh, mierda… Lo sabía, lo sabía. Oh, no…»

—Estás…

—Encantado de conocerte, Lucille.

Empiezo a retroceder.

—No, quiero decir que estás…, estás…, bueno, que estás…

Me sigue, con cara de diversión. Huele bien. Y le brillan los ojos.

—Estás… Ay, Dios mío, estás muerto.

Pum. Ambos nos detenemos en seco.

—¿Hace falta usar un término tan restrictivo? Yo preferiría decir que estoy descansando, aunque bien sabe Dios que no he dormido como es debido durante más de treinta años. Pero el sueño suele estar sobrevalorado…, eso, o mi conciencia casi nunca estaba lo bastante limpia como para permitirme hacerlo.

—Si estás muerto…

—*Descansando.*

—Vale, descansando. Entonces…, ¿eres un fantasma?

—*¡Bu!* —Hace un gesto tonto y se ríe. Su risa es sincera y profunda y posee una intensa fuerza magnética. Se dirige al cajón de los cubiertos y saca dos tenedores—. Estarán listos pronto. No necesitas hornearlos dos veces, así estarán más ligeros.

—Eres un fantasma muerto que puede comer y coger cosas. Ay, Dios, ¿por qué yo?

—Nos elegimos el uno al otro, Lucille.

—¿Ah, sí?

—¿Quién más tendría el valor de volver a abrir el Fortuna? Solo una mujer con agallas para ver más allá de lo obvio.

—Más allá de la realidad, quieres decir.

—Por favor, ahórranos una discusión de veinte minutos sobre si estoy aquí de verdad o no. Permíteme ayudarte. Como bien dices, estoy técnicamente «muerto», pero no me estás imaginando; lo que nos lleva a la conclusión correcta, aunque insólita, de que soy un fantasma, o un espíritu entre mundos, un alma que se ha quedado atrás, un muerto viviente. Puedo usar la mayoría de mis sentidos, pero no todos, y no todos al mismo tiempo. No, no sé a qué se debe; creo que es algo que la otra vida todavía está puliendo. Por el momento, no puedo ir más allá de las paredes de este ruinoso y destartalado restaurante. Eso podría ayudar a explicar por qué no lo han alquilado antes. Soy, como seguro que habrás oído, el mejor chef de esta ciudad, prácticamente de este continente…, o lo era hasta que me asesinaron antes de que me hubiera llegado la hora. Tus suflés están listos.

En ese momento suena el timbre del horno.

Saco la bandeja de minisuflés, que tienen un aspecto y un olor deliciosos. Frankie, el fantasma, parece opinar lo mismo.

—Mira cómo han crecido, y tienen el punto perfecto de cocción. Bien hecho, Lucille.

—Nadie me llama Lucille.

—¿Nadie? Pero si es un nombre magnífico: sofisticado, femenino y con un toque de picardía. ¿Te llamaron así en honor a la reina de la comedia?

—No…, tal vez…, solo fue uno de los caprichos de mi madre.

Frankie me observa con una intensidad desconcertante, como si yo fuera una receta cuyas medidas no le convencen.

—¿Te gusta tu nombre, Lucille?

—Mi abuelo era el único capaz de pronunciarlo de modo convincente.

—¿Y qué tal lo hago yo?

—Eres un fantasma. No cuentas.

—Para terminar, yo siempre espolvoreo un poco de cayena, para reactivar el paladar.

—Yo también —contesto con la cayena ya en la mano.

—Tú y yo podemos ayudarnos mutuamente —comenta Frankie, señalando en dirección al comedor.

Lo sigo con los ramequines y observo mientras él permanece inmóvil, mirando fijamente una vela de té hasta que se enciende. Se vuelve, sonriendo con orgullo.

—Un truquito que sé hacer. —Nos sentamos y el viejo vagabundo presiona la nariz contra la ventana delantera—. Buenos días, Bill.

—¿Lo conoces?

—Pues sí.

—¿Él también puede verte?

—Sí, dependiendo de lo que haya estado bebiendo y durante cuánto tiempo. —Como si lo hubiera oído, Bill alza su botella para saludar a Frankie—. Salud, orejotas.

El anciano le dirige una sonrisa desdentada, luego se da la vuelta y se aleja.

—Está recordando el mes de agosto del setenta y ocho: serví este mismo suflé en la cena de aniversario que celebró con su mujer.

—¿Puedes leerle la mente a la gente?

—No, solo es una suposición razonable. Trátalo bien y él cuidará de ti. Será un contacto muy bueno para ti.

—Y muy poderoso, evidentemente.

Frankie, el muerto de labios sexis, me mira con desaprobación.

—Supongo que sabrás que no se debe subestimar a nadie, Lucille.

Me pongo colorada por la vergüenza.

—*Bon appétit.* —Frankie hunde su tenedor en el suflé. Lo inspecciona y luego lo levanta hasta sus labios, donde lo mantiene inmóvil—. Consistencia perfecta, una recreación elegante —sentencia, pero sigue sin probarlo.

—¿No puedes comer?

—No. Ese es otro inconveniente. Quizá el más cruel. Puedo saborear basándome en los recuerdos, pero no en el ahora. ¿Sabes una cosa? Una vez recorrí Borgoña durante cuatro meses con una pelirroja insoportable solo para convencer a su madre de que me diera esa receta.

—Creo que tal vez haya valido la pena. —Lo digo en serio, el suflé es prácticamente una delicia divina. Realizo un torpe intento de elevar la conversación—. Por lo que veo, todas tus recetas son buenas.

—Ninguna de mis recetas es *buena.* Algunas son brillantes, otras atroces, pero yo no me limito a hacer algo *bueno.*

—Vale.

—Vale.

Frankie reflexiona un momento antes de recordar otra cosa por la que ofenderse y en su rostro se dibuja una espantosa expresión de acusación que hace que me den ganas de esconderme debajo de la mesa. Está claro que este hombre está acostumbrado a salirse con la suya. Siempre.

—La palabra «rico» es una plaga que reduce horas y horas de inspiración, habilidad y sudor a un infecto y prosaico adjetivo de cuatro letras apto para un restaurante de comida rápida. No la uses para describir mis recetas. Nunca.

—Es evidente que lo has pensado detenidamente.

—He tenido tiempo.

—Estoy de acuerdo contigo, no es una palabra apropiada. Oye, Frankie...

—¿Sí?

—¿De verdad estamos hablando, o Leith tiene razón?

—Leith debería estar en la cafetería de un aeropuerto sirviendo anacardos salados.

Supongo que sonrío al oír eso. Frankie me estudia un momento con una expresión a medio camino entre el interés y el aburrimiento, con un toque de curiosidad. Esa mirada hace que me enderece en la silla y ruegue no tener queso en la barbilla.

—Estás preciosa cuando sonríes, ¿sabes? —dice tras unos minutos de silencio.

Me pongo roja como la grana en respuesta al cumplido; pero, antes de que pueda producirse algún tipo de momento íntimo entre nosotros, él ya está pensando en otra cosa.

—Vayamos al grano. Estás en mi restaurante.

—No sabía que estaba ocupado por el propietario cuando lo alquilé.

—¿Por qué pensabas que había estado vacío durante tanto tiempo?

—¿Mala sincronización?

Lo digo medio en broma, medio en serio. Pero él no está de humor para charlas banales.

—Nos necesitamos el uno al otro, Lucille.

Imito a un pez de colores, abriendo y cerrando la boca repetidamente. ¿Por qué voy a necesitar a un fantasma? Y, lo que es más, ¿por qué va a necesitarme un fantasma a mí?

—No lo creo —logro contestar por fin.

—Mírate. Estás hecha un desastre.

Esa es la gota que colma el vaso: ¿por qué todos, vivos o no, se consideran expertos en mi vida?

—¡Dejé a Leith porque estaba harta de que me controlaran!

—Intento ayudarte, no controlarte.

—Hace un minuto dijiste que era preciosa.

—Y así es: un precioso y glorioso desastre. No quiero entrometerme, pero desde que llegaste has estado llorando y sollozando o a punto de hacerlo.

—Soy una persona sensible —protesto en un pobre intento de justificarme.

—Cierto, pero no se trata de eso.

¿Qué quiere este chef muerto? ¿Que escriba sobre él en mi diario?

—Estoy triste, ¿vale? Mi matrimonio era una farsa, y se acabó. Estoy en la ruina y, evidentemente, también loca; así que dame una puñetera razón por la que no debería estar triste.

—De acuerdo. ¿Y qué hizo el imbécil de tu ex?

—Me fue infiel.

Frankie vuelve a poner cara de aburrimiento.

—¿Y?

—No solo una vez, sino muchas. ¿Eso no es lo bastante malo?

Él hace una pausa, escogiendo sus palabras con cuidado.

—No pinta bien si estás en una relación monógama. Pero ¿qué esperabas entre dos chefs?

—Eh…, veamos… ¿Fidelidad?

—Pero no castidad.

—Teníamos mucho sexo. Sexo del bueno.

—Lo dudo —suelta él con desdén—. No es lo bastante hombre para ti. Hay algo más. Falta un ingrediente.

Se hace el silencio mientras Frankie me mira a los ojos, intentando obligarme a responder. Me termino el suflé.

¡A la mierda! ¿Qué sentido tiene ocultarle la verdad a un ser inexistente?

—Me robó —admito—. Mis recetas. Ha estado atribuyéndose el mérito de haberlas creado durante los últimos cinco años. Y usaba mi pelo como hilo dental.

En los labios de Frankie se dibuja una sonrisa de diversión.

—*Eso* sí que es imperdonable. Ese idiota no posee ni una pizca de creatividad; no me extraña que esté desesperado por conseguir que vuelvas.

He cogido impulso.

—Y, la Navidad pasada, publicó un libro de cocina con mis recetas. Me incluyó en los agradecimientos como si no fuera más que una aprendiz que lo hubiera ayudado a untar mantequilla en una tostada que nunca se comió. Y encima esperaba que posara para una foto con él como si fuera una esposa perfecta, devota y sin talento.

—¿Lo hiciste?

No soy capaz de responder.

—Ay, Lucille.

—Leith va a sabotear este sitio. Se asegurará de que fracase y yo no vuelva a trabajar nunca.

—No se lo permitas.

—¿Cómo puedo impedírselo?

—Lucille, puedo ayudarte a hacer que este sitio triunfe.

—No me hace falta que otro hombre me diga lo que tengo que hacer… aunque esté muerto.

—Necesito que averigües quién me mató —me suelta de pronto, dejándome atónita.

—Eh, ¿no deberías saberlo ya… teniendo en cuenta que eres un *fantasma*?

—Me pillaron desprevenido.

—Google dice que te suicidaste.

Frankie se enfurece de nuevo.

—¡No fue un suicidio! Me tendieron una trampa. ¿Y, de todas formas, qué sabrá Google? ¿Quién es? ¿Una periodista imbécil que se deja sobornar?

No sé cómo responder a eso; ya me cuesta bastante comprender que hay un muerto pidiéndome que haga de Miss Marple.

—Me asesinaron —repite con tono feroz—, y estoy atrapado aquí en mi restaurante por toda la eternidad hasta que averigüe quién fue.

—Pero… llevas muerto treinta y tres años.

—¿Y qué?

—Que no quedan pistas destacables, ¿no?

—¿Yo no te parezco destacable?

—Ni siquiera existes —intento razonar—. Te inventé, así que claro que me pareces destacable.

Me sonrojo de nuevo. Mierda.

Frankie se inclina hacia mí. Oh, qué seductor es.

—*Estoy* aquí y *soy* real, dejando el tema de mi muerte a un lado. Unos cuantos aspirantes a restauradores y agentes inmobiliarios han pasado por aquí a lo largo de los años, pero ninguno daba la talla. No habría confiado en ninguno de ellos para que me ayudara. Pero entonces llegaste tú.

Genial, ahora se supone que debo salvar al tipo muerto.

—Oh, no.

—Tú eres la persona adecuada, Lucille. La que arreglará las cosas.

Me concentro en pellizcar un trocito de corteza de queso de mi ramequín antes de coger el suyo para despejar la mesa.

—Frankie, estoy en medio de una separación, al borde de la pobreza…, por no mencionar la locura, y pretendo abrir lo que sin duda será un restaurante *pop-up* condenado al fracaso. Ahora mismo, estoy un poquito ocupada.

—Tonterías. Di que lo harás y choca esos cinco.

—No. Además, los fantasmas no pueden dar la mano.

—Eres una sabelotodo, ¿verdad?

—No lo voy a hacer.

—Venga ya, deja de comportarte como una niña mimada de colegio privado.

—Lo siento. No puedo.

Las luces se intensifican y se atenúan, la vela de té se apaga.

—Por el amor de Dios, mujer, tienes que ayudarme.

No estoy segura de si es una súplica o una orden, o ambas cosas, pero quiero largarme de aquí.

—¿Por qué? ¿Por qué demonios iba a pasarme todo el tiempo recibiendo órdenes de ti, intentando averiguar quién te mató, en lugar de seguir adelante con mi propia vida? Ya estoy harta de que me utilicen. No, no y *no*.

Me siento liberada durante unos cinco segundos hasta que las sillas comienzan a caer al suelo, las puertas se abren y se cierran de golpe y Frankie desaparece. Como por arte de magia. Puf… y ya no está. Me pongo en pie. No pienso permitir que me mangonee un arrogante chef muerto.

—¿Eso es todo lo que sabes hacer? —grito—. Crecí en una comuna, me las he visto con los mejores bravucones, así que vas a tener que currártelo más.

—Esa *no* es forma de hablarle a un fantasma.

Su voz me rodea con un feroz sonido envolvente. Todavía no puedo verlo.

—¿En serio? Pues a mí me parece que esa es *justamente* la forma de hacerlo.

La voz de Frankie resuena por el local.

—Vale. Tú lo has querido.

Y entonces los veo: los comensales de su mundo, una mezcolanza de épocas, reunidos en torno a menús compartidos hace mucho tiempo. Mesas llenas de clientes, algunos de los cuales ríen y otros lloran. Una mujer con un zorro muerto alrededor del cuello me saluda alzando su copa. Dos chicas con pantalones ajustados y patines de ruedas pasan a toda velocidad sacándome la lengua. Un hombre de mediana edad que viste mallas de ciclista y un largo abrigo negro por encima, todavía borracho en la otra vida, me amenaza con el puño. Todos se arremolinan y hablan en medio del indescifrable barullo que ha desatado el estallido de mal genio de Frankie. La voz de este se eleva sobre las de los demás.

—¿Qué te parece?

—Eso está mejor —digo, aparentando la mayor indiferencia posible. Vi *Los cazafantasmas* en primaria, así que me conozco este rollo… más o menos—. Pero apuesto a que sabes hacer más cosas. ¿Por qué parar ahora, por qué no sacas la artillería pesada?

El corazón me late a toda velocidad y se me está empezando a cerrar la garganta. También vi *Poltergeist*. Sé lo que se avecina. No voy a salir viva de aquí.

—¿Quieres más?

No puedo contestar, he perdido la voz. Intento parecer valiente y desafiante y disimular cómo me tiembla el labio.

—Por favor, Lucille. Eres la única que puede verme de verdad. Ayúdame.

Sigo sin ser capaz de responder, pero el torbellino de actividad sobrenatural se aplaca a mi alrededor. Me miro las manos y la alianza; tengo que quitármela…, seguramente lo mejor sea que la venda.

Frankie reaparece en su silla, sentado con aire modoso y cara de escarmiento.

—Basta de cosas raras —sentencio intentando seguir aparentando que tengo la sartén por el mango.

—Teniendo en cuenta nuestra situación, diría que lo que entra en la definición de raro es relativo, ¿no crees?

Está intentando hacerme sonreír. Pero debo ser implacable.

—¿Qué pasará cuando…, si averiguamos quién te mató?

Él lo medita.

—A nivel existencial, no estoy seguro, pero sé que ya nada me retendrá aquí y podré irme.

—¿Lo prometes?

—Yo siempre cumplo mi palabra.

—¿Y mientras tanto?

—Te ayudaré a hacer que el Fortuna sea el mejor restaurante de Sídney.

—*Tú* me ayudarás a *mí* —especifico con firmeza—. No pienso ser tu *sous-chef*. No serás mi jefe. No te darán pataletas ni asustarás a los clientes porque no apruebes sus gustos.

Frankie me mira, sorprendido.

—Por supuesto que no. ¿Qué te hace pensar que haría eso?

—No tengo ni idea —contesto con ironía.

—No. Trabajaremos juntos como un equipo. Considérame tu socio invisible.

—¿Por dónde empezamos?

—Empleados. ¿A quién tienes?

—Tenía pensado que Maia fuera mi *sous-chef*, pero resulta que se está acostando con Leith. Y había elegido a Hugo como jefe de comedor, pero anoche Leith también intervino y lo amenazó con demandarlo si se marchaba.

—Necesitas a Serge —anuncia Frankie. Ante mi expresión de confusión, añade—: Mi antiguo *sous-chef*.

—¿Cómo sabes que sigue vivo?

—No es *tan* viejo.

—La juventud no impidió que te liquidaran. De todas formas, ¿cómo sabes que todavía vive en Sídney o que querría venir a trabajar para mí sin cobrar?

Frankie le resta importancia al asunto con un despreocupado gesto de la mano.

—El dinero ya llegará. Eso no es lo que motiva a Serge. No, es un purista. Si le dices que lo recomendé yo…, al mencionarlo en este recetario, por ejemplo…, te garantizo que vendrá.

—¿Es uno de los sospechosos? —pregunto de repente.

—Qué va. Es…, era mi mejor amigo.

Suflé de queso gruyer horneado dos veces

Ingredientes

- 80 gramos de mantequilla, picada en trozos grandes
- 75 gramos de harina
- ½ cucharadita de nuez moscada recién molida
- 380 mililitros de leche tibia
- 175 gramos de queso gruyer, rallado muy fino
- 1 cucharadita de mostaza inglesa (opcional, para darle un sabor más intenso)
- 4 huevos, separando las claras de las yemas (5 si son pequeños)
- Sal y pimienta, para sazonar
- 1 ½ tazas de nata espesa

Elaboración

Precalienta el horno a 180 °C. Unta con mantequilla 6 ramequines o moldes individuales (de 200 mililitros cada uno). Derrite la mantequilla en una cacerola a fuego medio-alto, y luego añade la harina y la nuez moscada y remueve continuamente hasta que la mezcla empiece a formar espuma.

Añade poco a poco la leche, removiendo sin parar para evitar que queden feos grumos. Continúa así hasta que tenga una consistencia homogénea y luego sigue removiendo hasta que se espese (5 minutos).

Espolvorea 80 gramos de gruyer, añade la mostaza si vas a usarla, remueve; luego, retira la mezcla del fuego y deja que se enfríe un poco (2 o 3 minutos).

Agrega las yemas de huevo y remueve hasta que se mezclen bien. Sazona al gusto. Ahora deberías tener una espesa y deliciosa masa viscosa con queso.

Bate las claras de huevo y una pizca de sal sin llegar al punto de nieve (¡no vayas con prisas, porque esa será la base del cuerpo del suflé!) y luego incorpora un tercio de las claras a la mezcla de queso. A continuación, añade las claras restantes, removiendo con cuidado, y divídela entre los ramequines, alisando la parte superior.

Coloca los ramequines en una bandeja de horno. Vierte agua hirviendo hasta cubrir los laterales de los recipientes por la mitad y luego hornea hasta que los suflés tengan un aspecto esponjoso y dorado (de 25 a 30 minutos). Retira los suflés del horno y déjalos enfriar en los ramequines durante 10 minutos o más, si es necesario.

Desliza un cuchillo pequeño por el interior de los ramequines y deposita los suflés en una bandeja forrada con papel de horno. Cúbrelos y guárdalos en el frigorífico hasta que los necesites. Los suflés pueden mantenerse refrigerados durante 2 días.

Para servirlos, pasa los suflés a cuencos aptos para horno, vierte encima la nata de manera uniforme, espolvorea el gruyer restante y hornea hasta que crezcan y estén dorados (de 20 a 25 minutos). Sírvelos calientes acompañados de compañeros de mesa interesantes y cautivadores.

13
Frankie, 1975

¿Por qué diluvia mierda los días que pides lluvia?

La cocina vibra y retumba. Serge se mueve siguiendo el ritmo mientras corta cebollas en rodajas y dados como un campeón. Esta nueva receta, la sopa de cebolla a la francesa, es una bestia peliaguda; mucha gente intenta complicarla en exceso, enturbiando su delicada sustancia con demasiado caldo aguado, vino o (Dios nos libre) coñac. No, *Mademoiselle Oignon* merece algo más: merece que la tienten con caldo de res recién hecho y le ofrezcan un vino blanco decente. Aunque lo que necesita, por encima de todo, es tiempo. No puedes meterle prisa mientras rehogas las cebollas. De todas formas, ¿adónde ibas a ir? Dedícate a ella en cuerpo y alma y te lo recompensará con creces.

Tiffany extiende ganache sobre la tarta Selva Negra. Sus manos tienen un aspecto delicado y luminoso contra la decadente cobertura de cacao y azúcar. Lleva el reluciente cabello negro recogido en una coleta baja a la que llevo todo el día deseando darle un tirón. Me acerco a ella y la siento sobre la mesa de trabajo. Le quito la espátula de la mano y se la introduzco en la boca, separándole las piernas al mismo tiempo. Soy muy puntilloso en cuanto a la higiene; de lo contrario, su falta de interés por la ropa interior me habría dejado abrumado en este instante. Aun así, mientras le doy de comer, me oigo pedirle a Serge que vigile la cocina un rato. La levanto en brazos pegada a mi cuerpo, mientras ella me rodea las caderas con las piernas, y comienzo a llevarla a la cámara frigorífica.

Maldigo mi puta suerte cuando, en ese preciso momento, Helen decide entrar para tratar alguna insignificante crisis doméstica avivada por las hormonas. Es tan rígida, hermosa y distante como la Estatua de la

Libertad. Lleva en la cadera a Charlie, que saluda con un gorjeo incomprensible.

Suelto a Tiffany y le devuelvo la espátula cubierta de chocolate, junto con mi deseo.

Helen nos lanza una mirada de soldado harto de la guerra. Pobrecita. Al principio, insistía en que ella también ansiaba una relación abierta: intercambios sexuales libres y fluidos. Pero todo eso cambió, por supuesto, como se lo advertí, y el resultado es aborrecible. En cuanto se enamoran... Dios mío, en cuanto se enamoran de ti, aparecen los recelos, la dependencia aumenta y degenera en resentimientos y recordatorios de medias frases pronunciadas cuando no estabas pensando con claridad y te encontrabas en comunión con el lujurioso dios de las madrugadas y la evasiva divinidad. Así es nuestra naturaleza y, por muy franco que intentes ser, te encontrarás atrapado en la desconcertante teatralidad de una mujer despechada.

No me cabe en la cabeza *por qué* le permití venirse a vivir conmigo. ¿Cómo puede ella esperar que me pase un día entero en casa postrándome ante un impotente dios de la domesticidad y soportando insulsas cenas con los vecinos? Ni hablar. Naturalmente que hubo momentos en los que pensé que sería posible llevar una vida en la que solo estuviéramos nosotros, sobre todo cuando nació Charlie, pero entonces ella se adueñó de nuestra relación y la transformó en algo que no logro reconocer. ¿Y *por qué* había tenido que presentarse justamente ahora? Es un encanto de mujer, odio hacerle daño, pero lo hago de todas formas. El toque de Midas del que hago gala en la cocina no se extiende a mi vida doméstica. ¿Por qué, por qué, *por qué* no se quedó en casa?

—¿Cuándo vas a volver? —me pregunta, conteniendo las lágrimas, y durante un momento siento un atisbo de arrepentimiento.

—Es sábado, cielo, y los críticos vendrán esta noche. Ya te lo dije.

—Prometiste pasar el fin de semana con nosotros.

—¿Cuándo?

—La otra noche.

¿Lo ves? Esto precisamente es de lo que hablo. Y ahora voy a mentirle de nuevo.

—Me refería al domingo.

—Prometiste que nos quedaríamos en la cama todo el día. Los tres.

—Lo haremos mañana. Compraré periódicos y cruasanes y nos pasaremos el día llenándonos de migas y haciéndole cosquillas a Charlie.

Ella no se deja engañar por mi falso tono alegre. Y la quiero por eso.

—¿Por qué no somos suficiente para ti?

No se me ocurre qué decir. ¿Cómo expresar con palabras «Soy un gilipollas egoísta que no sabe mantener la bragueta cerrada»? Sin emplear esas, obviamente.

—Charlie y yo nos quedaremos en casa de mi madre.

Si hay algo que odio más que sentirme atado a la vida doméstica es regresar a una casa vacía.

—Cielo, por favor, no tienes por qué…

—¿Qué? —me interrumpe, fulminando con la mirada a Tiffany, que intenta volverse invisible junto con Serge al otro lado de la cocina—. ¿Esperar a que rompas otra promesa? ¿Quedarme despierta en la cama cuando vuelvas a casa borracho y con la polla cubierta de chocolate?

En realidad, la quiero, tanto como soy capaz de querer algo que no se haya creado en mi cocina.

Helen aprieta a Charlie con fuerza y se gira hacia la puerta. El niño se despide con la mano mientras se marchan.

Me odio a mí mismo.

Serge hace salir a todo el mundo de la cocina y me deja para que termine la cobertura de la puñetera tarta.

Lo he vuelto a hacer.

14
Lucy

Me alejo del restaurante en mi coche, preguntándome qué acaba de ocurrir. ¿Esto es un error de proporciones gigantescas? ¿Cómo ha pasado? ¿Qué diría Leith? Y luego, mientras me siento a observar cómo los primeros rayos de luz se elevan sobre el puerto en Mrs Macquarie's Chair y el resplandor anaranjado de un nuevo día ilumina los edificios del centro de la ciudad y resalta la belleza de las velas blancas de la Opera House, sucede algo extraño: me invaden multitud de ideas para recetas, como no me había ocurrido desde hacía meses. Reinterpretaciones de las recetas del libro de Frankie, junto con nuevas creaciones que armonizarán con algunos de sus platos y los desafiarán. Al fin he encontrado a alguien con tanta inventiva como yo, con quien poder hablar de gastronomía…, hablar de verdad. ¿Qué importa qué esté muerto, o no exista? Es mi musa.

Regreso a casa abriéndome paso a toda velocidad entre el tráfico de primeras horas de la mañana para meterme en la ducha antes de que mi madre se levante de la cama. Cuanto antes vuelva al trabajo, mejor.

15
Frankie

Lucille me ha informado de que, hasta hace poco, salvo por algún que otro anticuado bistró francés, el paté ha pasado de moda casi por completo en Sídney. Me resulta incomprensible: el paté, esa deliciosa pasta de carne y grasa, es, ante todo, un plato tradicional. Adquirió popularidad cuando Escoffier lo incluyó en el menú que preparó en 1918 para celebrar el final de la Primera Guerra Mundial y, por lo que cuentan todos (y me complace decir que he conocido al gran hombre en persona), fue un éxito. A partir de ese momento, el paté experimentó un cambio de estatus y pasó a asociarse con celebración, lujo y privilegio.

No, para mí el paté es atemporal. Es práctico. Es sencillo. Y está buenísimo.

16
Lucy

Frankie está conmigo todos los días en el restaurante, lo cual no es sorprendente ya que (a falta de una palabra mejor) «vive» allí, y debo admitir que se ha portado genial conmigo. Estoy empezando a relajarme y a disfrutar de nuestras conversaciones. Me encanta escuchar sus numerosas anécdotas sobre sus antiguos clientes que siguen comiendo con él en la otra vida, los personajes a los que continúa atendiendo. Pero Frankie no está de acuerdo con la nueva pintura y me acusa de intentar convertir el restaurante en un laboratorio de ciencias. Elegí un pálido tono blanco cremoso para las paredes y volví a pulir el suelo de roble de Tasmania que Julia y yo descubrimos cuando arrancamos la moqueta desteñida y destrozada. Tiene un aspecto precioso. En los límites de mi consciencia escucho tanto aplausos como críticas por parte de los clientes difuntos.

—Joan me pidió que te dijera que preferiría que pusieras una moqueta nueva —comenta Frankie de pronto mientras inspecciona su receta de paté con gran satisfacción.

—¿Se le ocurrió a ella o la presionaste para que lo dijera?

He oído hablar de Joan, la vieja bibliotecaria que lo salvó cuando estaba en un aprieto, llevaba el cabello cardado y todavía cuidaba de él.

—Admito que la madera es bonita, pero una moqueta aporta más intimidad.

—Frankie, no podemos permitirnos intimidad, solo vamos a estar abiertos tres meses. Es un experimento.

—Eso es lo que no dejas de repetirme. Más madeira, ¿no te parece?

Solo reprimo a medias la sonrisa. Estuve a una décima de segundo de coger la botella de madeira, que tanto Frankie como yo preferimos al coñac a la hora de elaborar paté de hígado de pollo. Sin embargo, cuando se trata de consumir el paté, un vasito de coñac y una tostada caliente con mantequilla o una baguette caliente son los mejores amigos de una chica.

Frankie y yo conectamos... como fantasma y persona viva. Nuestra relación es muy distinta a la que manteníamos Leith y yo en la cocina, y no solo por las razones obvias. Frankie me hace reír. Tenemos la misma edad, pero él es de otra época; puede ser gracioso y, de vez en cuando, monta en cólera a causa de temas que se toma muy en serio: como la cantidad de sal y mantequilla que uso. Para ser sincera, creo que a ambos nos encanta discutir, simplemente, para ver quién tiene razón.

También hablamos del misterio de su muerte, que no tengo ni idea de cómo resolver. Él se pasea de acá para allá, furioso, recitando nombres que añado a una lista; muchos de ellos pertenecen a mujeres.

—¿Crees de verdad que todas estas personas querrían matarte?

—No suelo caerle bien a la gente. A alguna gente.

—A la mitad de Sídney, según esta lista. ¿Cómo te las arreglaste para ofender a tantas personas?

—El *cómo* es irrelevante, el *por qué* es irrelevante, pero el *quién*..., esa es la pregunta que necesito responder. Ahora, prosigamos. Estaba pensando que la tortilla noruega podría ser un buen postre para la noche de apertura. Lástima que sea demasiado pronto para que haya cerezas, son el mejor acompañamiento.

—Es temporada de frambuesas —respondo, sin apenas tener que pensarlo—. Ayer vi unas estupendas en el mercado.

—Perfecto. ¿Sabes que antes se servía directamente hasta que a alguien se le ocurrió rociarla con licor y flambearla? A mí me gusta flambearla..., le añade más dramatismo —comenta, enarcando las cejas de tal modo que requiere poner los ojos en blanco a modo de respuesta.

Cada vez estoy más convencida de que a la vida de Frankie nunca le faltó dramatismo, aunque se muestra reacio a hablar de qué pasó exactamente... y de muchas otras cosas, por lo que estoy descubriendo. Puede hablar de mis recetas, las suyas, diseño de menús, cualquier cosa relacionada con el restaurante y su funcionamiento durante horas y horas; pero, cuando se trata de sus trapos sucios, murmura respuestas vagas, suelta un comentario ingenioso y cambia de tema.

Se muestra abierto a mis sugerencias y posee un aire desenfadado, lo cual tiene sentido porque ya no está sujeto a los vaivenes de la vida. Es amistoso y suelta un montón de tacos. Y a veces, cuando se le suben los humos a la cabeza, es insoportable. Es muy franco... salvo con los detalles de su vida familiar. Afirma que fracasó como marido y que no fue un buen padre, pero eso es todo. Está claro que le gustan las mujeres; a juzgar por la lista, le gustaban demasiado. Aunque no estoy segura de hasta qué punto conocía a ninguna de ellas.

Intento no pensar demasiado en todo este asunto y, simplemente, me concentro en el trabajo y en hacer lo que haga falta para abrir mi propio restaurante. Todavía no sé si el paté formará parte del menú de la noche de apertura (después de todo, estamos en primavera), pero prepararlo con Frankie supone una agradable distracción tras pasarme un buen rato al teléfono intentando solucionar el asunto del permiso del ayuntamiento y las inspecciones de seguridad.

—¿Nunca ponías los hígados en remojo en leche primero? —le pregunto.

—Los vuelve demasiado insípidos, no tienen nada de malo tal como están.

—Estoy de acuerdo, aunque yo a veces los escalfo en caldo.

—Eso puede funcionar, pero lo que de verdad necesitan es un buen salteado en mantequilla.

—Sí.

—Maldita sea, voy a tener que buscar otro tema sobre el que discutir —dice con una amplia sonrisa.

—Creo que un áspic con pimienta en grano y naranjas sanguinas podría ir bien, ¿no te parece?

—¿Naranjas sanguinas? ¿Estás loca, mujer? ¡Naranjas *amargas*!

—Empiezo a comprender por qué esa lista tuya es tan larga.

—Qué le voy a hacer si tengo razón —contesta él, haciéndose el ofendido.

—Siempre la tienes, Frankie. Es impresionante.

Y así pasamos el rato mi fantasma y yo.

He intentado ponerme en contacto con Serge varias veces, pero lo único que conseguí fue que una anciana me acusara de ser una vendedora telefónica y que una chica me asegurara que iría a avisarlo... pero nunca regresó. Frankie insiste en que Serge no nos dejará tirados. Lo intento de nuevo y un adolescente me da un número de móvil, aunque me advierte que Serge casi nunca lo usa: «A veces lo tiene encendido y otras apagado». Dejo un mensaje de voz y otro de texto. Por el momento no he obtenido respuesta, y faltan diez días para la apertura. En lo que respecta al personal, solo estamos yo, un fantasma y un número de teléfono.

17
Frankie

Y las tostadas Melba deben ser frescas, elaboradas a partir de un pan de calidad. Algunos dicen que dejar reposar el paté un día mejora el sabor; pero, de la forma en que yo lo preparo, esperar es un desperdicio.

Es una chica divertida cuando no está llorando por culpa de su espantoso marido. Tiene una mano más delicada que yo para cocinar. Está empezando a relajarse cuando está conmigo, aunque todavía noto que a veces se pregunta si se lo ha inventado todo. Bueno, todos lo hacemos hasta cierto punto. Nuestras vidas no son más que representaciones escénicas ideadas por nuestras fantasías más profundas.

Tiene un andar elegante, como si pudiera elevarse hacia el cielo de un salto en cualquier momento. Ojalá dejara de comportarse como una tonta, parloteando sobre todas las cosas que ha hecho mal o que no se le dan bien.

Me gusta su risa.

18
Lucy

Hay muchísimas listas de tareas pendientes. Resulta abrumador. Me quedan cinco días y todavía hay mucho por hacer. ¿Cómo voy a conseguirlo?

El horario de verano aún no ha comenzado. Los cítricos siguen estando muy buenos, pero ¿el menú no debería tener un tono más primaveral? ¿Más fresas? ¿Más espárragos? Limpio las mesas de trabajo, intentando no agobiarme, pero mi mente funciona a toda velocidad. Se me cierra la garganta, negándose a proporcionarme oxígeno.

Frankie me observa y, por fin, me pregunta:

—¿Qué te pasa?

—No puedo respirar.

—Lo estás haciendo mucho mejor que yo.

—No tiene gracia. No tengo ningún colchón de seguridad, Frankie. Me quedan cuatro días y me voy a morir.

—Cinco.

—Cuatro después de que me vaya de aquí, y ningún colchón.

—¿Qué clase de colchón necesitas?

Intento responder mientras respiro de forma superficial, hiperventilando y presa del pánico.

—Qué sé yo. Más de veinte dólares en el bolsillo. Más de cuatro días para hacer habitable este sitio. Alguien más aparte de ti y de mí trabajando aquí. No hay ni rastro de Serge, aunque ahora mismo ya ni siquiera sé si te lo has inventado, lo cual es gracioso teniendo en cuenta que yo te inventé a ti, pero no consigo que hagas bien el papel de colega, y no sé nada de tu vida aparte de que fuiste un padre espantoso y bastante mujeriego, que sabes mucho sobre comida y nada sobre mujeres. ¡Nada! Justo lo que necesito en mi vida después de Leith. Y Leith… Está publicando en las redes sociales que el Circa nunca ha ido mejor y escribe estúpidas poesías baratas sobre su profunda conexión con Maia, que lo ha agarrado por las pelotas y lo ha convertido en el hombre que siempre supo que podía ser. Esta idea fue una estupidez y no va a funcionar, y nunca conseguiré otro trabajo y odio mi patética, cutre, miserable, destartalada y estúpida vida. Ni siquiera tengo ropa decente, por el amor de Dios. La mayor parte es un completo desastre.

—¿Algo más? —pregunta Frankie, más fresco que una lechuga, lo cual me saca de quicio, mientras sonríe y unta paté en una tostada. Me la pasa y me sirve una copa de coñac. No parece haberse inmutado siquiera por mi repentino arrebato—. Cómete esto, bébete esto y luego sal al patio y dime qué ves.

Me introduzco toda la tostada que me cabe en la boca y me doy cuenta de que me estoy muriendo de hambre. Luego cojo la copa y salgo de mala gana.

—Está oscuro.

—¿Y ya está? ¿Solo oscuro?

Se detiene en la puerta, observando.

—Es de noche, suele ser así.

—Acuéstate en el suelo.

—No.

—Por favor…

—No, hace demasiado frío y la hierba me dará picor.

—Lucille, llevas como siete capas de ropa…, ¿quién sabe si de verdad hay un cuerpo debajo de todas esas prendas? Estuve de acuerdo en lo de los corazones de alcachofa, tenías razón; ahora, por favor, sígueme la corriente, túmbate y mira hacia arriba. No te pasará nada malo.

Me siento, tomo un sorbo de coñac y lo coloco a mi lado. Luego suspiro, me tumbo y miro hacia arriba.

—¿Qué ves?

—Murciélagos.

—¿Y?

—Tejados, farolas…, vaya, y un sujetador colgando de un antiguo cable telefónico. Cuánta clase.

—¿Alguna estrella?

—Unas cuantas.

Es una noche bastante cálida para esta época del año y se percibe un cambio en el aire. Se oye el zumbido constante de la ciudad de fondo y, más allá del brillo de las farolas, un grupo de estrellas le hacen una reverencia a su infinito telón de fondo.

—¿Cuáles?

—No me sé el nombre de ninguna constelación, Frankie. La que parece un cazo.

—Ah, ¿quieres decir que no puedes ver el Ascenso del Suflé?

—No hay ninguna constelación llamada el Ascenso del Suflé.

—Por supuesto que sí, está arriba, a tu izquierda. Hay un grupo que son igualitas a los suflés que preparas. Y a tu derecha está el Banana Split. A su lado está la Pierna de Cordero Asada con una Ramita de Romero.

Habla con tanta seriedad que me pregunto si mis fantasías se están entremezclando y este es el triste final: unas cuantas neuronas lanzando tonterías. Lo miro y él me guiña un ojo.

—Sigue buscando, Lucille. ¿Qué otras puedes ver?

Levanto la mirada hacia el cielo.

—Bueno, hay una que parece un lamington torcido.

—Debe ser el Monte de Lamington. Sí, bien visto.

Me echo a reír y proseguimos, diciendo cada vez más boberías.

—Sí, el Círculo de Gelatina con Dados de Mango. Oh, cómo lo echo de menos.

—Y hay un aguacate, creo, ¿o es guacamole?

—¿Lo ves, Lucille? Todo es relativo. Todo esto parece muy importante ahora: la apertura de tu restaurante, mi muerte…, aunque eso fue bastante trascendental para mí; pero, en realidad, si lo comparas con ese despliegue de estrellas, ¿qué somos? Estamos hechos del mismo carbono que ellas, pero ellas están allá arriba, extendiéndose por el infinito cielo nocturno, mientras que tú y yo, los vivos y los no tan vivos, solo somos dos almas en un pequeño restaurante de una planta. La constante de proporcionalidad, eso es lo que debemos recordar.

Me coloco de lado para observar a mi amigo imaginario… y me siento más a gusto de lo que me he sentido en semanas.

—Me alegro de que estés aquí —digo en voz baja.

—Me alegro de que estés aquí —repite él.

Nos miramos mutuamente un momento.

—Bueno, basta de tonterías —suelta Frankie, interrumpiendo el contacto visual—. Cómete otra tostada y luego vete a casa a dormir. Por la mañana te contaré todos los sórdidos detalles de mi vida, y luego podremos revisar el menú y seguir trabajando.

Siento que puedo hacerle frente a la vida de nuevo.

—¿Me lo prometes?

Eso hace.

19
Frankie

Oh, cómo echo de menos la sensación de encontrarme bajo el manto de la noche. Esa mujer me ha devuelto el mundo, y me ha recordado cuánto lo echo de menos.

¿Quién me lo arrebató?

20

Lucy

Al amanecer del día de la reapertura del Fortuna, me dirijo en coche al mercado. Repaso una vez más la lista de tareas mentalmente. Las ventanas se han limpiado. La porcelana y la cristalería están listas y aportan un extravagante aire retro.

Cuánta suntuosidad para los años setenta y ochenta. Está claro que a Frankie se le daba peor que a mí ajustarse a un presupuesto. La porcelana es exquisita. Frankie me contó que es obra de un artista danés, Bjørn Wiinblad, que trabajó para Rosenthal recreando cada escena de *La flauta mágica* con una opulencia rodeada de gruesos bordes dorados sobre la magnífica porcelana blanca. Asegura que él fue el catalizador para esta decisión creativa, por supuesto; se considera a sí mismo el centro de la mayoría de las cosas. La decoración de los platos le ofrece un marco de lo más barroco al menú. Solo me cabe esperar que mi comida esté a la altura. Frankie había guardado la vajilla en un baúl en la cámara frigorífica y había escondido la llave en la chimenea. Al parecer, unos meses antes de que lo mataran, las cosas se habían puesto feas y los cobradores de deudas solían venir a visitarlo. Hoy en día, el juego de porcelana valdría una fortuna, unos quince mil dólares como mínimo; pero, según él, es tan fundamental para el éxito del restaurante como la calidad de la comida. Bueno, casi. Opinamos igual respecto a que pocas cosas importan tanto como la calidad de la comida.

Frankie me dijo que se cruzó con el artista mientras viajaba. Tenía veinte años por aquel entonces, por lo que supongo que sería a finales de los sesenta. Bjørn era mucho mayor, pero los dos pasaron lo que Frankie describe como una velada muy agradable después de acudir a la Ópera de París. Frankie carecía de dinero en ese momento y estaba en los asientos más baratos del teatro, donde se representaba *La flauta mágica*. Conoció a Bjørn en el intermedio e hicieron buenas migas. Después de la representación, Bjørn lo invitó a tomar una copa y a cenar, y pidió una comida que Frankie equiparó a un despertar espiritual. Estuvieron allí sentados, bebiendo hasta el amanecer, a pesar de que Bjørn apenas hablaba inglés. Frankie me contó que su nuevo amigo tenía uno de los paladares más refinados que se había encontrado.

Fue durante esa noche cuando Frankie tuvo la epifanía: su destino era formarse como chef, algo que hizo en París en Le Cordon Bleu, donde obtuvo una beca. Hasta entonces estaba estudiando Medicina en la Universidad de Sídney. Sus padres, ambos cirujanos, lo desheredaron.

Es evidente que aquella cena le cambió la vida a Frankie. Bjørn, que estaba muy adelantado a su época, tenía alma de *hippy*. Solo pidió alimentos que se hubieran cultivado, criado o recolectado en un radio de cincuenta kilómetros del restaurante. Cuando iba a Francia le gustaba conocer a los granjeros y ver el ganado, así como recoger las flores que luego colocaba en un jarrón en su estudio. Cuando le pregunté a Frankie en qué consistió el menú, contestó con aire ensimismado: paté, baguette, ensalada nizarda, tartar de ternera, confit de pato y tarta Tatin de manzanas de postre. Un menú clásico de un bistró francés y que, en las manos equivocadas, podría obligarte a estar tomando antiácidos durante días. Pero Frankie insiste en que la delicada elaboración, los ingredientes frescos y la compañía de Bjørn elevaron esa cena a la categoría de música celestial. Es asombroso lo que puede conseguir una buena comida. A Bjørn se le ocurrió la idea de pasar la obra de Mozart a la porcelana, de la forma más bella posible.

También hay una cristalería Waterford: cristal de plomo grueso, precioso y decorativo, con un toque medieval. El polo opuesto a las copas finas como el papel y los tarros de mermelada que los integrantes de la generación Y nos hemos acostumbrado a usar. Por suerte, también disponemos de otra opción más modesta y apta para el lavavajillas; aunque, si alguien trae una botella de Hill of Grace, me aseguraré de usar la Waterford. Los clientes tendrán que traer sus propias bebidas alcohólicas hasta que consiga el permiso y suficiente dinero para abastecerme de una bodega decente, aunque tendré que suministrar el champán de rigor la noche de apertura. Por desgracia no será Bollinger, Veuve ni Pol Roger. No estoy segura de que haya suficiente dinero para comprar algo que esté carbonatado siquiera. Los manteles de damasco, aunque están algo gastados y han perdido parte de su antigua gloria, están bien. En cuanto coloquemos algunas flores quedará bonito, aunque ojalá hubiera algún tipo de decoración en la pared que le diera un toque distintivo.

El mercado de Flemington al amanecer sigue siendo uno de mis lugares favoritos. Ver cómo un nuevo día ilumina el cielo mientras deambulo de puesto en puesto, charlando con los agricultores que llevan en pie desde las dos de la madrugada para traer sus cultivos al mercado, es un placer.

Los productos frescos abundan, igual que las posibilidades. Las patatas nuevas, pequeñas y cremosas, conversan con las judías verdes frescas, conspirando para convertirse en una ensalada nizarda, una de mis favoritas. Este sabroso plato sacia y está lleno de contrastes: la suave patata derritiéndose contra las judías crujientes, el vigor de las aceitunas negras y la textura tierna del atún fresco, el esplendor de un huevo cocido a la perfección…, todo ello coronado con la salada picardía de las anchoas. La nizarda convierte la ensalada en algo especial.

Camino con un ímpetu primaveral que no había sentido en años. Hay algo liberador en perseguir mis propios sueños sin importar lo descabellados que sean; abrir un restaurante con un fantasma, sin duda, lo es. Soy consciente de que, gracias a los continuos tuits de Leith y el video de mi arrebato en el Circa que circula por Internet, la razón por la que el restaurante está completo para esta noche es porque la mayoría de la gente quiere ver con sus propios ojos cómo fracasa este experimento de ciencias sociales. Por lo menos me despediré por todo lo alto. El menú, aunque cuenta con un presupuesto reducido, posee un estilo y un sentido del humor del que me siento orgullosa. Pero… seguramente acabe mudándome a Manyana y trabajando en una floristería, lo cual no sería una mala vida si no fuera porque no se me da bien hacer ramos de flores. Tal vez en los años venideros vuelva la vista atrás y considere este el momento decisivo de mi vida. O la última noche antes de que me lleven a alguna comunidad rural a «descansar». O me convertiré en la protagonista de una fábula admonitoria destinada a pequeños empresarios y chefs jóvenes: la versión femenina de Ícaro de Woolloomooloo.

Hoy voy a conocer a Serge. Anoche, a las once y cuarto, al fin respondió a mis múltiples llamadas y mensajes con un mensaje de texto, diciendo que estará hoy allí listo para ayudar. Gracias a Dios, porque abrimos esta noche.

Julia se acerca a mí con paso decidido en el puesto acordado: el de Josh, de Megalong Valley, que cultiva las mejores judías. Como de costumbre, Julia llega a la hora exacta. Attica parlotea de modo ininteligible en la mochila de su madre. Parecen listas para escalar el Himalaya en lugar de comprar suministros para la semana. A Julia le encanta venir al mercado, dice que la hace sentir como una auténtica entendida en gastronomía. Ha llegado a regatear con los agricultores por tres manzanas, pero los vendedores de los puestos se lo toman con humor. Julia se divierte así.

—Llevas ahí plantada cinco minutos con el mismo puñado de judías en la mano —me suelta con severidad—. O estás ideando una receta o estás obsesionada con un hombre. Piénsalo detenidamente antes de responder, y date cuenta de que no tienes tiempo para ninguna de las dos cosas: abres dentro de trece horas.

—Estoy pensando en añadir ensalada nizarda al atún con granos de mostaza; solo un poco como guarnición, a modo de guiño.

—¿Un guiño a qué? Cuece unas judías y ya está.

Dejando las películas clásicas a un lado, Julia no es una persona demasiado romántica.

—Un guiño a la primavera y la historia del restaurante.

—¿Un local descuidado, demasiado pequeño y con pretensiones que acabó en la ruina por culpa de tu borracho, insolvente, malhumorado y mujeriego predecesor que tenía buen gusto para la porcelana?

He informado a Julia de mis recientes descubrimientos sobre Frankie, citando a una amiga de mi madre como fuente. Desde la noche que estuvimos mirando las estrellas se ha mostrado más comunicativo acerca de los infames detalles de su vida…, bueno, sobre sus adicciones y su ruina financiera; todavía se muestra reacio a contarme gran cosa sobre sus relaciones personales.

—En serio —Julia continúa con su diatriba—, ¿por qué estás tan obsesionada con el pasado? Las cosas no salieron demasiado bien en el pasado; por eso el restaurante acabó convertido, o lo convirtieron, en un completo desastre. La única forma de superar este día es que te mantengas centrada en el presente.

Me alegra que Frankie no haya oído esto. Acabaría rompiendo algo.

—¿Y qué pasa con el futuro? —pregunto.

—Cariño, sabes tan bien como yo que, si no superas esta noche de una forma razonablemente decente, no habrá futuro. Acabarás trabajando en una cafetería en Bondi Junction, y se acabó.

—¡Ojalá Leith no lo hubiera publicitado tanto! Se suponía que iba a ser una apertura discreta.

—Bueno, ¿sabes qué, Luce? No lo es. Tendrás que caminar por la cuerda floja y tus posibilidades de éxito son casi tantas como de que te alcance un rayo.

—Creo que estás mezclando demasiadas metáforas —contesto, intentando hacerme la indignada—. Y hay que tener en cuenta la constante de proporcionalidad.

Julia me fulmina con la mirada y me quita la lista de las manos. Está nerviosa por mí.

—Vamos a ver. Tú encárgate de los tomates. Nos vamos dentro de treinta minutos.

—¿Attica necesita una siesta?

—No. Pero yo sí, si voy a ayudar.

Ay, Dios mío, Jules haciendo de camarera. Va a aterrorizar a todo el mundo y romperá la Rosenthal.

—Y, antes de que lo digas, *seré* amable, educada y servicial.

—Es todo un detalle por tu parte, pero no estoy segura de que…

—Confía en mí —me interrumpe, agitando a Attica mientras lo hace y dedicándome una sonrisa y un gesto con la mano para indicar que me deje de tonterías—. Me necesitas. Solo cuentas con ese tal Serge para ayudarte en la cocina.

—He contratado un empleado temporal para esta noche y puedo ayudar a servir cuando no esté detrás de los fogones.

—He visto suficientes episodios de *MasterChef* para saber que eso no va a ocurrir nunca. No podrás despegarte de la cocina. ¿Prefieres un empleado temporal o champán bebible? Sé realista: soy yo o tu madre.

La idea de tener a la colgada de mi madre cerca de mí mientras intento trabajar me pone histérica.

—Vale. Genial, gracias.

—Y Ken también viene.

—¿Qué? ¿Como invitado?

—No, le he dicho que va a servir bebidas. Incluso le hice plancharse una camisa.

—Madre mía…, Jules.

El tema de las tareas domésticas supone un campo de batalla entre Julia y su marido, y el cuarto de la plancha es un páramo que nadie menciona. Por lo tanto, Ken es uno de los hombres con más arrugas en la ropa que he conocido. También es tremendamente miope y va por ahí con su iPhone pegado a la cara.

Julia, como siempre, me lee la mente.

—Se ha comprado gafas nuevas, mucho mejores, y le he prohibido el teléfono.

—Pero a Ken no le gusta la gente, y tendría que pasarse toda la noche rodeado de desconocidos.

—Lo va a hacer por ti, Luce… Bueno, por eso y porque le prometí chupársela.

—¿Alguien te ha dicho alguna vez que eres la mejor amiga del mundo?

—No lo bastante a menudo. Ve a por los tomates.

Obedezco las instrucciones de Julia y me dirijo al siguiente puesto. Estoy palpando y oliendo tomates cuando una mano con una alianza a juego con la mía se posa sobre mi mano.

—*You say tomato, I say tomato* —entona.

Coge el tomate que yo estaba a punto de agarrar y hace ademán de dármelo, pero luego lo guarda en su bolsa. Ned, el vendedor de tomates que lleva años atendiéndome, y yo nos miramos; los dos estamos de acuerdo: Leith es un cretino.

—¿Todo listo para esta noche, LiLi?

—Todo listo —contesto, imitando su tono—. *Muchas* gracias por la publicidad.

—Ya te pasaré la factura. Mi invitación parece haberse perdido en el ciberespacio.

En ese momento, la sombra de Julia cae sobre el rostro de Leith.

—Aparta de en medio, gilipollas, y déjala seguir con lo suyo. Todavía nos queda mucho que hacer, y no estás ayudando.

—Oh, Julia, me alegra comprobar que estás mejorando tus habilidades interpersonales.

—Vete a la mierda, y no te acerques esta noche o me encargaré de que te pongan una orden de alejamiento. Ahora, largo, mosca cojonera.

Julia agarra la bolsa de tomates de Leith y lo echa de allí. Él se queda merodeando un momento más antes de alejarse con una calma que me resulta un tanto desconcertante.

—Muchísimas gracias. Eres un sol —le digo a Julia. No tengo tiempo para preocuparme por cuál será el próximo paso de Leith, aunque el encuentro con él ha dejado un residuo inquietante.

—Déjate de darme las gracias. Ponle mi nombre a tu primogénita y estamos en paz.

Nos dirigimos al mercado de pescado en busca del pescado y el marisco perfectos para la noche de apertura perfecta.

—Entonces, ¿todo va según lo planeado? —me pregunta Julia.

Reviso mi lista con sus numerosos espacios en blanco y un círculo alrededor del champán.

—Desde luego.

Noto un nudo en el estómago que augura que este será un día desastroso. Pero ¿qué más podría ir mal?

21

Frankie, 1981

La cocina vibra y retumba con la música de David Bowie, el sumo sacerdote de las noches de sábado. Por fin he conseguido hacerme con una copia de *Under Pressure*, su colaboración con Queen, que ahora brota a todo volumen del radiocasete portátil. Oh, Ziggy, oh, Freddie, me inspiráis para ponerme a cocinar. Esta sensación es la razón por la que los maestros zen se sientan en rocas durante décadas vertiéndose agua sobre los pies. Todo está sincronizado. Las cacerolas, los platos, Serge…, todo lo que necesito. Es probable que mi *sous-chef* chapurree inglés peor que nadie en el mundo, pero, Dios mío, es la mejor mano derecha que uno pueda desear. No sabría decir si es ruso, croata, letón o algo por el estilo; cada vez que le pregunto él suspira y se embarca en una historia larguísima, su inglés híbrido lo abandona constantemente en favor de su lengua materna mientras narra un relato que incluye burros y naufragios a medianoche. En cualquier caso, Serge es así. Se mueve al ritmo de la canción de Bowie mientras saltea vieiras y decora el pollo abierto en mariposa que cocí en heno. Serge ha estado a mi lado durante los altibajos de los últimos cinco años, me ha visto demasiado borracho para caminar, demasiado triste para hablar y demasiado mareado para follar. Es un tío de confianza. Es leal. Un soltero empedernido que cuida de sus padres, que viven más allá de Drummoyne, y su espantosa hermana y su prole.

Y luego están mis chicas. Tiffany tiene turno esta noche. En su rostro se percibe el rubor de un nuevo amor. Ha decidido optar por el bello sexo. ¿Quién podría culparla?, su aventura conmigo habría bastado para hacerla repudiar a los hombres de por vida. Aun así, no me guarda rencor, qué encanto de chica, y su novia, una galesa de ojos ardientes y con una risa preciosa, encaja perfectamente en nuestro equipo. Stacy también trabaja esta noche. Sus elecciones de vestuario no conocen límites: hoy lleva un mono de seda sujeto con imperdibles gigantescos. Dan ganas de arrancárselo al ver asomar su cuerpo firme y rebelde a cada paso que da. Dios mío, es un bombón y está llena de energía. Es la anfitriona perfecta. Puede hacer que un cliente borracho y demasiado ruidoso se marche mientras él cree que se están convirtiendo en grandes amigos, y luego darle la bienvenida a la noche siguiente como si no hubiera pasado nada. Y también recibe muchas propinas.

Deposito el último pollo en su plato mientras la preciosa Melanie, la chica nueva, espera en la barra. Vierto con calma un poco más de jugo alrededor de la suculenta ave, alargando el momento. Serge se ríe al verlo. La dulce Melanie se estremece. Soy un imbécil; aun así, la tentación es demasiado grande. La dejo ir mientras Tiffany regresa con el mediocre Paul Levine, un crítico gastronómico que anuncia su pericia al mundo por medio de jerséis de cuello alto y gafas con montura de carey. Es un tipo sin estilo cuyo engreimiento supera ampliamente a su talento.

—¿Qué coño haces aquí?

—Quería explicártelo.

—¿*Explicármelo*? ¿*Explicarme* por qué alguien que ha puesto mi restaurante por las nubes desde que abrí y que ha intentado lamerme el culo cada vez que se le presentaba la ocasión escribiría una crítica pretenciosa, falsa e infame que no merece siquiera mencionar mi comida?

Obtengo una sonrisa obsequiosa a modo de respuesta. Paul titubea y asiente.

—Estoy de acuerdo.

¿Qué hace este incordio en mi cocina?

—Tu comida es de primera calidad.

—Pues tienes una forma muy extraña de demostrarlo, Paul. ¿Estás dispuesto a retractarte en el periódico de mañana?

—No puedo. No se trata de tu comida, se trata de… ti. Algunos de tus acreedores se están impacientando.

—En ese caso, ¿destrozarme en qué va…? Ah, ya veo: destrozar mi reputación y obligarme a cerrar. Pero eso no les devolverá su dinero. De todas formas, ¿tú qué tienes que ver con ellos?

Aquella astuta comadreja aparta la mirada.

—O tal vez se trata de otro restaurante, de otro chef que quiere que yo eche el cierre y está dispuesto a pagar mis deudas para conseguirlo... Pero ¿quién podría ser?

No tengo tiempo para esto. Serge y Tiffany merodean por allí, esperando a que mi furia se desate. En realidad, la lista de chefs a los que les encantaría que el Fortuna cerrara es cada vez más larga. A través de mis contactos, siempre puedo escoger primero y hacerme con los mejores productos, y les doy cien vueltas a todos cocinando. Y sí, he sido un idiota con el dinero, me gusta apostar a los caballos y mi estilo de vida es más propio de Mónaco que de Woolloomooloo.

—Oye, me vendría bien tu consejo —digo. La sangre me bulle junto con el *coq au vin* para el martes. Mantengo la voz tranquila, como la de un sabio.

Paul me mira esperanzado con sus ojos redondos y brillantes.

—Ya sabes que lo siento, Frankie. Soy nuevo en esto, y tampoco es que tuviera otra opción. Me refiero a la crítica.

Agito la mano con despreocupación, restándole importancia al asunto con aire magnánimo.

—¿Qué te parece la salsa? —Le paso una cuchara—. ¿Le falta sal?

Paul se acerca a mi *coq au vin* y sorbe con avidez. Lo saborea. Debo admitir que tiene buen paladar, no es excelente pero sí aceptable, por lo que me veo obligado a ofrecerle mi respeto culinario a regañadientes. Sin embargo, verlo probar la salsa no es un espectáculo agradable.

—Tal vez podrías añadirle un poco más de *pancetta*.

—¿En serio?

Cojo la cuchara y pruebo. El cabrón tiene razón.

Le devuelvo la cuchara y, envalentonado, el muy glotón se sirve otra cucharada.

—Creía que tenías potencial —le digo mientras se moja el hocico con mi salsa—. Creía que comprendías lo que hacemos aquí. No se trata solo de comida: la textura, la consistencia, el sabor..., lo importante es la alquimia. En cada plato influyen tu estado de ánimo, tu historia, la conversación que estás teniendo, la iluminación, la mesa de al lado, el aroma de tu camarero... Quiero que eso signifique algo.

Paul asiente mientras se atiborra.

—Sí, sí, así es.

—Por el amor de Dios, eres un pusilánime.

Paul se endereza con aire cauteloso. Lo miro. Decido no hacer nada. Pero entonces…

—A la mierda. —Le hundo la cara en el *coq au vin*: el tiempo suficiente como para que duela, pero no tanto como para dejar cicatrices—. Tenías razón, necesitaba más *pancetta*. ¡Serge!

Como siempre, Serge aparece a mi lado en un instante.

—¡Tenemos que empezar a preparar otro *coq au vin*!

Serge le pasa a Paul un paño, asintiendo con la cabeza.

—¡Sí, chef! —contesta mientras regreso a mis platos.

Todo hombre tiene un límite.

22
Lucy

El mercado de pescado me proporciona atún y vieiras de gran calidad para esta noche. Cuando aparco mi utilitario enfrente del Fortuna, veo una figura con la ropa arrugada en la puerta, que supongo que es el viejo Bill. Le he traído un café a modo de disculpa por hacerlo trasladarse de su lugar favorito para dormir cuando no está en el albergue. Toco el claxon y lo llamo:

—¡Bill!

Para mi sorpresa, Bill aparece alrededor de la esquina del edificio. Le da una patada a la pared y se acerca a mí. No solemos hablar, sino que nos limitamos a saludarnos con la cabeza. Le paso su capuchino.

—¿Azúcar?

—Ya tiene.

Sus ojos rojos como los de un ratón de laboratorio delatan que se ha pasado la noche de borrachera. Sigo sin saber nada de su pasado.

—¿Quién es ese? —pregunto, señalando hacia a la puerta.

Bill se ríe y mira hacia el cielo.

—Ese es Serge.

—¿Eh?

—Serge. Dice que ha venido a ayudarte.

Observo la forma inmóvil situada en la puerta delantera del local y oigo de nuevo el rugido del mar en mis oídos. Bill se encoge de hombros y se aleja; está claro que no quiere tener nada que ver con mi crisis nerviosa.

Mientras me acerco, me doy cuenta de que Serge sostiene en la mano un cigarrillo encendido con una ceniza gigantesca parecida a la llamarada de un dragón, mientras ronca tranquilamente. Aparenta unos ochenta años;

aunque, si es de la misma edad que Frankie, ahora solo debería tener unos sesenta y pocos. Unas arrugas grandes y profundas le recorren el rostro. Tiene el pelo sucio y con pinta de no habérselo cortado hace mucho tiempo. Desprende un hedor a ajo y bourbon con cada exhalación. Se tira un pedo tan fuerte que se despierta.

—No durmiendo, yo esperando.

Serge se incorpora con dificultad. Se tambalea, pero de alguna manera se las arregla para mantener la ceniza del cigarrillo en su sitio hasta que se pone en pie, y luego la deja caer con un simple golpecito fruto de la práctica.

Me saluda con la cabeza y tose como si fuera un enfermo terminal en una sala de cuidados paliativos.

—Serge, ¿no? Deja que te ayude.

Me acerco a él, que apoya una mano en mi hombro y continúa tosiendo.

—Ayudo a descargar coche.

—No, no te preocupes. ¿Deberías estar en un hospital?

—Estoy bien, solo estoy despertando. Hace mucho tiempo que no trabajo.

—¿Ah, sí? ¿Cuánto tiempo?

—Treinta y tres años —especifica—. No trabajo para nadie después de Frankie. Cuido de padres, luego tengo vacaciones, luego cuido de sobrina, luego de sus hijos, luego olvido qué hago.

Dios mío, esto es un puñetero desastre.

—Lo siento. No sabía que te habías jubilado.

—Dejo jubilación para ayudarte. Eres amiga de Frank.

—No lo conocía cuando trabajaba aquí…, yo solo tenía dos años cuando murió, pero mi madre lo conocía un poco.

Serge silba y luego le da otro ataque de tos.

—Todas las chicas conocían a Frankie.

Por favor, no me lo cuentes, no tengo tiempo.

—¿En serio? —comento con tono cortés, aunque espero que también suene distante.

Serge asiente con orgullo.

—Podrías decir que tenía un don. Era mujeriego, pero aún mejor cocinero.

Asiento con la cabeza.

—Serge, no me parece que estés en condiciones para una noche de apertura.

—No. Estoy bien. Estoy aquí. Vamos, vamos.

Me sigue hasta el utilitario y empiezo a descargar la compra. Él coge la mayor parte de las cosas en brazos, da dos pasos y se detiene.

—¿Serge?

—Estoy bien. Todo controlado.

El viejo Bill reaparece y, milagrosamente, también agarra una bolsa. Durante un momento, no estoy segura de si va a largarse con ella o la va a llevar dentro. Elige la segunda opción; aunque, cuando abro la verja lateral y la puerta trasera que lleva a la cocina, la deja en la entrada.

—Puedes pasar, Bill.

Él niega con la cabeza con firmeza.

—Todavía no. —Inclina la cabeza y se marcha.

Serge ya está dentro guardando los alimentos en el frigorífico. Está claro que conoce perfectamente esta cocina. Va hasta el comedor.

—Estoy en casa, estoy en casa.

Lo sigo. Serge llora abiertamente mientras recorre el local. Frankie aparece.

—¿Serge?

Serge no puede verlo y continúa deambulando.

—¿Dónde está papel pintado?

—Estaba lleno de moho. Sé que tiene un aspecto sencillo, pero la pintura es bonita.

—Papel pintado es mejor.

—Y que lo digas, Serge. Santa madre de Dios, ¿qué te ha pasado? —exclama Frankie.

—Frankie y yo vivimos nuestros mejores momentos aquí.

—Eso es verdad —se lamenta Frankie.

—Todavía noto su olor.

—Porque estoy aquí mismo. —Frankie rodea a Serge, que se inclina hacia él mientras lo hace. Están tan cerca que se me parte el alma al verlo—. Serge, eras tan joven y guapo. Las chicas te adoraban.

—No tanto como te adoraban a ti —se me escapa.

—¿Cómo? No, todos adoraban más a Frankie. Sobre todo, las mujeres.

—Por supuesto, y él a ellas, ¿verdad? —no puedo evitar decir.

Frankie me lanza una mirada de irritación mezclada con un toque de orgullo.

—Oh, sí, muchas —coincide Serge.

—Y apuesto a que rompió unos cuantos corazones.

Me estoy divirtiendo, pero Frankie no.

—Lucille —me advierte.

—Sí, muchas, muchas, él siempre pide ayuda a Serge para limpiar desastre. Yo seco ojos de las mujeres y meto en taxi.

Frankie intenta desmentirlo, sin éxito.

—No fueron *tantas*.

Pero Serge lo corrige, por supuesto; perdido en sus propios recuerdos, narra sus años de gloria.

—¡Cientos! Muchos cientos.

—¡Serge! —suelta Frankie.

—¡Frankie! —suelto yo.

Serge me mira, desconcertado.

—Sí, Frankie, de él hablamos. Echo de menos con todo mi corazón.

—Oh, Serge, ¿por qué no puedes verme? —La voz de Frankie se suaviza mientras observa a su viejo amigo de cerca, asimilando los cambios que se han producido en él.

—Era único. Creamos algo en qué creer y luego vienen y se llevan todo, y a él también.

—¿Qué pasó?

Tal vez Serge tenga una pista. Frankie continúa estudiando a su antiguo y maloliente compañero.

—Era demasiado generoso, demasiado libre, tenía demasiadas deudas.

Eso lo comprendo perfectamente. Frankie asiente a regañadientes.

—Es cierto, iba cuesta abajo y sin frenos.

—Estaba a punto de declarar bancarrota y cerrar puertas.

Frankie da una patada en el suelo y se ofende al oírlo.

—¡No! Nunca quise que pasara eso. Me debían dinero, y yo también lo debía…, solo tenían que esperar.

—Pero los platos que creaba en esa cocina…, nadie se acercaba a él.

—Ay, ojalá eso fuera cierto —se lamenta Frankie—. Sí que se me acercaron: me agarraron por la espalda, los muy cobardes. Nunca les vi la cara.

Serge llora un poco más.

—Era único.

—Por el amor de Dios, Serge, deja de llorar. Te pareces a mi tía Ethel —protesta Frankie.

—Ahora tengo espalda mala y no tengo empuje. —Serge aparta una silla y se sienta. Baja la mirada—. Me gustan la tablas de suelo. Aunque hacen un poco de ruido.

Tiene razón.

—Pondremos unas alfombras grandes cuando podamos.

—Eres una chica valiente.

Frankie da una palmada.

—Eso está mejor.

Pero Serge continúa a lo suyo.

—Toda la ciudad dice que esto saldrá mal.

—¿Toda la ciudad? —repito—. Serge, ¿a quién le has oído eso?

—Mi sobrina. Me envía tuits.

Genial, incluso mi *sous-chef* indigente puede ver que me encamino al fracaso.

—¿Estás seguro de que estás preparado para hacer esto? —le pregunto.

Serge se levanta de nuevo, intenta sacar pecho y tose.

—Serge te ayudará. Además, no tengo otra cosa que hacer. Esto da sentido a mi vida. Creo en ti.

—Gracias, Serge —contesto con una sonrisa.

Se acerca para abrazarme. A Frankie no parece gustarle la idea. Le doy un abrazo rápido, durante todo el tiempo que mis conductos olfativos pueden soportar, y él coloca las manos en mi trasero. Se las aparto de un manotazo y me separo. Serge se encoge de hombros, sin inmutarse.

Frankie sacude la cabeza, riéndose.

—Siempre hace eso.

—Valía la pena intentar —dice Serge.

—A la cocina, ya. Hay un montón de zanahorias. Ponte a cortarlas —le ordeno con firmeza.

Serge se toma mi tono severo con alegría.

—¡Sí, chef!

Espero hasta que ya no puede oírme.

—¡Libertino!

—Reformado —contesta Frankie con voz zalamera.

—¡Solo porque estás muerto!

—No tienes tiempo para odiarme, Lucille.

Miro el reloj. Él tiene razón. Otra vez.

23
Frankie

Es curioso, ¿verdad?, cuando te encuentras con alguien a quien no has visto en años, décadas incluso, y al principio te asombra este impostor ajado, calvo, encorvado, arrugado y demacrado que ocupa el lugar de tu amigo. Como en esas espantosas revistas en las que se anima a la gente a enviar una foto suya junto con una del famoso al que piensan, o les han dicho alguna vez, que se parecen. Ni punto de comparación.

Sin embargo, con cada respiración, cada gesto, cada momento que pasa, tu percepción se expande y se ajusta y empiezas a reconocerlo. Tal vez sea él.

Y entonces realiza algún gesto familiar y tonto (como cuando Serge intentó agarrarle el trasero a Lucille) y al instante ves de nuevo al original. ¡Aleluya!

24
Lucy

Me pregunto quién sería el primero al que se le ocurrió combinar la panza de cerdo (tan suculenta, tan salada, tan crujiente en los bordes, tan perfecta) con la ensoñadora frescura de las vieiras a la plancha. Rociados con aceite de albahaca, colocados sobre un lecho de guisantes y acompañados de zanahorias baby con un glaseado de miel. Damas y caballeros, tenemos un plato principal que supone una divertida variante del mar y tierra.

La mañana progresa tan bien como cabría esperar en compañía de un fantasma ligón y un *sous-chef* con resaca que no ha trabajado en treinta años. Puede que un poco mejor.

Frankie y Serge tienen una forma de hablar y pensar muy similar. Sin embargo, mientras que Frankie es impaciente, obsesivo y persuasivo, Serge es considerado y respetuoso. Y, a pesar de que le falta práctica, es un *sous-chef* magnífico.

Hemos repasado el menú, que tiene su aprobación, aunque términos como «infusión», «deconstrucción» y «tierra» a él le resultan incomprensibles y a Frankie le enfurecen. Eso no es algo malo. Es muy habitual complicar las recetas en exceso con la esperanza de que suenen sofisticadas, algo que quiero evitar a toda costa; esa práctica era muy común en el Circa. Como dice Frankie, escribir «jugoso» en un menú es tan malo como poner «rico». Debería ser evidente que el cerdo es jugoso por su textura, por su sabor y por cómo rezuma. Supongo que, en los últimos años, todos nos hemos dedicado en nuestros restaurantes a la masturbación del menú.

Hace un siglo, simplemente se decía entrante, plato principal y postre; el resto se dejaba en manos del chef. Creo que, con la popularidad de los programas televisivos sobre cocina, todos nos hemos vuelto mucho más creativos con nuestros platos. Además, estoy completamente a favor de hablar sobre los alimentos que consumimos: deberíamos estar informados y ser conscientes de lo que comemos. Pero la situación se nos ha ido un poco de las manos, hasta el punto de que, cuantas más palabras hay en el menú, más nerviosa me pongo, como comensal y como chef.

Serge está sacando las galletas de sésamo del horno cuando alguien llama a la puerta trasera. Frankie se ha ido a algún sitio; sin duda, a atender a sus clientes en algún universo alternativo.

Aparece Hugo, con los brazos llenos de material para hacer manualidades y una caja de Veuve Clicquot.

Frankie reaparece y mira el champán. Entonces, Serge y él declaran al unísono:

—Ah, velvet clítoris, mi favorito.

Hugo y yo nos giramos hacia Serge, que se sonroja un poco.

—Cuando empiezo aquí, mi inglés no era bueno. Frankie tiene poco personal una noche, así que ayudo en comedor. Un ricachón pide una botella de champán, pero pronuncia mal. Intento ayudar, pero él cree que digo «Bello Clítoris». Cuento a Frankie, que se ríe tanto que saca otra botella gratis. Desde entonces, todo cliente del Fortuna con pasta pide en voz alta y con orgullo el bello clítoris.

—Lo del «bello clítoris» era una broma buenísima —añade Frankie—. Ten en cuenta que fue la viuda Clicquot la que convirtió esa bebida en lo que es hoy. Cambió su sabor dulzón original y llevó una bodega de champán en quiebra al estrellato, bendita sea. Creo que a ella le gustaría ese nombre.

—Vale —contesto, porque ¿qué más puedo decir?

—Lucy, ¿vas a ayudarme o piensas seguir hablándole a la albahaca?

Me acerco rápidamente a Hugo y cojo algunos de los rollos de papel que hay encima de la caja.

—¿Qué haces aquí? ¿No habías dicho que no compensaba que Leith te atormentara?

Hugo es una persona maravillosa. Puede manejar a una multitud con un estilo generalmente reservado para las estrellas de Hollywood. Posee la combinación perfecta entre la deferencia y un puntito de descaro. Es un camarero y organizador con mucho talento y un entendido en moda que además sabe de comida. Siempre está persiguiendo a chicos que acaban rompiéndole el corazón. Sus padres judíos lo mangonean y lo adoran, varios multimillonarios le han pedido que trabaje en sus *jets* privados y todos los restaurantes decentes de la ciudad han intentado llevárselo, y con razón. Pero Hugo es leal y odia los cambios. Él fue uno de los motivos principales que me mantuvo en el Circa cuando las cosas se pusieron feas; su sabiduría e ingenio fueron lo que me ayudó a superar muchas noches en la cocina cuando mi marido se esfumaba pronto y me dejaba con el marrón.

—Julia llamó a mi padre para arreglar lo de tu seguro. Papá sigue diciendo que Julia es la abogada más despiadada con la que ha trabajado. Ella le contó lo tuyo con Leith. Papá se lo contó a mamá y mamá me hizo ir a casa. Cuando le enseñé tus fotos en Instagram gritándole a Leith en el Circa y le conté cuántas discusiones desató eso entre nuestros clientes durante el resto de la noche, mamá se echó a reír. Luego llamó por teléfono a sus amigas, reservó una mesa para ocho aquí esta noche y me dijo que ella pagaría cualquier sanción si Leith intentaba demandarme por incumplimiento de contrato por irme del Circa. Después tuve una conversación con mi tío Harvey, que preparó una carta a modo de respaldo para poner a Leith en su sitio, enumerando unas cuantas cosas que Leith ha hecho y que no son del todo legales. Cuando la llevé al Circa junto con mi carta de dimisión, Leith se puso pálido. Así que aquí estoy, si todavía me quieres. Ah, y el champán es de parte de mamá.

Antes de darme tiempo a decir nada, Hugo se vuelve hacia Serge con una sonrisa.

—Hola, soy Hugo.

Frankie comenta con tono de aprobación:

—Me cae bien. Algunos de estos mariquitas tienen más agallas que los tíos normales.

—¡Frankie! —lo reprendo.

Hugo y Serge me miran desconcertados. Serge, bendito sea, me salva.

—No, soy Serge. Frankie era el dueño.

—Sí —me apresuro a enmendarlo—, por supuesto. Serge, este es Hugo, mi salvación y *maître*, y sumiller cuando podamos pagar la licencia. Hugo, Serge es mi *sous-chef*.

—Número uno —dice Serge con entusiasmo.

—Encantado —contesta Hugo sin que se le borre en ningún momento esa sonrisa inocente, carente de juicios, de demócrata de izquierdas.

Le debo mucho a la madre de Hugo. Es la clase de mujer que uno sueña tener como madre: lista, resuelta y sumamente elegante. Aparte de psicoterapeuta, también es una gran dama de la sociedad que forma parte de todas las juntas de todas las causas benéficas habidas y por haber en la ciudad.

Se puede ver a Stella al amanecer paseando a paso ligero a sus perros y a su marido, el fabulosamente gallardo e inteligente John Supera, por el paseo marítimo de Bondi Beach. Después de que salga el sol, se sube en casa a su bicicleta estática y activa el altavoz del teléfono para hablar con una gran variedad de empresarios a los que presiona para que colaboren en sus causas benéficas. Por lo general, a la hora del almuerzo preside u organiza algún acto, por la tarde regresa a su despacho para atender a sus pacientes y cena en un restaurante con alguno de sus cuatro hijos o en otro evento. No es inusual recibir correos electrónicos suyos a las tres de la madrugada con el título: «Se me ha ocurrido algo». Stella es una reformadora social, una madre estupenda, una esposa devota y la mujer que sin ninguna duda quieres que esté presente la noche que inauguras tu negocio. Podría dirigir el país, probablemente incluso el mundo occidental, sin inmutarse. Durante los Juegos Olímpicos de Sídney, hasta llevó la bandera de un exótico y diminuto país que nadie sabía cómo se llamaba, porque no quería que se lo perdieran; ese país solo tenía un representante olímpico, de tenis de mesa o algo por el estilo, pero Stella se aseguró de que disfrutaran de su momento de gloria. Que Stella acuda a tu noche de apertura es, en cierto sentido, como que Jackie Kennedy lleve un vestido de tu casa de modas a una gala.

—¿Qué es ese olor? —pregunta Hugo. Frankie lo está rodeando, inspeccionándolo de cerca.

—¿La panza de cerdo? —sugiero.

—No, no huele a comida. —Hugo olfatea de nuevo, con cara de desagrado—. ¿Llevas Kouros, Serge?

El aludido saca pecho con orgullo.

—Un poco detrás de cada oreja por la mañana. Gusta mucho a las damas.

—Apuesto a que hacen cola —bromea Hugo.

—Últimamente, no —contesta Serge con aire pensativo.

Hugo se ríe de eso, al igual que Serge. Frankie le da una palmada a Hugo en la espalda; este mira detrás de él, pero no dice nada.

—¿A qué vienen los materiales artísticos? —le pregunto a Hugo.

Él se encoge de hombros, restándole importancia al asunto.

—Solo es un poco de papel pintado de Florence Broadhurst que sobró del cuarto de baño de mamá. Julia comentó que la parte delantera tenía un aspecto un poco sobrio. Se me ocurrió que podríamos decorar una pared con él.

Aplaudo de alegría. El gusto de Stella es vistoso e impecable.

Frankie parece perplejo.

—Sí, por supuesto que tu amiga tiene razón: está soso; pero ¿cubrir solo una pared? ¿Por qué no todo?

Hugo se dirige al comedor y suelta un silbido.

—No está mal, Lucy Lu. Esto le aportará un toque especial.

Desenrolla un brocado dorado precioso y perfecto que resaltará los bordes dorados de la porcelana decorada con *La flauta mágica*. Cuando le enseño a Hugo la vajilla Rosenthal, se pone a aplaudir.

—Conocí a Florence. Era una mujer maravillosa. Viene a comer de vez en cuando. Creo que ella lo aprobaría —comenta Frankie, al que empieza a gustarle la idea del papel pintado.

Serge está menos convencido.

—Pero ¿dónde están los cuadros?

Frankie se enfurruña.

—Se los llevó esa mujer espantosa con la que salí.

Serge capta los pensamientos de Frankie en el éter.

—Ah, sí, ya acuerdo. Novia de Frankie entra en el restaurante, saca de la pared y lleva una noche después de pelea. Era mal novio. Qué pena, había un Whiteley.

—¡¿Tenías un Whiteley?! —prácticamente grito.

—Yo no —contesta Serge—. Frankie.

Frankie asiente con estoicismo.

—¿Dónde está la novia? —pregunta Hugo, intrigado.

—Marchante de arte, mucho éxito —nos informa Serge con orgullo.

—Estoy seguro —opina Hugo.

—Ahora vive en Londres. Frankie tenía varias. ¿Y los otros cuadros?

—¿Qué otros cuadros? —digo.

Frankie se golpea la frente con la mano, con un gesto teatral, aunque yo soy su único público.

—Ay, Dios, por supuesto. Pero no los querrás.

—¿Querer qué? —le pregunto.

—Los otros cuadros —continúa Serge—. A Frankie gustaban los artistas. Dejaba a muchos pagar con sus obras.

—Me pregunto por qué estaba a punto de irme a la quiebra —se burla Frankie—. Esos malditos artistas se lo comían todo, se lo bebían todo y se quedaban toda la noche. Pero eran muy divertidos.

—¿Dónde están ahora esas obras? ¿Se las llevó alguien? —indago.

—Las escondí en uno de los estantes de la despensa. Iba a usarlas para forrarlos —gruñe Frankie.

Hugo da una palmada.

—Es como en La Colombe d'Or.

La Colombe d'Or, o la Paloma Dorada, es uno de los restaurantes más románticos del mundo. Está situado en la Costa Azul y se ha hecho famoso por las obras de arte que adornan sus paredes.

—Salvo que, en este caso, los artistas no son Chagall ni Picasso. Esa fue también mi inspiración —añade Frankie.

Regreso a la cocina y me agacho para revisar el fondo de la despensa.

—¿Por qué estamos aquí dentro? —pregunta Serge, observándome gatear.

—Solo es una corazonada.

—Luce, cielo, ¿tienes tiempo para esto? —apunta Hugo—. ¿Por qué los dejaría ahí?

—Para forrar los estantes de la despensa —contesto con toda naturalidad.

—Creo que están abajo a la derecha. No, tal vez a la izquierda —dice Frankie—. O puede que me los llevara a casa o los tirara a la basura.

Los otros me ayudan y, cuando Julia entra, nos encuentra a los tres a gatas. Levantamos la mirada hacia ella a la vez.

—¿Estáis rezando para salir bien librados esta noche?

—¿Qué haces aquí ya? —le pregunto.

—Ken volvió pronto a casa del trabajo. Se agobió al pensar que tendría que enfrentarse a una multitud y le salió un herpes. Lo he puesto en cuarentena hasta nuevo aviso, y la niñera está con Attica, así que soy toda tuya. Por favor, dime que no esperas que me agache con vosotros.

—Serge cree que podría haber algunos cuadros y dibujos.

—¿Y esperas que alguno sea un Rembrandt?

—Un Olsen también serviría —comenta Hugo con tono esperanzado.

—No, nunca me dio ninguno —cavila Frankie.

—Maldita sea. —Me encanta Olsen.

Y entonces veo una pequeña protuberancia debajo del linóleo.

—¿Bajo el lino? —le pregunto a mi fantasma.

—Puede ser. Quizá no estuviera del todo sobrio cuando los guardé.

Julia me pasa un cuchillo y lo uso para levantar la baldosa de linóleo, que de todas formas hay que cambiar. Encuentro una bolsa de plástico perfectamente sellada con la etiqueta: «Arte malo de clientes pobres».

—Lo etiquetó: me gusta —opina Julia, asintiendo con aprobación.

Es la primera cosa positiva que ha dicho de Frankie, que disfruta del cumplido. Desenvuelvo con cuidado el paquete, que contiene casi treinta dibujos, la mayoría de los cuales carece de interés.

—Ya te lo dije —murmura Frankie, complacido.

—Oh, vaya —se lamenta Hugo.

—Mayoría de artistas tenían poco talento. Frankie colgaba los buenos —recuerda Serge.

—Valía la pena intentarlo. —Entonces veo otro bulto—. ¿Qué es eso? —le pregunto a Frankie

—Ni idea —responden los demás a coro.

Hay otro paquete delgado y sellado, esta vez sin etiqueta. Lo abro. Descubro unos dibujos preciosos y fluidos, incluido un retrato de Frankie elaborado por un conocido artista.

—¡Es un Matthias Drewe! —exclama Hugo con una amplia sonrisa.

Matthias Drewe, que ahora tiene unos cincuenta años, es famoso en el mundillo artístico australiano por su horrible temperamento y sus obras serenas y beatíficas. Es un finalista habitual al premio Archibald en la categoría de retrato.

—Matthias Drewe. Era mozo de cocina. Muy malo fregando platos, pero muy bueno con el lápiz —nos informa Serge.

—Ah, él. Me había olvidado de ese pequeño alborotador. —Frankie no parece impresionado.

—¿Fue mozo de cocina aquí? —pregunto con incredulidad.

—Vivía en la calle y era un ladrón…, siempre robaba el pan de Frankie. Cuando Frankie descubre, quiere dar bofetada, pero el chico solo tiene trece años, así que en cambio da trabajo.

—¿Le dio trabajo a un niño? ¡Eso es ilegal! —El índice de aprobación de Frankie desciende de nuevo a ojos de Julia.

Frankie suelta una carcajada.

—Ese chico nunca fue un niño. Era uno de los cabroncetes más maquinadores, listos y con más talento que he conocido —dice con cierto grado de respeto.

Hugo está fascinado.

—¿Qué pasó? —le pregunta a Serge.

—Matthias siempre estaba más interesado en problemas que en trabajo. Siempre estaba aquí; viene pronto y se sienta a dibujar mientras Frankie y yo preparamos el menú y las recetas. Luego tiene una idea: contar a otros restaurantes nuestros planes por un precio.

—¡Menuda rata! —Hugo está impresionado.

—Quería dinero para una bicicleta nueva. Cuando Frankie averigua, intenta despedir a Matthias, pero él llora tanto que Frankie se ablanda y deja quedar. Siempre estaba robando cosas, pero se queda aquí hasta que entra en escuela de arte en Londres. Cuando se va, regala esos dibujos a Frankie.

Los revisamos de nuevo.

—¿Este es Frankie? —pregunta Hugo, señalando el retrato.

Serge mira el dibujo con adoración.

—Sí, es él.

—¡Caray, está como un tren! —exclama Hugo, entusiasmado, y tengo que controlarme para no asentir.

Frankie se regodea, parece un niño con zapatos nuevos.

—Me cae bien —dice, señalando a Hugo con la cabeza.

Julia inspecciona el retrato.

—Sí, tiene buena estructura ósea, pero me parece arrogante.

—Sí —coincido.

—¡Oye! —protesta Frankie.

Serge estudia el dibujo.

—Sí, muy arrogante. Y muy buena persona.

Envuelvo los dibujos otra vez.

—Podrías venderlos e invertir el dinero en el restaurante —sugiere Hugo.

—No puedo venderlos porque no son míos. Solo soy la arrendataria, no la propietaria.

—A Frankie no importaría —me asegura Serge.

—No, no me importa. —Frankie me observa—. Úsalos.

—Voy a enmarcarlos y colgarlos aquí. Este sitio también es de Frankie —anuncio.

—Ay, Dios mío, no vas a durar ni una semana. Tú y tus principios románticos. —Julia no puede reprimirse y sacude la cabeza en un gesto recriminatorio.

Frankie parece contento.

—¿Estás segura?

—Atraerán la buena fortuna y, además, él los habría colgado si siguiera aquí. Será como tener su bendición —improviso sobre la marcha.

Me encanta el estilo de Matthias Drewe y estos dibujos son justo lo que necesita el restaurante. También me estoy aficionando demasiado a mirar a Frankie.

Serge se pone a llorar de nuevo.

Julia me mira con recelo.

—Vale, pero no cuelgues su retrato sobre la chimenea.

—De acuerdo.

¿No es curioso cómo a veces acabas rindiéndote ante lo que se avecina… y con qué frecuencia descubres que, en esos momentos, te sientes más feliz que nunca?

Voy a buscar más flores y, al regresar, encuentro a Julia y Hugo riéndose mientras preparan las mesas en el comedor. El papel pintado de Broadhurst ya cuelga de la pared gracias a un poco de masilla adhesiva estratégicamente colocada. Entonces, comprendo de qué se ríen: Serge está cantando. Me asomo a la cocina y veo que ha sacado el viejo y maltrecho radiocasete portátil de uno de los estantes inferiores y lo ha enchufado. Está cantando alegremente *Guilty* junto con Barbra Streisand y Barry Gibb. De lo que Julia y Hugo no son conscientes, por supuesto, es que, mientras Serge prepara las judías para la ensalada nizarda, Frankie canta a su lado, armonizando a la perfección. Es evidente que solían hacer eso mismo mientras cocinaban. Y justo en ese momento, antes incluso de que Frankie se dé cuenta de que estoy allí, me siento agradecida. Agradecida de haber reunido a estos bichos raros, todos y cada uno de los cuales se están arriesgando, a su manera, para intentar devolver al Fortuna a la vida… y, en cierto sentido, a mí también. Entonces, por supuesto, me echo a llorar. Serge deja de cantar.

—¿Esta canción hace sentir triste?

—No. No la escuchaba desde que tenía unos ocho años, pero me hace sentir alegre.

Serge asiente con la cabeza.

—Es una mujer muy buena, nuestra Babs. Solíamos escuchar muchas veces aquí.

Le sonrío a Frankie mientras pregunto:

—¿A Frankie le gustaba escuchar música en la cocina?

Ambos asienten, y luego hablan prácticamente a la vez.

—Escuchamos de todo: Bowie, Van Morrison, los Stones —comienza Serge.

Frankie continúa:

—Led Zeppelin, Dylan, Bach.

—Olivia Newton-John.

—¿Qué? ¡Nunca escuchábamos a Olivia Newton-John!

—Nana Mouskouri.

—¡Serge! Está mintiendo. ¡Acabamos prohibiéndole poner sus cintas en la cocina!

—La señora que canta estilo tirolés… y ABBA.

—¡ABBA, nunca!

Hugo y Julia vuelven a entrar en la cocina. Ambos están cantando.

—Esta música es fabulosamente retro —dice Hugo mientras realiza un elegante giro.

Frankie se ha puesto de morros.

—No es retro. ¡Solo es buena música! ¿A qué viene este absurdo deseo de reetiquetarlo todo? Esa música sigue siendo actual.

—Para ti —contesto.

—No me digas que no te gusta. Estás a punto de marcarte un solo. —Julia intenta un movimiento de baile propio…, muy propio.

El problema de estar con personas a las que conoces tan íntimamente es que ellas también conocen tus costumbres más vergonzosas; en concreto, cantar baladas rock de los ochenta cuando estás borracha y bailar canciones de Bananarama.

—Propongo que pongamos esta música esta noche. ¡Será divertido! —Hugo está entusiasmado.

—¡Válgame Dios! —gruñe Frankie—. Esto es un restaurante, no un circo. Pero sí, tiene que haber música.

—Ya he preparado una lista de reproducción —intervengo—. Incluye muchos temas de los setenta y ochenta, pero son más bien indie folk: Joni Mitchell, Nick Drake, ese tipo de cosas. Y sí, la hice con el Fortuna en mente.

Serge parece preocupado.

—¿Están los Bee Gees? Tienen que estar los Bee Gees.

Miro a Frankie, que asiente con aire solemne.

—Arriésgate. Lleva a los comensales en un viaje musical que refleje adónde van a ir sus paladares. Llévalos de Philip Glass a Nina Simone y luego déjalos en manos de los Bee Gees.

—Tengo a los Bee Gees —le aseguro a Serge mientras tomo nota mentalmente de añadir algunas canciones más.

Julia se vuelve entonces hacia mí y adopta su tono de matrona, el que usa cuando considera que necesito volver a hacerme unas mechas o que llevo un jersey raído en público.

—Lucy, deberías irte a casa. Acuéstate un rato, dúchate y lávate el pelo.

—Iba a quedarme a trabajar —alego—. Traje una blusa diferente para cambiarme.

Julia y Hugo niegan con la cabeza a la vez. Esa opción no les vale. Miro a Serge, que se encoge de hombros y dice:

—Tal vez debas usar vestido después de trabajo. Y pintalabios.

Dios mío, me está dando consejos sobre moda un hombre al que los pelos de la nariz prácticamente le llegan al labio superior.

Frankie suelta un gruñido.

—Sí, una mujer debe parecer una mujer.

—¿Insinúas que no parezco una *mujer*? —le espeto.

—Nadie insinúa eso, cariño. Eres nuestra Nigella rubia —me asegura Hugo.

—Aunque más desaliñada —añade Julia.

—No te vendría mal acicalarte un poco. —Hugo intenta ser lo más diplomático posible.

Tienen razón. No te queda mucho tiempo para pensar en ropa elegante, depilación o Chanel N.º 5 cuando estás estresada, no tienes dinero, ves fantasmas e intentas abrir un restaurante. Pero supongo que es mi restaurante y, puesto que la mayor parte de los clientes viene a ver a la loca de la mala fortuna, podría ser buena idea que me duche y, sí, que me lave el pelo.

—Vale, bien —cedo con muy poca elegancia—. Pero tened en cuenta que lo que importa es lo que hago, cómo sabe mi comida, no mi *aspecto*. No me someteré a la objetivación patriarcal de nadie.

Los cuatro asienten despacio, conteniendo la risa.

Doy media vuelta para marcharme, indignada, y, cuando abro la puerta principal, oigo que Frankie me grita:

—Y trae unos tacones para cuando termines. Sé que tienes unos buenos tobillos escondidos debajo de esas botas.

¿Cómo lo sabe?

¿Se ha fijado en mis tobillos?

25
Frankie

¿Cuándo dejó la gente de escuchar a los Bee Gees?

¿Cuándo empezaron a usar *walkie-talkies* para comprobar el parte meteorológico, tomar fotos y escribir novelas?

¿Por qué no enmarqué esos dibujos?

¿Los culpables vendrán esta noche?

26
Lucy

Regreso a casa en mi coche en medio de una tormenta malva de pétalos de jacarandá y glicina. Esta es mi época favorita del año en Sídney: todo está floreciendo de nuevo y el dosel color lavanda da la sensación de que te encuentras en un utópico país de las maravillas.

Al entrar, encuentro a mi madre en su trono viendo otro programa médico.

—Ah, has vuelto —dice, como siempre. Su tono nunca expresa sorpresa, angustia ni entusiasmo; más bien se parece al saludo que alguien podría dirigirle a su cartero cuando regresa de vacaciones—. Tienes visita.

Miro a mi alrededor, pero no hay nadie allí.

—Leith.

—*¿Qué?*

Mamá señala en dirección a mi cuarto.

—¿Por qué lo dejaste entrar *ahí*? —protesto entre dientes.

—Bueno, no quería tenerlo aquí molestándome mientras veo la tele.

Me invade el pánico.

—¿Cuánto lleva aquí?

Ella se encoge de hombros.

—Llegó en algún momento durante *The View*.

Mi madre mide el paso del tiempo en función de sus programas de televisión.

—Gracias, mamá.

Pongo cara de adolescente ofendida y luego me dirijo a la habitación en la que me aguarda Leith. ¡Puf! ¿Por qué será que, cada vez que empiezas a sentir algo parecido al optimismo, tu ex aparece en tu cama?

La habitación no es nada soleada, pero incluso en la penumbra puedo distinguir a Leith en la cama, sin zapatos, mirando por la ventana con expresión ausente.

—Leith, pensaba que te...

—*Shh...* Ven —susurra, haciéndome señas para que me acerque. Como diría Julia, este tipo tiene un morro que se lo pisa.

—¿Qué pasa? —pregunto, sin molestarme en bajar la voz. Lo que menos necesito en este momento es sentarme en una cama al lado de Leith.

—Tú solo ven, por favor.

Lo conozco, sé que no se irá hasta que parezca que coopero. Me siento bruscamente a su lado.

—¿Qué quieres?

—Mira. Allí, junto al helecho, hay una araña tejiendo su tela.

No estoy segura de a qué universo paralelo me he transportado.

—¿Leith?

—¿No te parece alucinante? Es un milagro, en realidad. Simplemente, observa. Observa conmigo.

—¿Estás bien?

Es evidente que no. Leith apenas dedica tiempo a ver cómo su equipo favorito de rugby marca un ensayo en una gran final, mucho menos a observar cómo una insignificante arañita teje su tela.

—Esto está ocurriendo ahora, en este momento, y yo estoy viendo esta asombrosa creación en este momento, porque no volverá a ocurrir nunca y estoy aquí viéndolo, lo que me convierte en parte de la telaraña, y ahora tú estás aquí y somos los únicos seres humanos que lo sabrán jamás.

—Caray. Sí, vale. Leith, ¿has estado comiendo galletas de las de mi madre?

—Necesitaba relajarme.

—Claro... ¿Cuántas te has comido?

—Solo me dejó coger media, pero, como seguía con hambre y no pasaba nada, fui a la nevera sin que me viera y cogí dos más.

Genial.

—¿Tienes idea de lo colocado que estás ahora mismo?

—Sí. No. Bastante colocado.

—Muy colocado. ¿Necesitas vomitar?

—¿Sabes que hay un hueco enorme entre el final de cada palabra y la primera letra de la siguiente?

—Pues no, la verdad es que no.

Leith comienza a estirarse en la cama.

—Puede que necesite tumbarme un momento.

Y se tiende en horizontal, con las extremidades separadas. Se da una palmadita en el hombro, indicando el lugar en el que debo colocar mi cabeza.

—Leith, no.

—Calla, no te preocupes, todo va bien. Acuéstate. Solo un minuto.

Me hace bajar la cabeza hasta su hombro. Esta no era la siesta que tenía en mente. ¿Cómo voy a sacarlo de aquí? A la mierda mi minipuesta a punto personal de una hora.

Me quedo inmóvil un minuto, deseando que se ponga a roncar para poder seguir con mis cosas. Naturalmente, eso no es lo que sucede.

—Esto está bien —murmura.

—Ajá…

—Ajajá. Sería mejor si estuviéramos desnudos.

—¿Qué haces aquí?

—*Shh*, escuchemos el sonido del ventilador.

—El ventilador no está encendido, Leith. ¿Qué haces aquí? ¿Dónde está Maia?

—Vine a desearte buena suerte.

Se me forma un nudo en el estómago. Colocado o no, Leith es incapaz de desearle buena suerte a alguien si él no se beneficia de algún modo. Le sigo la corriente; a estas alturas, mis alternativas son escasas.

—Eso es muy amable por tu parte, sobre todo después de lo que ocurrió la semana pasada.

—Todos los matrimonios tienen sus altibajos, nena. Quiero que seas feliz.

«No te lo tragues. No te lo tragues, Lucy.»

—¿De verdad?

—Ajá…

Se acurruca contra mí y me besa la frente, luego las mejillas, y ojalá pudiera decir que me repugna. Culpo a las feromonas y la soledad, pero es agradable, demasiado agradable, y mi cuerpo comienza a moverse hacia el suyo de forma involuntaria. Nos damos un suave beso en los labios, y luego otro, y con cada beso siento que Leith me absorbe como un torbellino.

—No, no puedo. Esto no... Tengo que prepararme para esta noche.

—No hace falta —dice, muy ufano.

—Claro que sí. Por si no me has mirado bien últimamente, parezco una mendiga.

—Podemos ir a casa y darnos un largo baño, abrir una botella de vino, haré espaguetis a la carbonara, muchísimos, comeremos, simplemente, nos sentaremos a comer y a escuchar... ¿Suena bien?

Durante un nanosegundo, suena perfecto. Y entonces pienso en todos ellos cantando, y en Serge y la porcelana y los suflés. Y luego pienso en Frankie.

—Suena ficticio. Hoy es la apertura de mi restaurante.

—No, todo eso se acabó.

Me río de lo colocado que está.

—No, es esta noche.

—Ya no tienes que preocuparte por eso. Publiqué el mensaje. Estaba cuidando de ti.

Me incorporo de golpe.

—Leith, ¿qué has hecho?

—*Shh*, todo va bien, nadie está enfadado contigo. Era peligroso, y la letra pequeña no es tu fuerte —comenta con tono de complicidad, como si fuéramos dos chiquillos que han huido de casa para vivir aventuras juntos.

Intento ponerme en pie, pero tira de mí y me hace tenderme de nuevo a su lado.

—¿Qué has hecho? —repito despacio.

—No tienes el permiso del ayuntamiento. Ese sitio acabará incendiándose cualquier día de estos. Se lo conté por tu propio bien. Leithie sabe cómo cuidar de su chica.

Caigo en la cuenta de pronto. Me he olvidado por completo del permiso del ayuntamiento. Una parte de mí ha seguido postergándolo porque me da miedo hacer frente a los gastos de los cambios que me obligarían a hacer. Sídney es famosa por sus estrictas normas.

Estoy oficialmente jodida.

Leith retuerce un mechón de mi pelo entre sus dedos, pero lo libero de un tirón.

—Eres un capullo.

—No digas eso, LiLi —ronronea, tocándose la entrepierna, que está dura—. ¿Y si te doy un poco de esto para compensártelo? Vamos.

—Joder, ¿estás de coña?

Leith comienza a retorcerse. Estira la mano hacia mi pecho, excitado por el hecho de haberme saboteado.

—Ven y fóllame. Lo necesitas.

Se me pone encima, pesado y colocado. Notar la erección que antaño me pasaba los días anhelando es la gota que colma el vaso. Le doy un rodillazo. Él chilla y me da una bofetada. Se la devuelvo.

—Se acabó, Lucy —dice con desdén—. Tu restaurante está acabado. Un tipo del ayuntamiento va de camino para asegurarse de que no abras. Intentar castigarme fue un disparate, ahora deja esta actitud patética y vuelve a casa.

Intento salir de debajo de él, pero me agarra con fuerza.

—Suéltame, gilipollas drogado.

Estoy a punto de ponerme a gritar cuando…

—Me has robado las galletas —suelta mi madre, también muy cabreada, desde la puerta.

Leith, al que le aterroriza mi madre, se estremece y se me quita de encima. Me levanto de un salto.

—Lo siento, Sara.

—Te dije *media*. Eres un maldito glotón, Leith, y una sabandija, y nunca me has gustado.

Él parece un tanto avergonzado.

—Sí, lo sé. Ya me lo habías dicho.

—No me explico cómo puedes hablar con coherencia después de zamparte cuatro galletas.

Me vuelvo hacia él, furiosa.

—¡Me dijiste que fueron tres!

Leith levanta la mano, declarándose culpable con gesto abatido; una táctica que solía sacarlo de todo tipo de aprietos.

—Y también eres un mentiroso —le espeto.

Mi madre me mira de arriba abajo.

—Lucille, métete en la ducha y lávate el pelo, parece una bola de grasa. Leith, túmbate ahí y luego te llevo a casa.

—No puedo —le digo a mi madre. El pánico se apodera de mi voz—. El inspector del ayuntamiento va a venir a cerrarnos el restaurante.

—Bueno, pues le costará más rechazar tus explicaciones con el pelo limpio. Es la condición que te pongo para ayudarte. Vamos. Yo vigilo a este.

—¿En serio?

Le doy un beso a mi madre y me dirijo al baño mientas la oigo repetirle a Leith citas de Germaine Greer mezcladas con otras del Dr. Phil.

Media hora después, mamá va al volante de su furgoneta Kombi mientras yo ocupo el asiento del pasajero y Leith, que se ha quedado grogui, el de atrás.

—Solo necesito echarle un vistazo cada media hora, más o menos, para asegurarme de que sigue respirando —me dice.

—Pero se pondrá bien, ¿no?

Mi madre responde asintiendo con la cabeza sin entusiasmo. Todavía me cuesta asimilar el conjunto que lleva. Consiste en un vestido cruzado clásico de Diane Von Furstenberg de color rojo con delicadas florecitas blancas y verdes, una serie de horquillas de pedrería en el pelo que pidió por Internet, una vieja prenda de lana mohair anaranjada que mi abuela tejió en los sesenta y que es una especie de mezcla entre una rebeca y una capa corta… y unas sandalias Birkenstock. Su cabello es una enorme masa de ondas blancas y unos pendientes de esmeraldas le cuelgan de las orejas. Si por algo se caracteriza mi madre es por no ser nada convencional.

—Gracias por ayudar, mamá.

—No puedes permitir que ese memo te arrebate tu futuro. Tienes que volverte un poco más dura, niña.

—¿Te quedarás a cenar? Si abrimos, claro.

—¿Por qué no? De todas formas, este imbécil no me va a dejar ver nada en paz. —Me aprieta la rodilla—. Además, nunca se sabe a quién podría conocer.

—Por favor, mamá, no vayas a…

—Solo era una broma. Me daría pereza meterme en una relación, pero estaría bien tener alguien con quien charlar de vez en cuando. Y quiero ver qué has hecho con el local de Frankie.

La miro fijamente.

—¿Estás *segura* de que no pasó nada entre Frankie y tú?

Ella suelta una carcajada y luego niega con la cabeza.

—Tanto como puedo estarlo de algo que pasó hace tanto tiempo.

En general, esa es toda la garantía que mi madre puede darme sobre lo que hizo o no hizo en el pasado.

Cuando nos detenemos delante del restaurante, nos encontramos con un enfrentamiento entre un tipo que blande un aviso del ayuntamiento por un lado y Julia, Hugo y Serge por el otro. Todos me miran cuando bajo de la furgoneta y mi madre va a aparcar.

Julia parece aliviada.

—Luce, dile a este idiota que tienes el permiso, ¿quieres?

27
Frankie

Una cálida aura de expectación por la reapertura envuelve el restaurante.

¿Dónde está Lucille? ¿Por qué las mujeres dudan de sí mismas con tanta frecuencia? La mayoría de las veces hacen las cosas el doble de bien que los hombres mientras se ocupan de otros tres temas distintos.

Lucille. Me fascina verla cocinar, buscar recetas, ocuparse de la despensa y la cámara frigorífica como si se tratara de un niño pequeño. Se nota que le encanta y es la personificación de la dedicación.

Cuando yo estaba vivo, empleaba la mayor parte del tiempo que pasaba aquí persiguiendo mujeres y el bocado perfecto. Deseando ambas cosas constantemente. Cuando me puse a recitar nombres de posibles culpables de mi asesinato, el número de mujeres que (por buenas razones) podrían haber querido verme muerto fue inquietante. Pero aún peor fue la cantidad de nombres que no podía recordar, porque apenas les había prestado atención siquiera. Mi apetito iba más allá de la voracidad y rayaba en la adicción, y entonces mis excesos con la bebida me pasaron factura. ¿Por qué estaba tan hambriento de vida, pero nunca fui capaz de saborear una comida? Siempre quería más, sobre todo cuando se trataba de mujeres. Mi apetito era insaciable. No quería saber quiénes eran, solo me interesaban las cálidas curvas de sus cuerpos y sus gritos de placer al llegar al orgasmo. Me encantaba seducirlas y persuadirlas, reconquistarlas cuando las presionaba demasiado. Solo era un juego para mí, pero Lucille tiene razón, no conocía a ninguna de verdad. Nunca me consideré un misógino, me encantan las mujeres, pero nunca me tomé la molestia de conocer a ninguna más allá de mis propias necesidades y comportamientos en la cama. Me parecía inútil: siempre sentía que eran mucho más listas que yo, que estaban más centradas; sus vidas giraban alrededor de los hijos y los sentimientos y quién sabe qué más, porque nunca me quedaba con ellas el tiempo suficiente como para averiguarlo.

De lo que más me arrepiento es de cómo traté a Helen. Le rompí el corazón y tuvo que criar a Charlie sola. Iba a buscarlo de vez en cuando para ir a dar un paseo y comer algo y luego lo llevaba a visitar a mi último interés amoroso: no hay nada más efectivo que un niño cariñoso para ganarte a una mujer a la que intentas conquistar. Y Charlie era un niño listo, conocía su papel y lo representaba a la perfección. Pero nunca estuve ahí para hablar de sus notas en el colegio, arroparlo por las noches o cuidarlo cuando tuvo la varicela. Pobrecito. Un día asistí a un acto en el colegio en el que los niños hablaban de las profesiones de sus padres y Charlie anunció que mi trabajo consistía en preparar tortitas y besar a mujeres. En ese momento yo estaba intentando ligarme a su profesora, así que las cosas no salieron demasiado bien. Él lo había hecho a propósito.

Me ha hecho falta convertirme en un despojo de la muerte para comprender que las mujeres, aparte de ser las seductoras musas de las ansias carnales, también merecen que las conozcan. Lucille intenta parecer lo más asexuada posible —supongo que es por la ruptura—, pero verla tan tremendamente vulnerable todos los días ha hecho que…, bueno, que empiece a cogerle cariño.

Además, es preciosa. Tiene unos expresivos ojos de color aguamarina, un rostro bello y elegante y unos labios supersexis. Sus movimientos son ágiles y delicados, como si fuera una mezcla entre un caballo de carreras y un hada, y posee el temple suficiente para mantenerte alerta. Seguro que puede encontrar un hombre decente que sepa tratar a las mujeres, en lugar de, según tengo entendido, un montón de perdedores celosos e inseguros, ¿verdad? ¿Por qué las mujeres no confían en sí mismas ni se dan cuenta de que se merecen este planeta mucho más que los hombres?

Si Lucille se olvidara de las excusas y las lágrimas y empleara ese magnífico talento que he visto cuando cree que nadie la está mirando, sería una superestrella culinaria por derecho propio y este restaurante volvería a brillar una vez más.

¿Por qué siguen todos fuera?

28
Lucy

Julia se queda atónita cuando admito la verdad.

—¿Te *olvidaste*?

Serge me mira apesadumbrado.

—Eres como Frankie, no piensas en detalles.

Ewan, el funcionario del ayuntamiento, me entrega el aviso que iba a pegar en la puerta.

—Tengo cinta adhesiva, si la necesita.

Parece tan triste como nosotros.

Serge, haciendo gala de toda su determinación centroeuropea, no se da por vencido.

—Tengo cien dólares en la cartera, más o menos. Te doy, tú marchas y olvidas.

Ewan rechaza la generosa oferta de Serge. De todas formas, ni siquiera estoy muy segura de que tenga dinero. Intento pensar rápidamente alguna solución. Esto no puede ser. No puedo rendirme ahora. Frankie está dentro, sé que está mirando. No puedo decepcionarlo.

Hugo suelta, presa del pánico:

—Mi tío es uno de los abogados más importantes de la ciudad. Si no nos deja abrir, los demandaremos.

—No podemos demandar al Ayuntamiento de Sídney por hacernos obedecer las leyes municipales —se lamenta Julia—. Créeme, muchos de mis clientes lo han intentado.

—¿Hay alguna forma de que podamos realizar los trámites necesarios durante la próxima hora, antes de abrir? —le suplico.

Ewan revisa su bloc de notas.

—Hay que cambiar las alarmas de incendio, limpiar los conductos de ventilación, colocar una barandilla en los escalones que llevan al lavabo exterior…

La esperanza brota en mi pecho.

—¡Podemos hacer todo eso!

—Un momento, todavía no he terminado. Hay que ensanchar la puerta principal para que puedan acceder las sillas de ruedas. Y, aunque hagan todo eso, queda el tema del pago de la licencia.

—¡Podemos pagar! —le asegura Serge, decidido a triunfar.

—El horario de atención al público es, de lunes a viernes, de 9 de la mañana a 5 de la tarde.

Le echo un vistazo rápido a mi teléfono.

—¡Pero solo son las cinco y cinco!

—Lo siento, señora, así son las normas.

Julia lo mira fijamente.

—No estoy segura de que esté utilizando el manual correcto para restaurantes *pop-up*.

Ewan estudia sus papeles.

—Claro que sí.

Mierda, mierda, mierda.

—Lo siento —me dice el funcionario, mirando por la ventana delantera con cierta tristeza—. Mi mujer y yo vivimos en Zetland y nos hubiera encantado probar este sitio. Ella escribe reseñas gastronómicas, como *hobby*. Tiene su propio blog y todo.

No me puedo creer que haya llegado tan lejos y me vaya a detener un maldito permiso del ayuntamiento. Tuve casi tres semanas de plazo. Ahora me acuerdo de que sí llegué a llamar y, como es habitual en el mundo moderno, me respondió un contestador automático que me ofreció innumerables opciones, luego me dejaron en espera durante cuarenta y cinco minutos, tras los cuales la llamada se cortó, y luego…, luego me olvidé. Maldita sea mi estampa…, me olvidé.

—Bueno, ya que está aquí, ¿por qué no se queda a cenar con el personal? —Hugo me guiña un ojo mientras lo dice. Leo en sus labios la palabra «plan» y lo veo alejarse para que no podamos oírlo mientras marca un número en su teléfono.

—Eso no es necesario —contesta Ewan, dirigiéndonos una mirada de disculpa.

Serge maldice de modo ininteligible y luego se marcha, mascullando:

—Voy revisar cerdo.

Julia va tras Hugo y yo me quedo sola con Ewan. Diviso a mi madre acercándose por la calle, justo al mismo tiempo que Bill dobla la esquina para comprobar qué está pasando. Bill se detiene a observar a mi madre, que avanza con paso majestuoso como si fuera la emperatriz de Occidente, y luego desaparece de nuevo antes de que ella lo vea.

—¿Qué está pasando? —exige saber—. Tengo que comprobar cómo está el gilipollas y mover la furgoneta dentro de una hora.

—Mamá, este es Ewan. No nos deja abrir el restaurante esta noche porque olvidé solicitarle permiso al ayuntamiento.

Mi madre, que acaba de pasarse un buen rato intentando encontrar aparcamiento en el centro de la ciudad un jueves por la tarde y es una rebelde sin causa ni respeto por las leyes, no se deja impresionar.

—¿Es usted algún tipo de fascista o qué?

—¡Mamá!

—Más vale que no sea uno de esos idiotas que andan por ahí todo el día sacando fotos de matrículas. Esta chica se ha dejado la piel en esto, tiene un marido que es un completo inútil y se lo ha jugado todo a una carta… ¿y usted va a impedirle seguir adelante porque se olvidó de firmar un formulario?

—Hace falta algo más que una firma para conseguir la aprobación del ayuntamiento, señora —repone Ewan educadamente como si recitara una guía invisible.

Mamá se vuelve hacia mí.

—¿Hasta dónde estás dispuesta a llegar para conseguir esto?

Dios mío, siempre acaba dejándome perpleja.

—Podríamos atarlo y encerrarlo en la parte trasera de la furgoneta con Leith —sugiere.

Nunca le desearía eso a nadie, así que el hecho de que en este momento me parezca una idea plausible debería indicar que no estoy pensando con claridad.

—¡Atémoslo! —exclama mi madre, que parece entusiasmada con su idea. Claro que no será ella la que vaya a la cárcel cuando nos detengan.

Julia reaparece con Hugo.

—Eso no será necesario —anuncia mi amiga—. Vamos a sentarnos a celebrar una agradable cena para el personal aquí fuera, para no infringir ninguna norma.

Serge, que se ha puesto a silbar de nuevo, monta una mesa. Miro por la ventana. Frankie está allí plantado, con cara de indignación, señalando su reloj.

—Lo sé, lo sé —articulo para que me lea los labios.

—¿Qué es lo que sabes? —Mamá me mira con curiosidad—. ¿Tienes una idea mejor?

—Siéntese. —Hugo hace que Ewan se siente en una silla mientras Julia le sirve una copa de vino. Está claro que están tramando algo.

—Yo también probaré un poco —comenta mi madre, que odia perderse algo, sobre todo si es gratis.

Serge reaparece con un enorme cuenco de linguini con vieiras, guisantes y chili. La cena perfecta para el personal.

—Eso huele muy bien. —Mi madre se dispone a servirse directamente.

El estómago de Ewan gruñe.

—Lo siento, es que almorcé temprano. Katherine me está obligando a hacer la dieta 5:2.

—Pero ahora puede comer —responde Hugo mientras colma el plato de Ewan de pasta.

—¿*Serge*? —Mamá se queda mirando a Serge un momento antes de soltar una risita encantadora, coqueta y femenina.

Es evidente que él no tiene ni idea de quién es, pero eso no va a detenerlo. Le besa la mano y dice:

—Encantado.

—Serge, esta es mi madre, Sara Muir-Lennox-Sari —mascullo.

—Yo solía venir mucho por aquí, y siempre nos ponías cócteles extra.

Serge se sacude de encima los años de dolor y pérdida con un alegre asentimiento de cabeza y una sonrisa con casi todos los dientes.

—Te sentabas atrás, en rincón izquierda, nunca estabas sola, todos los hombres querían tu número, parecías una estrella de cine y nada ha cambiado.

Mi madre abandona su postura encorvada de señora mayor y se encoge de hombros con un aire de falsa modestia del que Marilyn Monroe se habría sentido orgullosa.

—Ay, Serge.

Julia y yo nos miramos y ponemos los ojos en blanco. A lo largo de los años, a ella siempre le ha desconcertado tanto como a mí la habilidad de mi madre para atraer a los hombres como si fuera un imán.

Poco después, todos estamos sentados comiendo pasta. Los demás parecen de lo más contentos. Observo a Julia y Hugo entrar en acción, sin prisas, llenando las copas de vino, haciéndole preguntas a Ewan sobre su mujer y su blog gastronómico.

—¿Sabe qué? —comenta Hugo, con su encanto natural—, si pudiéramos abrir esta noche, le haríamos ir a buscar a Katherine y traerla para que pudiera escribir una reseña sobre nosotros.

Ewan parece tentado mientras mastica sin parar. Mi mirada se ve atraída hacia la ventana, hacia Frankie, que sigue hecho un basilisco.

—Salvo que, en realidad, no es una inauguración —lo corrige Julia, pronunciando las palabras despacio para lograr el máximo efecto.

Ewan muerde el anzuelo.

—Pero consta así.

—Solo en las espantosas páginas en las redes sociales de su horrible ex y en las columnas de cotilleos —apunta Hugo. Ewan no parece convencido, pero él continúa, tan campante—: En realidad, esto solo es para los amigos.

—Una fiesta de apertura tranquila e informal —añade Julia con soltura—, para los más allegados de Lucy, para desearle suerte y probar lo que nos espera cuando abra oficialmente, *con* el permiso del ayuntamiento.

Ewan no quiere que lo engañen, pero tampoco quiere hacer enfadar a la mitad de los restaurantes de Sídney.

—Entonces, ¿esta noche no se le cobrará a nadie?

Inspiro despacio. Solo me quedan quince dólares. Tengo que ganar algo de dinero esta noche o no podré abrir otro día.

—No, claro que no —le asegura Julia rápidamente.

—Serge tiene mucho dinero —añade mi *sous-chef*, guiñándole un ojo a mi madre, que no se da cuenta porque está muy ocupada engullendo linguini.

—Claro que, si algún invitado desea hacer una donación, eso es un asunto privado. —Julia se maneja como pez en el agua en situaciones como esta, como si fuera una de las protagonistas de *La ley de Los Ángeles*.

Ewan lo medita y luego dice por fin:

—¿Creen que podrían hacernos hueco a Katherine y a mí?

—No podríamos *no* abrir sin ustedes. Les reservaremos la mejor mesa —contesto, suspirando aliviada.

Justo en ese momento, Leith se acerca a nosotros, todavía muy colocado. Viene directo hacia la mesa y mete la mano en el cuenco de pasta.

—¿Puedo ofrecerte un plato, Leith, y puede que también cubiertos como es la costumbre en el mundo civilizado? —sugiere Hugo con una formalidad exagerada.

—¿Está muy colocado? —pregunta Julia, eufórica.

Mi madre le echa un vistazo a Leith.

—Mucho. No debería estar de pie. Tumbadlo en algún lugar duro.

Leith intenta formar palabras, algo que ahora mismo está fuera de su alcance. Señala a Ewan y gruñe:

—Ayuntamiento.

Ewan asiente, se levanta e intenta estrecharle la mano. Leith se le cae encima.

—Deténgala —consigue decir.

Ayudo a Ewan a quitárselo de encima.

—Este es Leith, mi exmarido y quien se puso en contacto con usted por el tema de nuestro permiso.

Ewan retrocede un paso con torpeza, apartándose del tambaleante Leith.

—Sí, Leith. Me ha estado llamando y enviando correos electrónicos todos los días.

Hugo da un paso adelante.

—Leith, qué amable por tu parte preocuparte tanto por la prevención de riesgos laborales en el restaurante de Lucy; sobre todo, teniendo en cuenta el espantoso problema con las cañerías que hemos tenido en el Circa.

Dios, cómo adoro a Hugo.

—Cierra... —Leith empieza a balbucear de nuevo de modo ininteligible.

—Sí, yo pienso justo lo mismo, Leith, sigue empeorando cada día. Y además está ese chasquido eléctrico que se oye en la cocina y el hecho de que la caja de los fusibles esté tan expuesta. Ewan debería hacerte el favor de echarles un vistazo... ¿Tendría tiempo, Ewan?

—Con mucho gusto. Puedo estar allí mañana a la hora del almuerzo.

Hugo aplaude, entusiasmado.

—Qué bien. Avisaré a su *sous-chef*, Maia. La pobre ya tiene bastantes problemas.

Le estrecho la mano a Ewan en señal de gratitud mientras Hugo y Serge se deshacen de Leith. Mamá clava la mirada en el interior de su copa con anhelo.

—Nos vemos a las siete y media. Muchas gracias, Ewan —consigo decir mientras el funcionario arranca su informe y se lo pasa a mi madre, que lo hace pedazos.

—¡Mamá!

—Sabía que iba a hacer eso. Rellenaré un informe apropiado al final de la semana. Asegúrese de mover su vehículo, señora Muir-Lennox-Sunny. Hasta pronto. —Ewan se aleja con paso alegre.

—Mamá, ¿Serge y tú llegasteis a…?

Antes de que me pueda responder, Frankie capta mi atención representando con mímica que se va a ahorcar. Entro a toda prisa.

—Mujer, ponte detrás de esos fogones ahora mismo o esta noche será un fracaso. Por cierto, tu pelo tiene mejor aspecto. ¡Vamos!

Intento no sentirme halagada mientras voy a toda prisa a la parte de atrás. Ha llegado el momento. Dentro de una hora aparecerán los invitados: invitados hambrientos, curiosos y cínicos con los dientes afilados y listos para hundirlos en cualquier fallo.

—¿Qué pasa? —Frankie me examina mientras me recojo el cabello.

—¿Esto es buena idea?

—Es una idea estupenda. ¡Ahora, ponte manos a la obra!

—Pero ¿y lo de resolver tu asesinato? —Siempre se me ha dado bien cambiar de tema.

—Por el amor de Dios, mujer, ¡deja de buscar excusas! ¡Es tu noche de inauguración! Supera esto primero y ya podremos continuar con nuestra investigación más tarde.

—No sé yo, Frankie. ¿Y si la aparición del tipo del ayuntamiento fue una señal del universo?

—Fue una señal de tu ridículo marido, y un recordatorio de que odias el papeleo. Ahora quiero que me escuches, Lucille, y quiero que prestes mucha atención. ¿Vale?

Asiento con actitud obediente. Me mira fijamente, acercando su cara a la mía.

—Podría soltarte un discurso sobre que no debes preocuparte y que tienes que confiar en ti misma, pero las palabras que necesitas oír en este momento son estas: toda tu vida, por no mencionar mi vida pasada, depende de que consigas que este menú sea algo extraordinario. Este es tu restaurante y debes supervisar cada bocado que salga de la cocina. No hay margen para perder el tiempo, ni para echarse atrás o dudar. Tienes que esforzarte y cocinar como sabes que has nacido para hacerlo. Estaré aquí contigo a cada paso, pero tú eres la única que puede hacerlo. Esta es tu gran noche. Yo me encargo de Leith, tú céntrate en el Fortuna. No llores. Hasta que se haya acabado, por lo menos. Ahora, ¡entra ahí y ponte a trabajar!

Solo le falta ponerse a tararear el tema de *Carros de fuego*. Veo lágrimas en sus ojos. Deseo con todas mis fuerzas poder abrazarlo. Exista o no, sabe lo que necesito.

En cambio, asiento y me encamino a la cocina para tomar el mando.

El restaurante cobra vida de nuevo, en medio de un torbellino de carne, sangre y calor procedente de unos fogones que hacía demasiados años que no se encendían. Este lugar les ha ofrecido a los muertos un refugio culinario espiritual, pero ahora el pulso de la vida lo recorre una vez más.

Este es mi destino.

Y el Fortuna fue creado para esto. Su canto de renacimiento me da ánimos.

29
Frankie

¿Cómo pudo casarse con este gilipollas? Leith empieza a hostigar a Serge enseguida, así que este lo mete en la cámara frigorífica. Estoy seguro de que Serge me ve cuando mira por encima del hombro mientras empuja dentro a ese idiota.

Encargarse de un imbécil no suele ser tan divertido. Es como una de esas tiras cómicas que publican en los periódicos el sábado por la mañana. Coloco mi pierna sobre la suya y consigo hacerlo tropezar. Mientras se pone en pie, levanto un paquete de harina y se lo lanzo, golpeándolo en la barriga, lo que le corta la respiración y deja un bonito rastro blanco. A estas alturas ya se está frotando los ojos y llamando a gritos a Lucille, que no puede oírlo. A continuación, hago lo habitual y me pongo a hacer danzar unos tomates frente a él en una pantomima improvisada. Le coloco una manzana sobre la cabeza, le lanzo un puñado de nueces y, por último, la guinda del pastel: vierto un litro de leche directamente sobre su cabeza. Le susurro al oído que deje en paz a Lucille, y luego lo empujo hacia un rincón y le ordeno que se duerma. Quizá las drogas le permiten oírme, porque asiente, aterrorizado. En cuestión de momentos, está roncando. Limpio rápidamente, luego me alejo de la escena del crimen y voy al comedor principal.

Al entrar, veo destellos de ambos mundos. Paso del ahora a ver a una jovencísima Tiffany recibiendo a los clientes de mi propia noche de apertura en el pasado. Muchos de ellos comen ahora conmigo en la otra vida, pero todavía los veo como estaban entonces. Mickey pavoneándose ante un grupo de empresarios. Muchas damas adineradas con vestidos con aberturas y tacones con tiras enrolladas alrededor de las piernas, las uñas de los pies pintadas de rojo, labios relucientes, ondas en el cabello; algunas vestían cuero con cremalleras. Los hombres llevaban chaquetas con solapas anchas —que se consideraban tan elegantes en 1975— y gafas grandes como las de Yves Saint Laurent. Mi querida bibliotecaria, Joan, con su prenda de piel, su marido y su club de *bridge*, entrando con alegría. Unos cuantos artistas desaliñados y hambrientos y actores con voces profundas que fumaban un cigarrillo tras otro. Todos tenían un aspecto tan magnífico y lleno de vida. Y aquí están ahora de nuevo, aunque en otra vida.

Lucille me ha dicho que este grupo de mujeres vestidas de negro, con las uñas a juego, que hablan sin parar de otros restaurantes y otros menús son las auténticas *gourmets*, muchas de las cuales dirigen las revistas de gastronomía de este país. Lo que les falta de color, lo compensan con conocimiento. Saben de vino, de comida y de historia de la gastronomía. Una incluso puede indicar el puesto exacto del mercado del que cree que provienen las judías. Es un buen truco. Hay unas cuantas parejas de gais que parecen sentirse mucho más cómodos que en mi época; entran cogidos de la mano con confianza, no les preocupa su estatus, algunos hasta llevan alianzas. Que me aspen si uno no es el viejo Rupert, el cirujano cardiovascular. Solía venir aquí, siempre tan preocupado de que lo vieran con su novio actual. Ahora le trae sin cuidado y el buen hombre muestra su amaneramiento con aplomo.

Al igual que en la anterior época del Fortuna, los jóvenes amantes se dedican a mirarse a los ojos, como si estuvieran descifrando los misterios del universo, brindan a cada oportunidad posible y entrelazan los tobillos por debajo de las mesas.

En cuanto a sus homólogos de más edad, veo una pareja que venía a comer hace años cuando eran muy jóvenes y estaban muy enamorados; me temo que se han convertido en parte de los comensales muertos en vida y ambos se pasan todo el tiempo concentrados en sus minúsculos dispositivos telefónicos. Ella les envía mensajes a sus amigas sobre lo «superemocionante» que es estar aquí, mientras que él revisa los resultados deportivos. Solían ser incapaces de quitarse las manos de encima. Venían corriendo para estar solos en el restaurante y se pasaban horas y horas hablando hasta que Tiffany les decía que era hora de irse y les ayudaba a ponerse los abrigos mientras ellos seguían charlando y riéndose y luego se alejaban por la calle. ¿Qué les ha pasado? No mantienen un silencio cordial, se evitan. Uno de los dos ha sido infiel o quiere dejarlo... o ambas cosas quizá, pero aquí están, llevando a cabo una farsa de su antigua vida. Qué lástima.

Una mujer descarada, mandona y rellenita hace entrar a rastras al hombre del ayuntamiento. Mientras toma notas sobre lo que está comiendo, veo que posee un paladar poco sutil, pero gran cantidad de opiniones directas. La gente también se tragaba esas tonterías en mi época; algunas cosas nunca cambian. Le hago cosquillas en el pezón con suavidad y ella se derrama el vino encima, lo que la distrae un momento mientras un bonito brillo le ilumina el rostro. «Sé buena con mi chica —le digo—, se ha ganado tu respeto.» Su marido es un tipo nervioso, trabajar para el ayuntamiento de Sídney causa eso.

Y entonces los veo: la mesa de mis demonios. Esto no podría haber salido mejor. Tardo un momento, pero reconozco el mentón poco pronunciado de Paul Levine, que él compensa mal con un cuello alto. Ha perdido todo el pelo y la mitad de las papilas gustativas. Sigue siendo tan servil como siempre y le hace la pelota a un magnate del carbón que estaba intentando meterse en política cuando lo conocí en mis tiempos; era uno de los patrocinadores de Paul y uno de mis acreedores. Luego está Len, que se consideraba corredor de apuestas los fines de semana y acabó ganando casi tanto a costa de las deudas de juego de otras personas como su amigo con los recursos naturales. También le debía dinero a él. Pero ¿es capaz de asesinar? Len tenía suficiente dinero como para salir bien parado del hecho en sí, pero ¿qué habría ganado con ello? Y John: jugábamos juntos al rugby en el instituto y cada uno hizo un brindis cuando el otro cumplió veintiún años. Él se hizo profesional y luego se convirtió en una leyenda como entrenador y en un desconocido para sí mismo. Bernard, el agente inmobiliario, está sentado a su izquierda. Me cuesta creer que estudiáramos juntos el primer curso de medicina antes de que él decidiera dedicarse a los bienes raíces y yo al *coq au vin*. Nos llevábamos bien en aquel entonces; ahora se ha comprado una propiedad bastante grande y de primera calidad en los barrios residenciales situados al este, a las afueras de Sídney. Bien hecho, Bernard: puede que no estés salvando vidas, pero ¿has quitado alguna, en nombre del negocio inmobiliario? Aun así, hay leyes que protegen este edificio, está situado en una zona considerada patrimonio histórico; pero, si tenías un amigo corrupto en el ayuntamiento —como Pete, el colega de

Mickey—, podrías haberte visto tentado. En aquel entonces, sus planes se vieron frustrados. Y no estaban nada contentos.

Estos hombres que siguen vivos no muestran las marcas de una vida dura en el rostro como Serge o el pobre Bill. Ellos tienen otra cosa: cuellos gordos como gansos criados para producir fuagrás, su instinto de supervivencia y sus abundantes ahorros. Tienen papada, por el amor de Dios, es cierto, todos los que están en la mesa tienen papada, se están quedando calvos y les cuelga la piel alrededor de los pómulos. Dicen que las mujeres se sienten invisibles cuando llegan a cierta edad. ¿Estos hombres sienten lo mismo? ¿Se dan cuenta de lo ridículos que parecen con sus comentarios lascivos sobre el escote de la joven de la mesa de al lado? Qué absurdas son las risotadas de estos alumnos de colegios privados que ahora rondan la senilidad, sus comentarios maliciosos sobre Hugo cuando bien sabe Dios cuántas veces les han dado por culo en un callejón oscuro. Pero la mentalidad de manada de una fraternidad les hace beber mucho, reírse fuerte, decir chorradas y cantar tonadillas vulgares. Ay, Dios mío, yo era uno de ellos.

Dos mesas más allá reconozco las facciones ajadas de Matthias Drewe. Está sentado con otras tres personas. La hermosa mujer con aspecto de gacela, de ondulado cabello pelirrojo y piel de alabastro, luce una alianza; seguramente había sido una de sus modelos, puede que una antigua musa. Los acompaña otra pareja, dos amigables hombres de más edad que hablan de diseño de muebles y destinos de vacaciones. ¿Son aficionados al arte? ¿Inversores? El tiempo tampoco ha sido amable con Matthias. Tiene cincuenta y pocos años, poco pelo, una nariz protuberante y la tendencia de un alcohólico a no perder de vista la botella de vino y mantenerla cerca de su copa. Engulle en lugar de saborear y pasa mucho tiempo observando sus obras, que tenemos colgadas. Sobre todo, mi retrato. Se queda pasmado al verlo. Sí, necesita un marco. Sí, lo conservé a pesar de lo que hiciste. Sí, yo creía en ti y en tu talento. Tu talento creía en sí mismo, pero tú, pobre infeliz, no sabes lo que es el amor, y eso ha paralizado tu pincel y te ha agriado el carácter. Me doy cuenta de que su grupo lo mantiene bajo una estricta vigilancia, preparándose por si su volátil temperamento se vuelve contra ellos. Por si comienza una discusión con el único propósito de llevar la contraria, pues es un hombre vacuo, sin verdaderas convicciones. Le doy la espalda y mis ojos se posan en lo que nunca esperé ni me permití albergar la esperanza de volver a ver.

30

Lucy

A lo mejor es como dice Frankie: a veces, cuando no tienes alternativa, todo sale bien. ¿Se debe a que acabas convenciéndote de que debe ser así, por pura desesperación, y eso provoca algún cambio energético en la forma en la que se desarrollan las cosas? ¿O algún tipo de providencia divina grita: «¡Venga ya, dale un respiro!» y aleja los problemas unas horas? ¿O todo esto estaba predestinado por la mecánica científica de la vida? ¿O, sencillamente, es pura suerte?

En cualquier caso, mi soplete se desliza sobre las rebanadas de pan salpicadas de gruyer que flotan con orgullo sobre la sopa de cebolla a la francesa, y listo para servir. El restaurante está abarrotado. Ewan y Katherine tienen la mejor mesa del diminuto local, seguida de la de Stella Supera. Julia lo está haciendo bien, aunque solo le permitimos llevar dos platos a la vez. Hugo es maravilloso. Ha rechazado con tanto tacto a la gente que no podíamos atender esta noche, que ya tenemos reservadas tres cuartas partes de las mesas para mañana. Cuando Ewan apareció en la cocina para aclarar ese tema, le aseguré que todos los requisitos del ayuntamiento ya se habrían cumplido y las modificaciones se habrían realizado mañana a las tres en punto de la tarde. De todas formas, va a pasarse para asegurarse. Al parecer, Katherine está tomando abundantes notas (por favor, que sean positivas) y uno o dos editores han hablado con ella para que les envíe sus impresiones. Por suerte, no veo a Leith por ninguna parte.

Stella, que está espléndida, ha demostrado una gran deferencia hacia mi madre y Sandy, a las que invitó a su concurrida mesa, así que ahora están sentadas juntas. Mamá debe de haber rociado a Stella con su singular polvo de hadas místico; eso, o Stella ha visto algo de interés en ella. Sea cual sea el caso, Stella ha afirmado que el conjunto de mamá es un brillante guiño a Vivienne Westwood. Naturalmente, ahora que Stella ha dicho esto, las revistas de cotilleos y las editoriales de moda tomarán nota y, dentro de un mes o dos, Sídney se inundará de prendas de lana mohair anaranjada, Birkenstocks, seda plisada y peinados al estilo de las muñecas Kewpie. Mi madre vuelve a marcar tendencia. Serge ha tratado de ofrecerle dos veces «algo especial» y quemó una ronda de baguettes porque intentaba estirar el cuello lo suficiente como para verla en el comedor.

Hugo entra en la cocina, con una sonrisa triunfal, para anunciar que, cuando una dama de la alta sociedad criticó la campechana sencillez de la sopa de cebolla a la francesa, él la corrigió diciendo que en realidad era *soupe à l'oignon*, lo que pareció elevarla a la categoría de algo digno del paladar de la señora. Poco después, Julia llega riéndose de una conversación que escuchó en la que dos clientes comentaban un mensaje de Twitter que afirmaba que el restaurante parecía «de segunda categoría con el objetivo de revitalizar las papilas gustativas de los comensales».

El comedor es un hervidero de cotilleos y expectación. Otra pareja comenta entre sí en voz alta que he gastado mucho dinero para volver a traer a Serge desde Zagreb para consolidar la autenticidad del Fortuna de Frankie. Me sorprende que todo el restaurante no escuche a Frankie reírse de eso.

Los suflés se han aderezado y se han vuelto a introducir en el horno. La decoración está lista, los platos están alineados y la cayena está preparada.

—¡Lucille! —Noto la calidez de Frankie contra mi cuello. Me doy la vuelta, sobresaltada—. ¿Has comprobado que todos los platos estén listos?

Ha estado ausente un rato, quién sabe dónde, y ahora parece nervioso.

—¡Por supuesto que sí!

Frankie entorna los ojos.

—¿Dónde están los preparativos para el postre?

—Serge ha preparado la masa *choux*. Y el helado de vainilla está listo.

Serge me mira, desconcertado.

—¿Quién? ¿Yo?

—Sí, Serge, ¿dónde has puesto la masa *choux*? Tenemos que moldear los profiteroles y meterlos en el horno o no estarán lo bastante fríos para rellenarlos.

Serge parece consternado y comienza a golpearse la cabeza.

—Pasta *choux*, no, no, olvidé con hombre de ayuntamiento. ¿Quieres que haga ahora?

Oh, mierda.

—No dará tiempo a que se asiente, estará aceitosa y... Dios, saca los suflés y empieza a adornarlos.

—Sí, chef.

Voy a la cámara frigorífica, acompañada por Frankie, en un intento por encontrar algún tipo de postre de reemplazo. Al abrir la puerta, me encuentro a Leith dormido en un rincón frío, con los labios azules y el pelo mojado con leche que empieza congelarse. Miro a Frankie, que se encoge de hombros con aire inocente.

—¿Qué ha pasado? —pregunto.

Leith abre los ojos.

—Este lugar es espeluznante —farfulla—. Y frío.

—¡Serge!

Serge aparece, con cara de pánico.

—¿Tú has hecho esto?

—No. No veo desde hace una hora. Pensé que había ido a casa.

Miro a Frankie.

Serge me mira a mí.

Aparecen Hugo y Julia y me vuelvo hacia ellos, agradecida.

—Por favor, ¿podéis aseguraros de que suba a un taxi?

Julia evalúa aquella forma de vida drogada y semicongelada y asiente brevemente con la cabeza.

—Hugo, sale y abre el vino que ha traído la gente, el champán se ha terminado. Yo me encargo de Leith.

Hugo, que parece aliviado, sale pitando rumbo a la parte delantera del local.

—¿Estás segura de que no pesa demasiado? —le pregunto mirando de reojo a Leith al mismo tiempo que hago un inventario mental de la cámara frigorífica en busca de posibles postres.

Julia lo mira con expresión confiada.

—Creo que podría echármelo al hombro.

La idea de que Julia lo evacúe del local como si fuera una bombera basta para hacer que Leith se ponga de pie tambaleándose y salga por la puerta.

La mirada de Frankie repasa junto con la mía el contenido de la cámara.

—¿Mousse de chocolate?

—No hay tiempo suficiente para que repose —contesto, mirándolo.

—¿Qué le hiciste?

—¿A quién? ¿A él? No digas tonterías. ¿Bavarois de mango?

—Umm… Ya lo sé. Tengo pistachos, creo.

—Así es. ¿Trifle de Oriente Medio?

Cojo los huevos. Gracias a Dios, todavía quedan muchos.

—Eso suena bien, pero no. Merengue con crema de frambuesa, helado de vainilla y praliné de pistacho, o crumble, dependiendo de lo que me dé tiempo.

Serge llega justo a tiempo para oír mi dictamen, que supone que va dirigido a él.

—El merengue es bueno. A Frankie nunca salía bien.

Le sonrío al fantasma mientras le respondo a Serge:

—¿En serio? Pero si es el mejor chef del mundo.

Frankie, por supuesto, se indigna.

—Todos tenemos un plato que nos atormenta.

—Yo no tengo solo un plato —bromeo.

Serge me mira como si se me estuviera yendo la olla.

—Está bien, chef, no tenemos solo un plato, tenemos muchos, suficientes para el postre.

—Bien. ¿Crumble o praliné de pistacho?

—¿Estás loca? —exclama Frankie—. Tiene que ser crumble; de lo contrario, te quedará demasiado dulce.

—Crumble —dice Serge, asintiendo con la cabeza—. Es bonito y no tan dulce.

—Gracias, Serge.

Le sonrío a Frankie y luego regreso a la cocina para sacar los suflés del horno. Los dos hablamos a la vez mientras inspeccionamos los suflés que están a punto de dirigirse a su destino.

—Más decoración, Serge —le indico.

—¡Más decoración! —grita Frankie. —¿Quieres que piensen que somos tacaños?

—Vigila ese genio —susurro.

Frankie se ríe.

—Todo es parte del drama. A Serge solía encantarle.

Supongo que podría probar.

—¡Fuera! ¡Ya!

Serge me mira, impresionado.

—¡Sí, chef!

Frankie me estudia.

—No está mal. Has estado bastante convincente, pero podrías haber gritado más.

—O podría seguir con mi trabajo, ¿no?

—¡Sí, chef! —repite Serge, que obedece mis órdenes aumentando la decoración.

En medio del caos de la cocina, Julia regresa sin Leith y Hugo anuncia que ha visto a un hombre *guapísimo*, pero desgraciadamente heterosexual y en medio de una cita muy aburrida, en la mesa once.

Los suflés de queso gruyer horneados dos veces se sirven y, al parecer, gustan mucho; unas cuantas copas de vino acompañadas de los elogios de diversos clientes llegan a la cocina. Estoy demasiado ocupada para beber, pero Serge no tiene reparos en ayudarme.

—¿Qué estás haciendo? —me suelta Frankie cuando ve la forma en la que dispongo la ensalada nizarda en el plato.

—Está deconstruida.

—Decons… ¿Se puede saber de qué hablas?

—No tengo tiempo para darte una clase sobre jerga de cocina moderna.

—Gracias a Dios. ¿Qué *haces*, mujer?

—Es el mismo plato presentado de una manera distinta. He separado los ingredientes y luego le he colocado las anchoas en una salsa por encima.

—¿Por qué no mezclarlo todo junto?

—Porque es una forma diferente de experimentarlo estéticamente, así como cada uno de los sabores y las texturas.

Frankie no parece convencido.

—Y es bonito.

Él acepta a regañadientes. Los ingredientes son muy frescos. Los tomates tienen un aspecto jugoso. Las judías lucen su verde esplendor. El crudo de atún está sumamente tierno y promete derretirse en la boca. Las yemas doradas brillan en el interior de su blanca funda cocida. Las aceitunas negras relucen como joyas enmarcadas por la salsa de anchoas, repartidas a cuidadosos intervalos.

—Esto es arte —dice Serge, asintiendo con orgullo.

—Cierra el pico, Serge —gruñe Frankie.

—Gracias, Serge —contesto con tono cantarín mientras transportan cada plato hacia su destino.

Al parecer, es el plato más fotografiado de la velada, algo que desconcierta a Frankie pero que a mí me complace.

La panza de cerdo se dora, las vieiras se saltean y todo se coloca sobre una reducción de manzana y salvia, rodeado de guisantes frescos que mamá peló mientras coqueteaba con Serge, su única contribución culinaria a la noche. Puedo oír su risa procedente de la parte delantera del local. ¿Por qué dejó de salir? A esa mujer le encanta socializar.

Un sentimiento de júbilo va creciendo en mi interior con cada plato que enviamos al comedor. Hay algo armonioso en un menú compartido. También es uno de los pocos lujos que podía ofrecerme un *pop-up*. Un menú fijo tiene mucho más sentido económicamente hablando y es una tendencia cada vez más popular. Compartir una comida que despierta, inspira y expande tu sentido del gusto. Puedo anunciar el menú la semana anterior o la sorpresa podría formar parte de la experiencia: ven, siéntate y prueba el menú que he preparado para ti. Pero ¿y qué pasa con los requisitos alimenticios, los ajustes y la encarnizada guerra contra el gluten que continúa vigente en esta ciudad? La mayoría de las personas que viven en esta zona padecen algún tipo de alergia alimenticia, ya sea real o imaginaria. Frankie me diría que hiciera caso omiso de eso, pero estar preparados es bueno para el negocio.

Por lo general, batir claras a punto de nieve me da tiempo para pensar en nuevos platos; pero esta noche necesito mantenerme concentrada en el presente y meter los merengues en el horno ahora mismo. Serge me ayuda con el crumble para reparar su metedura de pata con la pasta *choux*. Sin embargo, en realidad, la culpa es mía. Debo tener controlado todo el menú. Está claro que Serge es más bien un artesano que un esclavo del tiempo.

Me pregunto quién será esta gente que ha venido esta noche. ¿Han salido a pasear o a satisfacer su curiosidad? Sé que mamá, Sandy, Stella y dos de mis amigas *gourmets*, Lana y Polly, han venido a mostrar su apoyo.

Me dirán que he triunfado aunque viva en mi coche. Y las adoro por eso. Pero ¿y el resto?

El tiempo fluye mientras trituro las frambuesas y las mezclo con la nata. Los merengues están listos. Frankie se queda atónito cuando los saco del horno. Da igual qué más esté pasando en mi vida, sé hacer buenos merengues.

—Frankie moriría si viera esto —dice Serge con entusiasmo.

—Demasiado tarde —bromea este de modo macabro—. ¿Cómo lo has hecho?

—No añado harina de maíz. Y me encanta batir.

—¡Sin harina de maíz! —Frankie agita levemente las aletas de la nariz y levanta la barbilla mostrando su desacuerdo con lo que acaba de escuchar—. Pero ¡tendrán poco sabor!

—No tienen poco sabor: son ligeros y delicados. Tendrás que probarlos.

—¡Sí! Los merengues de Frankie eran demasiado duros, no crecen mucho. Puede que sí, demasiada maicena —opina Serge.

—Traidor. —Frankie intenta sonar ofendido, pero hay un toque de humor en el insulto.

Serge separa dos merengues. Sé que uno es para mi madre, que ya ha pedido ración doble de postre: esa mujer puede engullir dulces a toda velocidad, incluso cuando no está colocada.

A medida que avanza la noche, cada vez se me da mejor responder a las preguntas y los comentarios de Frankie con frases que también tienen sentido para Serge. Los tres formamos un equipo, aunque nada convencional.

Monto el postre: tiene un aspecto intemporal y sabe divino. Frankie le echa un vistazo y luego sugiere otra capa de nata montada sin frambuesas para proporcionar contraste. Eso le añade un toque aún mayor de decadente elegancia al conjunto.

—Es la Audrey Hepburn de los postres. Un trabajo magnífico. —Frankie me dedica ese cumplido junto con una mirada que hace que parezca que todo se queda inmóvil en la cocina.

Después de que Julia y Hugo hayan sacado el último postre, Hugo regresa a toda prisa, muy emocionado.

—Mi madre dice que tienes que salir a recibir los aplausos.

—Oh, eso no es necesario. Estoy hecha un desastre.

—No digas chorradas, mujer. ¡Sal ahí y disfruta de tu momento! —gruñe Frankie.

—Tengo un vestido… en algún sitio.

—No seas tonta, eres chef, *la* chef, ¡y esta ha sido una espléndida noche de apertura! Me refería a que deberías ponerte un vestido después, cuando vayas a la discoteca a beber champán para celebrarlo, no ahora. ¡*Ahora*, sal ahí y muéstrales quién eres!

Me suelto el pelo y luego Hugo me limpia un poco de merengue de la cara y me acompaña afuera, con Frankie siguiéndonos de cerca.

Hugo inicia los aplausos. Stella, a la que siempre le han gustado las ovaciones, se levanta de su silla, lo que, por supuesto, provoca que el resto de los comensales siga su ejemplo.

Miro a Frankie, que me insta a avanzar. Articulo en silencio la palabra «gracias», pero él niega con la cabeza.

—Esto es todo tuyo, ve a saludar a tus fans.

Stella me envuelve en un superabrazo de madre judía y me cubre de besos y elogios.

—Cielo, ¡ha sido magistral! Vas a tener que buscarte una ubicación más permanente, porque vas a tener todas las mesas reservadas hasta julio.

Mi madre, que va por la segunda ronda de merengue, asiente y dice:

—Sí, está muy bien, cariño, pero necesita una moqueta. —Y vuelve a centrarse en las frambuesas.

A Sandy le gustaría hablar de proponer un menú más vegetariano y humanitario. Katherine promete enviarme por correo electrónico sus notas con sugerencias sobre mejoras; Ewan me traerá una copia impresa mañana. Un hombre borracho de mediana edad me dice arrastrando las palabras que debo buscarle un marco decente al retrato de Frankie o, mejor aún, quemarlo. Su bella esposa, que parece acostumbrada a tener que disculparse por él, me asegura que les encanta el restaurante. Al mismo tiempo, Frankie me hace señas para que me dirija hacia una mesa ocupada por hombres algo mayores, advirtiéndome:

—Presta atención, puede que tuvieran algo que ver con mi muerte.

Intento asimilar esta información mientras los hombres, todos los cuales están borrachos e intentan entablar conversación con Lana y Polly, farfullan sus elogios. Un hombre mayor y calvo me agarra del brazo y emprende lo que está claro que él cree que es una ofensiva con encanto.

—Paul Levine —se presenta—. Veo que ha usado algunas de las recetas de Frankie. Era un genio de la cocina.

—Eso tengo entendido —contesto.

Frankie imita el gesto de rajarse la garganta, pone los ojos en blanco de manera teatral y sacude la cabeza.

—Si no le importa que se lo pregunte, ¿cómo las descubrió? —prosigue Paul Levine—. Es evidente que no pudo conocerlo en persona.

Frankie sacude la cabeza enérgicamente una vez más.

—No se lo digas, Lucille.

Como es habitual cuando me piden que mienta, empiezo a sonrojarme y a tartamudear.

—En realidad, las saqué de la nada... y Serge me ayudó, por supuesto.

Frankie medita mi respuesta y me indica con un gesto que lo he hecho así así.

—Por supuesto —repite Paul, sonriendo como el gato de Cheshire. Está claro que no se traga ni una palabra—. Aunque supuse que las habría escrito en alguna parte. Era muy meticuloso cuando se trataba de sus platos.

Se me queda la mente en blanco.

—Tal vez las tiene el dueño del edificio.

—¿Y quién es el dueño? —Paul finge una leve curiosidad, pero noto un temblor de desesperación en su sonrisa.

—Ni idea. Yo traté con un agente inmobiliario.

Al menos eso es verdad. Durante las últimas semanas he considerado que el Fortuna es mío y de Frankie, cuando de hecho no sé quién tiene las escrituras del edificio y le ha dado permiso al agente inmobiliario para que me lo alquile.

—Ya veo. Bueno, le deseo muchísima suerte. Me verá a menudo por aquí.

Me suelta la mano y tengo la inquietante sensación de que verlo a menudo no será una experiencia demasiado agradable. Se aleja un paso, y luego se gira y añade:

—¿Quién es su patrocinador? ¿Está aquí?

—Lo estaba, pero prefiere que no lo vean. —Me parece que esa frase me ha quedado bien; después de todo, no es mentira.

Paul asiente y luego se marcha, estudiando a todos los hombres de la sala. Ese tipo me da repelús.

Lana y Polly, ambas achispadas y eufóricas, sueltan los típicos chillidos de alegría entre amigas. Miro a Julia, que se ha quitado los zapatos y se está masajeando los pies mientras toma una copa de vino tinto. Hace una mueca, como queriendo decir: «No permitas que esas gritonas se me acerquen y no te emborraches demasiado».

Lana es directora de publicidad en la editorial más antigua de Sídney. Se pasa el día tratando con escritores y famosos excéntricos y testarudos, animándolos a subirse a aviones, salir de gira, unirse a Facebook, hablarle con amabilidad a la prensa y darles la mano a los magnates de los medios de comunicación. Está acostumbrada a tratar con personas difíciles. Polly es una anestesista obsesionada con los cuidados paliativos y que experimenta con estados alternativos de consciencia, ya sea a través de la meditación, el chardonnay o extrañas combinaciones de fármacos. A lo largo de los años, ha ido a menudo a casa de mi madre a pasar el rato, comer brownies y hablar sobre la muerte. Me asombra que no pueda ver a Frankie, aunque comenta que el restaurante transmite vibraciones «espectaculares». Aunque Polly se parezca a Morticia Addams, con su largo cabello hasta la cintura, de color negro azabache y completamente liso, y su sexi vestido negro ceñido, al que los viejos de la mesa de al lado no pueden quitarle la vista de encima, es un hacha prediciendo tendencias. Puede identificar una moda pasajera antes incluso de que se haga popular. Su dictamen de que el Fortuna es un sitio espectacular es muy importante para mí.

Lana me pasa una copa de vino.

—Te voy a dedicar un artículo a toda página en la revista del fin de semana, contando tu ascenso de la pobreza al éxito.

—No sé yo —repongo—. Sigo siendo pobre, esta es nuestra primera noche.

—Querida, en eso consiste la publicidad. —Lana señala a una pareja sentada en el rincón—. Él no ha dejado de preguntar por ti. Vete.

Me dirijo hacia una supermodelo de unos veintitantos años con cara de aburrimiento y, tomando prestado el adjetivo que usó Polly, un hombre de aspecto sumamente espectacular, con unos penetrantes ojos verdes y cabello ondulado de color castaño. La supermodelo bosteza. El tío bueno se levanta de su asiento de un salto.

—Hola. Charles Taylor, Charlie… Encantado de conocerte. Felicidades, ha sido todo un éxito.

—Fue como una cena en casa de mi tía —añade la supermodelo, con rostro inexpresivo.

—Gracias, y gracias. ¿Eres Charles Taylor, el crítico gastronómico?

Él asiente con la cabeza.

—Oh. Oh, me gustan tus reseñas… Por lo menos, son justas.

—Un gran cumplido viniendo de una chef. Veo que has ido desarrollando tu propio estilo. He seguido tu trabajo en el Circa.

—¿Mi trabajo? ¿No querrás decir el de Leith?

—El merengue… Hiciste algo parecido en el invierno de 2012, pero con naranjas sanguinas.

Me había olvidado de eso. Apareció en un artículo que le dedicaron a Leith en una revista. ¿Cómo supo Charlie que lo había elaborado yo?

—Este estaba mejor. Una evolución magnífica.

Charlie me sonríe con calidez, pero su cita no. Le ofrezco la mano.

—Hola, soy Lucy Muir.

Charlie se apresura a intervenir.

—Lo siento, qué descortés por mi parte, no pienso con claridad estando aquí. Sonja Hill, Lucy Muir.

Sonja me da un endeble apretón de manos y le lanza una mirada a Charlie de «sácame de aquí antes de que me muera».

—Será mejor que nos vayamos —anuncia—. Sonja tiene que madrugar para ir a clase.

Eso me hace reír. Charlie sonríe con un brillo en los ojos, pero a Sonja no le hace gracia.

—Voy a la uni, estoy estudiando antropología.

—Genial. —Asiento, sonrío y empiezo a retroceder, pero Charlie me impide alejarme.

—Oye…, la sopa de cebolla a la francesa…

—¿No te gustó?

—Sí, mucho. ¿Es tu propia receta?

—En realidad, es del antiguo dueño.

Por desgracia Paul me oye decirlo y, naturalmente, se gira hacia mí y sonríe. Mierda.

—Eso pensaba —contesta Charlie—. Bueno, estoy deseando volver.

—Estupendo, me encantaría volver a verte...., a veros..., a los dos.

Dios mío, sácame de aquí antes de que la aterradora supermodelo antropóloga me dé una bofetada. Busco a Frankie, pero se ha ido. Puedo sentir que me he puesto colorada y Julia me lanza una mirada inquisitiva, levantando una ceja tres veces en rápida sucesión. El restaurante se está vaciando, así que me acerco a ella y me siento a su lado, pues supongo que ya he saludado prácticamente a todo el mundo.

—Era guapo —comenta Julia.

—Y le gusta ligar con adolescentes —respondo—. Además, es crítico gastronómico.

—Bueno, sería todo un reto.

—Llevo oficialmente soltera menos de un mes, Jules.

—Ya lo sé. No digo que... Solo digo que estás conociendo gente nueva a tu ritmo. Y te estabas poniendo *colorada* mientras hablabas con él. Aunque has estado poniéndote colorada mucho esta semana... No estarás menopáusica, ¿verdad?

—¡Julia, tengo treinta y cinco años!

—Puede pasar. Mi tía Moo empezó a los treinta y dos, aunque a esas alturas ya había tenido cuatro hijos. Creo que se sintió aliviada.

Entrechocamos las copas mientras Serge toma el control del iPod y pone a los Bee Gees. Con un paso de baile que haría que Leo Sayer se sintiera orgulloso, se abre paso por la sala hacia mi madre, que se quita rápidamente la rebeca y lo acompaña. Hacía años que no la veía moverse tan rápido. Es buena bailarina y, poco después, ambos hacen gala de sus mejores movimientos. Es como ver un documental sobre rituales de cortejo en la mediana edad.

Miro a mi alrededor buscando a la única persona que quiero ver ahora. Estoy deseando escuchar sus opiniones sobre los clientes y, después de otra copa de vino, enfrentarme a sus impresiones sobre la comida. Pero no hay ni rastro de él.

Hugo arrastra a Julia hacia el centro de la sala mientras suena el rítmico compás de *Jive Talking* y Stella se ocupa de Sandy, su último proyecto. Lana y Polly, que nunca pierden la oportunidad de bailar, se ponen en pie poco después. Observo este caleidoscopio de partidarios, todos los cuales han hecho posible esta noche, y pienso en la suerte que tengo. Sobre todo por haber salido bien librada esta noche, pero también por haber comenzado algo a lo que está ligado mi nombre, para bien o para mal. En realidad, Frankie es quien me llevó a hacerlo. El pánico empieza a hacer acto de presencia: ¿cómo me irán las cosas mañana por la noche? ¿Cómo respondieron los comensales de hoy a la sugerencia de dejar una donación en lugar de pagar la cuenta? ¿Bastará para pagar el menú de mañana? Quiero preguntárselo a Julia, pero parece muy feliz mientras Hugo la hace girar y contonearse. Creo que todos llevamos un poco de espíritu disco dentro. De día puedes ser tan elegante como quieras; pero ¿qué sería la vida sin la banalidad y el esplendor de compartir tus posturas de baile más tontas mientras te mueves al ritmo de la música y te olvidas de todo lo demás?

De repente, me pregunto: ¿y si todo esto —y con esto me refiero a Frankie— solo es producto de mi imaginación? Miro su retrato. Matthias Drewe, puedes ser muchas cosas, pero también eres un artista magnífico. Lo has captado perfectamente, mirando al frente, vestido de chef con las manchas típicas del trabajo, con su cocina detrás de él. Frankie aparece en la flor de la vida, increíblemente guapo, dotado de una gran pasión por crear magníficos platos, aunque por lo visto el resto de su mundo era un tanto desastroso. Pero yo no soy la más adecuada para juzgar a nadie.

Alguien me ofrece la mano. Al volverme, veo a Serge con el brazo extendido…, pero detrás de él está Frankie, con un aspecto radiante.

—¿Puedo? —Está claro que Serge se toma el baile muy en serio, como demuestran los charcos de sudor que se acumulan en las numerosas grietas de su ajado rostro.

Frankie me hace la misma pregunta, deslumbrándome una vez más con su forma de mirarme, como si lo supiera todo de mí: cada plato que he creado, cada chico que he besado, cada canción que he cantado en el coche y cada lágrima que he derramado. Ningún hombre me había mirado nunca así. ¿Todavía se puede denominar hombre a un fantasma?

Tomo la mano de Serge, que me hace girar y me inclina. Suena *More Than a Woman*.

Frankie acerca su cabeza a la mía, que sigue cerca del suelo.

—Creo que salió genial.

—¿En serio?

—Sí —dice Serge, incorporándome de nuevo y colocándose en una postura de foxtrot, más que nada para presumir ante mi madre—. En serio, bailo muy bien. Chicas solían hacer cola para bailar con Serge.

Es cierto, Serge puede bailar con un garbo increíble; es como un león al que la diminuta pista de baile del restaurante se le queda pequeña. Pero mis ojos no se apartan de Frankie, que se mueve detrás de Serge.

—Has conseguido devolver vida al Fortuna —dice Serge mientras baja el ritmo un momento para tomar aliento y me balancea con suavidad—. Deberías decir al dueño que amplíe el alquiler. Estaremos aquí mucho tiempo.

—No sé quién es, solo traté con el agente inmobiliario.

—Frankie no dejó testamento.

—¡Eso es una chorrada! Claro que dejé. —Frankie deja de bailar para discutir—. De todas formas, estuviste hablando con él antes.

El estómago me da un vuelco.

—Creo que sé quién es el dueño —afirma Serge en voz alta y con orgullo.

Miro a Frankie con atención.

—¿El tipo calvo que no paraba de hacerme preguntas? ¿Paul?

—No —responde Serge—. Paul trabaja en revistas, escribía sobre gastronomía, sigue siendo idiota. No, el dueño es chico joven y guapo, Charlie.

—¿Te refieres a Charlie, el crítico gastronómico?

—¿Es *crítico gastronómico*? —Frankie parece consternado.

—Sí, es el hijo de Frankie.

Serge me hace girar, amplificando el mareo que se apodera de mí. Frankie había mencionado que tenía un hijo, pero los brillantes ojos verdes, la sonrisa dulce, la atracción…, ¿*ese* es su hijo?

Y justo en este momento me doy cuenta de que Charlie me había parecido atractivo. También me doy cuenta de que me he encaprichado de Frankie, y eso no está nada bien.

Frankie me mira con los ojos entornados.

—¿Tu hijo? —le pregunto.

—*Mío* no —me explica Serge pacientemente—. De Frankie.

—La última vez que lo vi tenía ocho años y lloraba a moco tendido mientras se despedía de todos en el velatorio —dice Frankie—. Era un niño muy bueno. Salió bastante guapo, ¿no crees?

Es una pregunta capciosa. Lo sé, Frankie lo sabe, y, desde las sombrías profundidades de mi desesperación, asiento.

—Es buen hombre —continúa Serge—. Te dejó quedar.

—No es el único dueño —me advierte Frankie.

—¿Quién más? —consigo preguntar lo bastante bajo como para que Serge no lo oiga mientras me hace girar de nuevo.

—Su madre... y un amigo.

—¿Qué amigo?

—Ya lo averiguarás. —Frankie hace una pausa, escogiendo sus siguientes palabras con mucho cuidado—. Mi amigo es el fideicomisario, no se puede hacer nada sin él. La madre de Charlie sigue intentando convencerlo para que se ponga de su parte y vote a favor de vender. Lo consiguió una vez, cuando él tenía veintitantos años, pero entre los dos solo tienen el cuarenta y nueve por ciento de la propiedad.

—¿Cómo lo sabes si no has salido nunca del edificio?

—Des, su abogado, estiró la pata... y me puso al corriente.

—¿Tu amigo, el fideicomisario, estuvo involucrado en tu muerte? —murmuro.

Frankie se encoge de hombros mientras Serge me inclina por última vez.

—Estás pálida, Lucy. ¿Todo bien? —me pregunta Serge.

Noto que me he quedado blanca como un papel mientras empiezo a darme cuenta de que probablemente no sea más que un peón en la partida de ajedrez de Frankie, y no tengo ni idea de cómo jugar. Además, estoy agotada.

—Necesito irme a casa.

—Te llevo —interviene Julia con firmeza.

—No. La llevaré yo —anuncia mi madre—. Me apetece volver a casa y ponerme el camisón.

Serge se pone alerta al oír eso.

—¿Vuelves pronto? —le suplica, perdidamente enamorado.

—Tal vez —contesta ella con la suficiente coquetería.

Cuando yo era joven y la vida romántica de mi madre iba a toda máquina, ella solía llamarlo «la tortura exquisita»: esa sensación de dejarlos esperando que a los hombres parece encantarles. Mamá es una experta en eso, pero yo nunca lo he logrado. Al menos con alguien que me haya atraído de verdad.

—Oh, Sara, eres criatura más gloriosa del mundo —dice Serge mientras le besa la mano, y mi madre asiente con aire majestuoso.

La fiesta termina. Polly anuncia que tiene una cita con un cirujano ortopédico la próxima semana y lo traerá aquí. Lana, en medio de la euforia avivada por el champán, promete comunicados de prensa, presentaciones de escritores y un posible contrato literario. Stella me abraza con fuerza y me dice que está orgullosa de mí. Sandy me entrega un folleto sobre maltrato animal y me dirige un solemne asentimiento de cabeza. Hugo propone que nos reunamos aquí para tomar café por la mañana y comentar el menú y las reservas. Julia me muestra un fajo de billetes —las donaciones de esta noche— y luego se lo lleva para ingresarlo en el banco por la mañana, descontando lo suficiente para comprar los ingredientes para la próxima noche.

Serge hace una ligera reverencia y comienza a entonar una canción lenta y melancólica en un antiguo idioma que hace que se le forme un nudo en la garganta. Olvida la letra, le da vergüenza, nos besa de nuevo a mamá y a mí y luego se marcha.

Y, por último, allí está Frankie, de pie con aire majestuoso en su comedor, viéndome salir.

Una vez fuera, me giro y veo al viejo Bill al otro lado de la calle. Permanece completamente inmóvil, mirando a mi madre. Ella hace lo mismo. Es una especie de duelo de miradas. Al final, mamá rompe el silencio.

—Hola, Bill.

—Sara.

Continúan mirándose. Mantienen una conversación silenciosa, aunque permanecen inmóviles e inexpresivos. Por fin, mamá dice:

—Buenas noches.

Bill la saluda inclinando la cabeza, luego se da la vuelta y se aleja.

—Vamos. Estoy llenísima. —Me agarra de la mano y me lleva en la dirección opuesta.

—¿Qué ha sido eso?

—Solo alguien que conocí hace tiempo. —Se sacude el cabello y acelera el paso, aunque no demasiado debido a la cojera producida por la artritis—. No debería haber dejado que Serge me diera tantas vueltas: la cadera me está matando y tu cerdo me ha dado gases.

Justo entonces, se oye una ruidosa flatulencia y todo el romance de la velada se esfuma bruscamente.

—Y en cuanto a ti… —Mi madre no suele entrometerse en mis cosas porque no quiere lidiar con los problemas que conllevan implicarse, así que esto es una novedad.

—¿Crees que salió bien? —le pregunto.

—Mejor que bien. Pero ¿qué hay entre ese hombre y tú?

¿*Todos* vieron mi conversación con Charlie?

—Nada, acabo de conocerlo.

—Bueno, pues no lo parecía por cómo lo mirabas. Pero otro chef, ¿en serio?

—No es chef —aclaro demasiado rápido—. Es crítico gastronómico.

—Entonces ¿por qué iba vestido de chef y te ha estado siguiendo toda la noche, mirando hacia donde tú mirabas?

Abro la boca para responder, pero luego me tomo un momento para asimilar sus palabras. Únicamente mi madre…

—Mamá, ese no es Charlie. —Dejo de caminar y la observo—. ¿Pudiste verlo? ¿Al otro chef?

—No sé a qué viene tanto misterio. Estaba ahí. Y lo vi —afirma con total naturalidad.

—¿Y no lo reconociste?

Mi madre parece confundida.

—No llevaba mis gafas puestas, y se mantuvo lejos de mí. Aunque parecía un bombón. Tú tampoco le quitabas la vista de encima: no dejaste de mirarlo ni un instante mientras bailabas con Serge.

—Mamá, es Frankie.

Me observa atentamente y luego suelta una carcajada.

—Frankie Summers, por supuesto.

Se sumerge en el pasado y sonríe al recordarlo.

—Mamá, lleva treinta y tres años muerto.

—Sí —murmura, con la mente muy lejos de aquí.

—Así que lo que viste era un fantasma.

Ella regresa al presente.

—Sí. El mismo que estabas viendo tú.

Asiento despacio, aliviada de que alguien más lo haya visto. Asombrada de que esa persona sea mi madre.

—Estás enamorada de un fantasma —anuncia con dulzura. Y, mientras pronuncia esas palabras, sé que son absolutamente ciertas.

Ensalada nizarda

Ingredientes

- 350 gramos de judías verdes y amarillas mezcladas, sin tallos
- Sal
- 12 patatas nuevas pequeñas
- ½ baguette
- 12 aceitunas negras pequeñas, sin hueso; 3 o 4 troceadas, el resto se dejan enteras
- 3 tomates maduros de varios colores (de la variedad *heirloom*, si es posible), picados en trozos grandes
- 2 lechugas (romana o iceberg van bien), picadas en trozos de 2 centímetros (desecha las hojas exteriores); yo incluyo un poco de tallo
- 4 magníficos huevos frescos de granja

Para el atún con salsa de anchoas

- 1 manojo grande de albahaca fresca
- 6 filetes de anchoa
- Zumo de 1 limón
- 4 cucharadas de aceite de oliva virgen extra
- 2 filetes de atún de 200 gramos cada uno (de 2,5 centímetros de grosor), de fuentes sostenibles (pregúntale a tu pescadero)
- Sal y pimienta
- 1 cucharada de vinagre de vino tinto
- 1 cucharadita colmada de mostaza en grano
- 1 cucharadita de miel líquida (opcional)
- 1 limón (añadir un chorrito justo antes de servir)

Elaboración

Coloca las judías en una cacerola con agua hirviendo y una pizca de sal, luego cúbrela con la tapa. Déjalas al fuego entre 30 segundos y un minuto. Raspa y hierve las patatas nuevas solo hasta que se ablanden. Déjalas en agua y luego córtalas por la mitad al montar la ensalada.

Corta la baguette en trozos de 2 centímetros y colócalos en un asador, girándolos cuando estén ligeramente dorados. Retíralos del fuego y déjalos enfriar.

Escoge y reserva 10 ramitas de albahaca.

Para preparar la salsa, arranca el resto de las hojas de albahaca y mézclalas en un robot de cocina con las anchoas, el zumo de limón, el aceite y un chorrito de agua. Vierte aproximadamente la mitad del aliño en una fuente y resérvalo. A mí me gusta añadirle encima unas cuantas aceitunas negras troceadas.

Con las manos limpias, frota el atún con un poco del aderezo restante. Sazona con sal y pimienta y resérvalo.

Vierte el resto del aderezo en un cuenco grande con el vinagre, la mostaza y la miel (si vas a usarla) y luego remueve hasta que se mezclen.

Cuece los huevos durante 5 minutos en agua hirviendo fuerte. Escúrrelos y enjuágalos con agua fría durante 3 minutos. Pélalos con cuidado (las yemas todavía deberían estar líquidas).

Escurre las judías cocidas y añádelas al cuenco con el aderezo. Incorpora las aceitunas y los tomates y mézclalo todo.

Coloca el atún en el asador caliente y cocínalo de 1 a 2 minutos por cada lado, o hasta que adquiera un tono rosado por el centro.

Parte las tostadas en trocitos y colócalos sobre una tabla grande con la lechuga. Esparce encima las judías, las patatas, las aceitunas y los tomates aliñados.

Corta cada filete de atún por la mitad y añádelo a la tabla. Rocíalo con un chorrito de limón.

Esparce por encima la albahaca que dejaste reservada y remata con los huevos cortados en cuartos (las yemas estarán goteando).

No te pases demasiado tiempo sacándole fotos antes de empezar a comer.

31
Frankie, 1982

Lo encuentro agachado fuera de los baños, concentrado en ese artilugio que está tan de moda ahora: un cubo formado por cuadrados de diferentes colores y con lados móviles. Me dio la lata para que lo llevara a comprarse uno con su dinero la última vez que vino de visita, y ahora está aquí sentado perdido en su propio mundo, moviéndolo pacientemente, empleándolo para esquivar a la masa de dolientes que le ofrecen condolencias de esa forma torpe y rígida en la que los adultos les hablan de la muerte a los niños. Supongo que intentan restarle importancia al dolor ofreciéndoles algo mejor en el futuro: «Siento que tu padre haya muerto, pero ¿qué te parece venir a usar nuestra nueva piscina el próximo sábado? ¡Tenemos un trampolín para lanzarse!» Ese tipo de cosas. No me extraña que el pobre niño haya intentado escapar.

—¿Has completado tres lados? Apuesto a que no te habrías quedado despierto toda la noche jugando con eso si yo no hubiera estirado la pata.

No espero que me oiga. Lo único que quiero es abrazarlo, levantarlo en el aire, hacerle cosquillas hasta que grite… y decirle que todo va bien.

En cambio, me mira con aire solemne.

—Sí lo habría hecho. Mamá dice que soy tan testarudo como tú.

Asiento con la cabeza. Se me forma un nudo en la garganta al comprender que no estaré con él, y que fui un padre pésimo cuando lo estaba. Noto una opresión en el pecho.

—Eres un niño estupendo. Siento no haber sido mejor padre.

Charlie baja de nuevo los ojos y se encoge de hombros.

—Aun así, me gustabas.

—Tú también me gustabas, chico. Y eso es mucho decir, porque ya sabes lo que opino de los niños por lo general. Pero tú…, tú eres un niño superbueno y te va a ir muy bien.

—¿Por qué te fuiste? —Se muerde el labio, que le ha empezado a temblar.

—No quería irme. No fue idea mía. Pero, quién sabe, quizá sea mejor así.

Ninguno de los dos se lo cree. Le acarició las mejillas con las manos y le doy un beso en la cabecita.

—Cuida de mamá. Dile que es demasiado buena para estar sola. Lo siento.

Y es verdad que lo siento, siento muchísimo no haber podido corresponder al amor que Helen sentía por mí, y haberle hecho daño, cuando lo único que ella hizo fue ayudarme. Estoy avergonzado.

—¿Volverás? —me pregunta esperanzado—. ¿Vendrás a visitarme y te quedarás a dormir? Nunca hiciste eso.

—Lo sé.

Margo Weiss se acerca a consolar a Charlie, que ya no puede verme. Al menos pude despedirme, en cierto sentido.

32
Lucy

En cuanto me quedo dormida, me invaden imágenes de Frankie, Charlie y esta noche. Todos los clientes hablan con palabras que no puedo entender; emplean frases, idiomas y susurros que eluden mi comprensión.

Sirvo un sinfín de platos que se evaporan antes de que se los coman. Platos con recetas secretas que no consigo localizar mientras busco en una galería de cuadros, con la certeza de que todo está escrito en un código que no tengo ni idea de cómo descifrar.

Todavía es plena noche cuando despierto, y ni siquiera oigo los ronquidos de mi madre.

Son las 3:25 de la madrugada, por supuesto. Me giro hacia el otro lado y recuerdo el sueño, intentando reconstruirlo y darle sentido a la noche y lo que tendré que hacer en cuanto amanezca.

A las 4, estoy de nuevo hojeando sus recetas a la luz de la lámpara y con una taza de té tibio sobre la mesa de noche que se va enfriando cada vez más.

Simplemente, concéntrate en la comida, los platos, el restaurante, tu propio Fortuna. Este acuerdo conmigo misma pronto muta. ¿Frankie me ha tendido una trampa? ¿Solo me está utilizando? Y luego: ¿Charlie también podía verlo? ¿Hay normas sobre los parientes y los fantasmas? Ay, Lucy, piensa solo en comida, me reprendo a mí misma.

Coq au vin significa literalmente «gallo con vino», lo cual suena casi gracioso. En sus inicios, se trataba de una receta rústica: los campesinos franceses usaban un gallo viejo que ya había dejado atrás su mejor momento, pero que aun así estaba sabroso si se cocinaba correctamente, despacio, con un buen borgoña seco. Aunque también he experimentado con pinot noir, champán y brandy. La receta de Frankie es de la vieja escuela, por supuesto, con un borgoña del que sin duda se serviría una copa o dos mientras cocinaba.

El rey del gallinero, qué descripción más apropiada para Frankie. También es la idea perfecta para una cena de domingo. Puedo conseguir el pollo en el mercado esta mañana. El truco, aparte de usar productos frescos de gran calidad, es el tiempo. Y veo que la receta de Frankie especifica dos días como me gusta a mí también. Uno para dejar reposar el caldo —que debe estar elaborado con pollo soasado— y otro después de preparar el *coq au vin* para que pueda asentarse y empaparse de sus propios sabores.

Hay una larga lista de fechas garabateadas alrededor de esta receta: este es uno de sus platos favoritos. La cantidad de beicon está tachada y se ha incrementado dos veces. Está claro que a Frankie le gusta mucho el beicon. Y saltear los champiñones en la manteca de beicon intensifica todos los sabores. Es un plato reconfortante, pero también potente. No es apto para los pusilánimes. Es descaradamente rústico, y justo lo que necesita cualquiera que anhele un abrazo paterno en forma de tazón de sopa…, como me pasa a mí ahora.

Frankie, el gallo viejo, y Charlie, el gallo joven. Es tan difícil verlo así cuando parecen tener la misma edad. Imagina ver a uno de tus padres con la edad que tienes tú ahora. Yo ya tenía diez años cuando mi madre tenía treinta y cinco. Más o menos por esa época se enamoró de Graham, que nos inició en el *ashram* y fue el causante de que nos mudáramos al norte. No duró, por supuesto, pero ella tampoco lo esperaba. Todavía estaba superando lo de George. Sí, al parecer, mi madre ha estado repasando el alfabeto con sus relaciones. Me pregunto si lo retomará después de esta larga interrupción con la «S» de Serge. Ay, Dios, queda un largo camino hasta la «Z».

Me caía bien George. Arreglaba cosas. Me arregló la bicicleta, solía llevar herramientas y se ponía pantalones cortos de trabajo. Le compraba flores a mamá y enderezó nuestro buzón. Un día, venía de camino a cenar y a arreglar las suelas de mis zapatos de claqué. Yo había ayudado a mamá a hornear una tarta de limón y merengue. Mi abuela tenía escrita la receta y se puso más contenta que unas pascuas cuando mamá se la pidió (lo cual fue la primera y última vez que ocurrió). Tardamos todo el día y varios intentos fallidos: una vez usamos demasiada azúcar y otra la masa nos quedó demasiado húmeda. Pero al final lo conseguimos.

Fue la primera vez que batí huevos. La tarta quedó preciosa. Mamá se pasó una eternidad arreglándose y se puso un vestido nuevo. Anunció que George y ella iban en serio. Me alegró oírlo. Yo también me puse elegante y practiqué un número de claqué para enseñárselo después de que me arreglara los zapatos.

Esperamos. Y esperamos. Se fue haciendo cada vez más tarde y ya era de noche cuando, por fin, mamá se puso el camisón y se echó a llorar. Ella quería tirar la tarta, pero la guardé, me quedé levantada y me comí un buen cacho. A la mañana siguiente, le llevé un trozo a mamá junto con su té.

Sonó el teléfono. Era Ruth, la amiga que le había presentado a George. Oí murmullos y luego mamá volvió a la cama con los ojos llenos de lágrimas. Me contó que George estaba cruzando la calle, frente a la ferretería donde había comprado unos clavos para mis zapatos, y un camión que iba a toda velocidad lo atropelló. Ese fue el final del pobre George. Durante el resto de mi infancia, pensé que había sido culpa mía. Dejé el claqué. Mamá odia la tarta de limón y merengue, pero yo la preparo como homenaje a lo que podrían haber tenido.

Cuando lo pienso, me doy cuenta de que el fantasma de esa culpa me ha perseguido a todas partes, sobre todo en lo que respecta a mis relaciones con los hombres. Después de ver lo que ocurrió la única vez que mi madre pareció mostrarse realmente vulnerable, comprendí que eso casi nunca augura nada bueno. A mis relaciones les ha faltado el drama de las de mi madre, salvo el reciente comportamiento teatral de Leith, pero también han carecido de un verdadero sentimiento de comodidad, de confianza en mi propia tarta de limón y merengue.

Me pregunto cómo recordará Charlie a su padre. ¿Ese recuerdo se parece a como yo lo veo?

Estoy en el Fortuna, sacando la compra de las bolsas y colocando los pollos en la mesa de trabajo, cuando Frankie reaparece. Les echa un vistazo a los ingredientes.

—*Coq au vin*. Bien. —Intenta emplear su bravuconería habitual, pero me doy cuenta de que está raro. Parece comedido. Solemne. Nervioso.

—Ese de anoche era tu hijo. Charlie.

—Sí... —Comienza otra frase, pero se detiene antes de que salga algo comprensible de su boca. Es como en mi sueño.

—¿Lo habías visto desde...? ¿Él te...? —A mí también me fallan las palabras.

Agarro una olla. Frankie deambula a mi alrededor, coge el recetario y mira sus notas y la lista de fechas.

—¿Vas a usar el borgoña? ¿Y extra de beicon?

—Sí y sí —respondo.

—No y no —dice Frankie a cambio.

Me he perdido.

Frankie se sienta en la mesa de trabajo.

—No, no lo había visto desde... Bueno, desde mi velatorio, que se celebró aquí. Lo vi y él a mí, pero desde entonces, no. Y anoche me paré frente a él mientras se comía la sopa y pareció sentir algo, pero no, no me vio. ¿Te parece guapo?

—Sí.

Frankie juguetea con los champiñones, dividiéndolos en montoncitos.

—Bien.

Evita mi mirada. Empiezo a picar el pollo, seccionándolo para soasarlo.

—¿Por qué está bien? —pregunto sin mirarlo.

—Bueno, tiene sentido, ¿no? —Huele el beicon—. ¿Le vas a dar dos días?

Entonces lo miro.

—Frankie, ya he preparado *coq au vin* antes. Puede que no haya sido la experiencia religiosa que ofrecías tú, pero no estuvo mal. ¿Por qué está bien?

Frankie mira hacia arriba, mira hacia abajo, mira a cualquier parte menos a mí.

—Bueno, es evidente, ¿no?

Puede que sea un fantasma, pero en este momento se está comportando como cualquier hombre.

—No, Frankie, no es *evidente*. Nada es evidente: ni por qué sentí que me estabas utilizando anoche para poder reunir al elenco de personajes de tu historia policíaca; ni qué quieres realmente de mí o del restaurante; ni qué piensas de lo que hice; ni, sobre todo, en particular y especialmente, por qué crees que es bueno que tu hijo me parezca guapo. Perdóname por mi estupidez debida a la falta de sueño, ¡pero nada de eso es *evidente*!

Frankie me mira con ternura un instante.

—Puedes confiar en mí, Lucille.

—¿Por qué? ¿Porque eres el oráculo de la otra vida?

—No lo entiendes, ¿verdad?

Dios mío, este tipo me vuelve loca. ¿Qué me hizo pensar que me había enamorado de él? Ni siquiera puedo sacarle una respuesta directa.

—No me gustan las adivinanzas, Frankie. Si estuvieras vivo ahora, ni siquiera sé si seríamos amigos. Eres un borracho, mujeriego, malhumorado...

—Jugador, arrogante y gilipollas. ¿Has estado hablando con Helen, por casualidad?

¿Cuál era esa?

—¿Quién es Helen?

—La madre de Charlie.

—Frankie, apenas he hablado con él, ¿cómo iba conocer a su madre?

—Era una broma. Lo siento. —Suspira—. Yo *era* todas esas cosas. Tampoco estoy seguro de si seríamos amigos; porque, si estuviera vivo, es probable que estuviera demasiado ocupado intentando llevarte al huerto para ser tu amigo.

Antes de que me dé tiempo a decir «¿Ah, sí?» —porque lo que acaba de admitir es, por supuesto, en parte lo que quiero oír—, me salva Hugo, que entra con cruasanes y varios periódicos.

—La caballería está aquí. Nada de autógrafos, por favor. ¿Cómo estamos esta brillante, hermosa y alegre mañana?

Frankie levanta las manos en un gesto de frustración y desaparece.

—¿Has leído alguna de las críticas? —me pregunta Hugo.

—Me aterra demasiado.

Hugo se dirige a la antigua cafetera de émbolo con una bolsa de granos recién molidos.

—Vamos a necesitar una cafetera de verdad que no se fabricara antes de la rueda —comenta.

—Cuando nos lo podamos permitir.

—¿Y cuándo será eso?

—Inauguramos anoche, Huges, ¿cómo lo voy a saber?

—Yo te lo diré. Pronto. —Me muestra su móvil con aire teatral—. Estamos completos durante las próximas dos semanas. Ahora, señorita, por favor, ¿podemos comprar una cafetera?

—¿Puedo empezar a pagarle a mi personal primero?

Hugo pone los ojos en blanco a la perfección.

—Si insistes. ¿Cuándo vas a empezar a permitirte disfrutar de esto?

—Después de que os haya pagado a todos y sepa que puedo prorrogar el contrato de arrendamiento.

—Qué aburrido —repone Hugo—. ¿Por qué no confías un poco más?

Por supuesto, Frankie reaparece en este momento.

—¡Sí, confía, Lucille!

—Ya confío. No me habría arriesgado a firmar un contrato de arrendamiento y abrir este restaurante si no lo hiciera —argumento.

—Vale, bien, pero no te me vuelvas una miedica ahora. Escucha esto.

Hugo pasa a la sección de tendencias y reseñas de restaurantes. Se coloca mejor y estira el periódico con un ademán exagerado.

—Me impresiona que hayas comprado periódicos de verdad para esto —comento, combatiendo los nervios.

—¿Cómo lo va a leer si no? ¿En su mano? ¡Empieza de una vez! —brama Frankie.

Serge entra con un ejemplar del periódico.

—¡Sí, lee reseña, lee!

Hugo obedece.

«Al abrir su nuevo Fortuna, la Sra. Muir, antes del Circa, nos invita a cruzar un portal que nos transporta de regreso al estándar y la calidad que antaño ofrecía el Fortuna de Francis Summers durante los años dorados de su reinado.

»La atmósfera no ha cambiado, a pesar de que el restaurante tiene un toque más femenino, aunque sigue siendo igual de interesante y atractivo.

»Durante la inauguración hubo momentos en los que casi pensé que veía al extravagante Summers, al que echamos mucho de menos, entrar de pronto en la sala para asegurarse de que estábamos disfrutando. Puede que la aparición de la señora Muir haya sido más recatada y breve, pero la audaz pasión de sus platos es innegable, algo de lo que se enorgullecería su predecesor.

»Empezamos con una sopa de cebolla a la francesa con un sabor tan brillante como los cuencos dorados que la contenían, pasando por un atemporal suflé de queso gruyer preparado con un toque sumamente delicado y ligero con el que la mayoría de nosotros solo podemos soñar, hasta llegar a una versión más moderna de la ensalada nizarda que se convirtió en el plato favorito de los aspirantes a fotógrafos gastronómicos y supuso un desafío para aquellos de nosotros sometidos a los convencionalismos. Y luego llegamos a otra versión más moderna de la panza de cerdo, suculenta por dentro y maravillosamente crujiente por fuera, acompañada de vieiras tan frescas como una brisa de aire marino. Hay amor en estos platos, desde su concepción, durante su ejecución y hasta que los comensales los disfrutan. El punto fuerte de la velada fue, sin lugar a dudas, el merengue deconstruido acompañado de crumble de pistacho y crema de frambuesa. En cierto sentido, este plato encarna a la perfección lo que la chef Muir ha conseguido al crear su nuevo Fortuna: es decir, llevarnos de vuelta a una época de esplendor y abundancia, aunque estampando su sello de identidad con afecto y firmeza en la entrada. El Fortuna es, por el momento, un experimento de tres meses. Por suerte, acepta reservas. Les recomiendo encarecidamente que reserven mesa pronto y lleven a un ser querido. A veces, todo lo que brilla sí es oro.

»Por Martha Coleman.»

Frankie me dedica una sonrisa radiante. Trago saliva para aliviar el nudo que se me ha formado en la garganta. Hugo, Serge y él se ponen a aplaudir y a silbar.

Serge anuncia con orgullo:

—He leído todos. Todos buenos. Incluso el de la mujer de Ewan, aunque pide más opciones sin gluten y prestar más atención a normas sobre prevención de riesgos laborales.

Justo entonces, Ewan llama a la puerta.

Serge agita las manos.

—Todavía no hemos terminado. Tengo herramientas, pero no hemos terminado. Solo es ocho de la mañana.

—No pasa nada, solo vine a ver cómo les iba y a echar una mano. No empiezo a trabajar hasta las nueve. Y Katherine quería que le diera sus sugerencias lo antes posible.

Me entrega un buen puñado de notas impresas que incluyen diagramas y flechas. Me asombra el esfuerzo que ha dedicado su mujer a la calificación.

—Gracias, Ewan.

—Por cierto, la comida estaba muy buena.

Hugo revisa su iPad.

—Vaya, qué bien, Leith también escribió una reseña. Es evidente que todavía estaba muy colocado.

Genial, justo cuando las cosas van bien, alguien menciona a Leith.

Frankie se muestra incrédulo.

—¿Para quién escribe? ¡Se supone que es chef, por el amor de Dios!

—¿Está en la página web del Circa? —le pregunto a Hugo.

—Sí, ahí, y luego la publicó bajo la reseña de Martha. Menudo cretino.

—Léela —le pido con un nudo en el estómago.

Hugo carraspea e imita a Leith de un modo desconcertantemente preciso.

«No entiendo a qué viene tanto alboroto. Muir tiene tan poco talento que debe esconderse detrás de otro hombre, aunque esta vez esté muerto. El local es una porquería y la comida es lo que te servirían en un pueblucho francés unos aldeanos que practican la endogamia. No probé nada, pero estoy seguro de que Muir se va a hundir, con merengue blandengue incluido. Lleva allí a tu anciana abuelita o, mejor aún, búscate algo mejor que hacer.»

Hugo deja de leer.

—Y lo dice un hombre que nunca ha creado nada por su cuenta. Tenemos que pedirle a mi tío Harvey que se ocupe de él. Esto es difamación.

—Olvídalo —contesto—. Le hace más daño a él que a nosotros.

Ewan se queda pensativo.

—¿Ese es el dueño del Circa? A Katherine no le gustará que les dé mala fama a los críticos emergentes.

Hugo se abalanza sobre esa idea, avivando el descontento de Ewan.

—Estará indignada.

—Será mejor que vaya allí y revise el estado de sus cañerías. Volveré a las tres para la inspección.

Serge lo despide con un saludo militar.

—Estaremos listos.

Mientras Serge se encarga de la lista de reparaciones que nos ha exigido Ewan, Henry llega con mi pedido y Hugo se ocupa de guardar las cosas.

Frankie me acorrala en la cámara frigorífica.

—Eres asombrosa, Lucille.

—Tú hiciste que pasara. No pretendía ponerme... rara antes.

—Me gustan tus rarezas. Me gustas tal como eres.

El corazón empieza a palpitarme con fuerza mientras él hace de nuevo eso de mirarme a los ojos hasta sumergirse en mi alma y lo único que quiero es explorar el universo que podríamos crear juntos. O, simplemente, sentir el roce de su mano. O deslizar mis dedos por sus labios.

—¿Lucille?

Me sonrojo, regresando a la realidad... con el fantasma.

—Lo siento, estaba...

—Estoy muy orgulloso de ti. Olvídate de lo que dice Leith. Tú no te escondes detrás de nadie. Eso está claro.

—Gracias. —Tengo la mente en blanco. Quiero besarlo, posiblemente más de una vez, probablemente más de una vez. Me apresuro a cambiar de tema—. ¿Cuál es el siguiente paso de...?

—Esos hombres volverán. Al parecer, piensan que hay un secreto oculto en mi recetario.

—¿Y lo hay?

Frankie se ríe.

—Solo cómo hacer una sopa decente, como ya sabes. Y...

—¿Y?

—Hay una lista de fechas.

—De cuando preparaste cada plato, ¿no?

—Sí, pero también hay algunas que indican cuándo hice ciertas inversiones... y cuándo las dejé después de recibir un chivatazo que se podría haber considerado turbio. —Realiza una pausa efectista—. Sin embargo, les sugerí a ciertas personas que el recetario contenía más detalles de los acuerdos de los que contiene en realidad, para cubrirme las espaldas, si fuera necesario.

—¿Para poder usarlo para chantajearlos?

Fantástico, me estoy viendo arrastrada a una red de extorsiones y negocios chungos. Adiós a la fantasía de besarlo, aunque todavía me apetece un poco... Vale, mucho. ¡Por el amor de Dios, concéntrate, Lucy!

—Para poder estar a salvo. En cualquier caso, la conexión está oculta y yo soy el único que puede descifrarla. No tendría validez en ningún tribunal. Pero los sinvergüenzas que estuvieron involucrados no lo saben.

—¿Y qué tiene que ver Paul en todo esto?

—En realidad, es un don nadie. Una foca amaestrada que les hacía favores, principalmente para intentar ayudarlos a sacarme del tablero, haciéndome perder mi reputación para que nadie creyera nada de lo que dijera.

—¿Que no eran trigo limpio?

—Sí, y que tenían las manos bien metidas en los bolsillos del ayuntamiento y unos cuantos parlamentarios. Hubo uso de información privilegiada.

—Pero ¿eso sería razón suficiente para matarte?

—Estos hombres cimentaron sus carreras en su reputación. Su mayor temor es que los desprestigien.

De repente, el rostro de Frankie cambia, se suaviza; una expresión de amor y pérdida se le dibuja un instante. Sigo la dirección de su mirada y veo a Charlie charlando con Serge mientras lo ayuda a transportar una barandilla de seguridad.

Cuando Charlie levanta la vista, me ve y me sonríe de oreja a oreja. ¿Cómo no me di cuenta de que es el hijo de Frankie? A la luz del día, podrían ser gemelos: tienen los mismos ojos brillantes y sonrisas magnéticas, aunque la de Frankie sin duda posee un toque extra de picardía.

—Serge me llamó —dice Charlie mientras Frankie y yo nos acercamos—. Me ofrecí a echar una mano con la lista de requisitos del ayuntamiento. De todas formas, la mayor parte son cosas de las que debería encargarse el propietario.

Me mira con curiosidad.

—Eres el hijo de Frankie —sale de mi boca, y él parece aliviado por no tener que explicarlo.

—Así es. Aunque no lo conocí. No muy bien, al menos.

—Oh, sí, claro que sí, Charlie, viste lo mejor de mí —le suplica Frankie.

Charlie inclina la cabeza hacia su padre.

—Todavía noto su presencia cuando estoy aquí. Supongo que debe ser su huella espiritual o algo así. Estaba un poco loco.

—¿Mi huella qué? ¿Eso es todo lo que puedes decir de mí?

Intento ayudar.

—Debes echarlo mucho de menos. Después de todo, *era* tu padre.

Charlie se encoge de hombros.

—No pasaba mucho tiempo conmigo. Siempre estaba aquí, en la cocina, este era su hogar. Creo que era divertido.

—¡Era desternillante, joder! ¡Díselo, Serge!

—Divertido y temperamental —reflexiona Serge.

—Así que ¿tú eres el dueño? ¿Mi casero? —pregunto a pesar de los pucheros y los quejidos de Frankie.

—Uno de ellos. También está mi madre. La conocerás pronto, voy a traerla a cenar. Y un socio silencioso. Mamá cree que es una de las antiguas novias de mi padre, pero no sabemos cuál de ellas porque tenía muchas..., la mayoría al mismo tiempo.

Serge suelta una carcajada. Miro a Frankie, que rehúsa mirarme a los ojos.

—Mi madre tiene un historial similar.

Serge deja de reírse.

—Tu madre es un ángel. ¿Volverá pronto?

—Nunca se sabe con mamá, Serge, es una rompecorazones.

—¡Ojalá yo tengo esa suerte! —Serge se besa los nudillos y los alza, ofreciéndoselos a mi madre a través del soleado cielo de octubre.

—Bueno, debo planear el menú. Pero gracias por ayudar. —Le estrecho de nuevo la mano a Charlie—. Ah, por cierto, ¿tu novia llegó a tiempo a la uni?

—Estás fisgando —me acusa Frankie.

—No sabría decirte, y no es mi novia..., ya no —responde Charlie, sin inmutarse.

—Vaya, así que has salido a tu padre, ¿eh? —le pregunto, mirando a Frankie.

—Para nada. —Charlie se ríe a medias—. Papá y yo somos diferentes en todos los sentidos posibles, sobre todo cuando se trata de relaciones. Mi madre se aseguró de ello.

—Válgame Dios, ¿qué te ha hecho? ¿Leerte *La mujer eunuco* antes de dormir y enseñarte a tejer clítoris a ganchillo?

—Me parece que eso está bien —le digo a Charlie con una sonrisa.

—¿No te das cuenta, Lucille? Solo es otra táctica. Lo sé porque yo también la he usado: el rollo de «todos los hombres son unos misóginos menos yo, creo en los derechos de las mujeres». Cualquier hombre con una pizca de decencia sabe que las mujeres son mejores que nosotros, no hace falta ser un genio.

—Tal vez... —Charlie se sonroja.

—Será mejor que... —Señalo hacia la cocina y desaparezco, con Frankie siguiéndome con paso airado.

—¿Qué ha sido eso?

—Tengo que ponerme manos a la obra.

—Eso es un eufemismo —interviene Hugo—. Julia y yo te hemos pedido cita para que te hagan la cera y te tiñan el pelo a las dos, durante la pausa para almorzar.

—No hago pausas para almorzar, y no necesito... —La mirada de Hugo hace que me quede callada bruscamente.

Frankie me mira con aire pensativo y suelta:

—Me gusta que haya un poco de pelo en la parte baja..., es femenino.

—Dios mío, no pienso tener esta conversación. Y *no* tengo demasiado pelo.

—No, pero los tienes demasiado *largos*. Ha llegado la primavera y Julia dice que te entretienes haciéndote trenzas en las piernas.

Hugo intenta emplear el mayor tacto posible. A Frankie le parece muy divertido.

Antes de que yo pueda contestar, Charlie reaparece con un martillo.

—Sé que vas a estar muy liada, pero ¿te gustaría ir al cine o a tomar algo en algún momento? ¿De manera informal?

Ir al cine..., ir al cine..., ir al cine..., ¿una cita?

—Le encantaría —responde Hugo por mí.

Frankie gime.

—¿Ir al cine? ¿Eso es lo mejor que puedes ofrecer? Santo cielo...

—¿Lucy? —La sonrisa de Charlie requiere una respuesta.

—Claro. Genial. Guay.

Ay, mierda. Esto se me da fatal en el mejor de los casos, pero que me pida salir el hijo del fantasma del que me estoy enamorando es una situación excepcionalmente complicada. Ojalá pudiera contárselo a Julia.

—Es bueno para el negocio —añade Hugo—. Como es tu casero y eso. Además, no puedes negarte: tiene un martillo en la mano. Charlie, te he enviado los datos de contacto de Lucy. Estará libre el lunes. ¿Te viene bien?

—Estupendo. —Charlie se despide con la mano y vuelve a salir al patio.

—¿No te alegras ahora de hacerte la cera? —comenta Hugo con total naturalidad.

Frankie gime de nuevo.

Coq au vin

Ingredientes

- 5 cucharadas de harina
- Sal y pimienta
- 1 pollo orgánico de 2 kilogramos, cortado en ocho trozos
- Aceite de oliva.
- 200 gramos de beicon ahumado o *pancetta*, picado en dados
- 1 cebolla pequeña, pelada, con 2 clavos de olor insertados
- 2 zanahorias, peladas, cortadas en dos a lo largo y picadas
- 2 puerros, pelados, lavados y picados en trozos grandes
- 150 gramos de chalotes pequeños, pelados pero enteros
- 2 dientes de ajo, aplastados ligeramente con la hoja de un cuchillo
- 2 ramitas de romero fresco
- 3 ramitas de tomillo fresco
- 2 hojas de laurel
- 100 mililitros de coñac
- 1 botella de vino tinto, un buen borgoña
- 100 mililitros de caldo de pollo (preferiblemente casero, elaborado un día antes aproximadamente, o utiliza uno comprado en el supermercado si tienes mucha prisa)
- 250 gramos de champiñones pequeños, pelados y cortados en rodajas gruesas (reserva 50 gramos para decorar)
- Pimienta negra molida, al gusto

Elaboración

Coloca la harina en un cuenco (yo a veces uso una bolsa de plástico) con un poco de sal y pimienta, y luego reboza los trozos de pollo en la harina, uno por uno. Sacude el exceso de harina, coloca el pollo en un plato y repite el proceso.

Calienta 4 cucharadas de aceite en una cacerola grande y profunda (Le Creuset va bien) y fríe los trozos de pollo hasta que adquieran un tono marrón dorado. (Hazlo por partes si tu cacerola no es lo bastante grande, añadiendo más aceite según sea necesario.) Agrega el beicon o la pancetta y remueve hasta que esté ligeramente dorado y crujiente. Con unas pinzas, retira toda la carne de la cacerola y déjala en un plato.

Ahora coloca los puerros, los chalotes y el ajo en la cacerola y fríelos suavemente durante unos 5 minutos. A continuación, añade las verduras, los champiñones y las hierbas a la cacerola con otro chorrito de aceite y luego cocínalo durante 5 minutos, removiendo una o dos veces. Vierte el coñac, lleva a ebullición y luego reduce la salsa, raspando la cacerola para desglasar, de 2 a 3 minutos. Vierte el vino y deja hervir.

Vuelve a introducir el pollo y el beicon o la pancetta en la cacerola, asegurándote de que todo el pollo esté sumergido en el líquido, y cuece, sin tapar, hasta que el vino se haya reducido un tercio. Incorpora el caldo, agita bien la cacerola para que el contenido se asiente y vuelve a hervir a fuego lento. Sazona con pimienta negra y cuece, tapado, durante 1 hora a fuego lento hasta que el pollo esté tierno. Retira del fuego y deja reposar antes de guardarlo en el frigorífico durante la noche o un máximo de 2 días.

Antes de servir, retira las ramitas de tomillo, vierte otras 4 cucharadas de aceite en una sartén grande y, cuando esté caliente, saltea los champiñones que dejaste reservados durante 8 minutos, sazonando bien y removiéndolos con frecuencia hasta que estén bien dorados. Retíralos del fuego. Recalienta el estofado y añádele los champiñones recién salteados y perejil picado cuando lo sirvas. Calienta una baguette, úntala con mantequilla salada de calidad, arremángate y ponte a comer.

33
Frankie

Nada puede reemplazar ni es comparable a la dulce simplicidad de un costillar de cordero. Quienquiera que creara esta receta merece, en mi humilde opinión, ser canonizado (san Chuleta de Cordero). Y lo mismo se aplica a la persona que decidió acompañarlo con salsa de menta. Una de las alianzas más satisfactorias de todos los tiempos.

Dulces y suculentas chuletas de cordero elegantemente agrupadas, perfectamente asadas y, en mis tiempos, colocadas en círculo y adornadas con gorritos blancos rellenos de fruta y romero…, un plato digno de un rey.

Al costillar le gusta entrar en un horno muy caliente y que luego bajen la temperatura para poder desplegar lentamente la profusión de tiernos sabores con los que obsequia a nuestros paladares. Es imprescindible dejarlo reposar después de asarlo. Mientras tanto, por lo general, termino de preparar las patatas: primero les doy un hervor y luego las aso en grasa de pato a fuego alto para asegurarme de que queden crujientes.

Existen tantos acompañamientos distintos para el asado clásico porque el cordero se lleva bien con numerosos compañeros. Sin embargo, los guisantes siguen siendo mis favoritos, al igual que las especias de Oriente Medio y la salsa de tomates y berenjenas a la parrilla. El cordero es el rey del mundo gastronómico. A la mayoría nos invade la nostalgia al leer «cordero» en un menú.

Si alguna vez dudé de la existencia del karma en mis años de vida, ahora renuncio a mi arrogante ignorancia. Sí que existe…, y es un auténtico cabrón. Volver a traerme aquí para intentar arreglar mis líos, vale. Pero involucrar a Lucille, la mujer que ha vuelto completamente del revés mis opiniones sobre el sexo débil, es el colmo de las bofetadas espirituales.

Nunca he deseado compartirlo todo con otra persona como me ocurre con ella. Nunca he ansiado probar y tocar algo como quiero probar sus labios, tocar su mejilla, rodearle la cintura con los brazos. Estoy familiarizado con la lujuria, pero no con esto, este anhelo de garantizar su felicidad por encima de la mía. Esta espera para oírla entrar por la puerta desde el momento en que se marcha por la noche. Este terror a que se aburra de mí, que me considere un fraude o no le gusten mis recetas, el único regalo que puedo hacerle. Y haría cualquier cosa por mantenerla aquí conmigo y permanecer aquí con ella, pero sé que no puede ser. El mismo favor que le he pedido es lo que me hará proseguir mi camino, ya sea el olvido o una magnífica tartaleta de frutas en el cielo.

¿Cómo es que nunca experimenté esto mientras estaba vivo? ¿Esta comunión de mentes, este deseo abrumador? Preguntarme cómo sería abrazarla toda la noche. Cuidarla cuando esté enferma. Protegerla del dolor. ¿Por qué nunca había sentido este impulso? El deseo de presumir ante ella es casi irresistible y estoy a punto de dar una voltereta cada vez que la oigo decir «sí». Me encanta cómo funciona su mente, su forma de combinar los ingredientes, su imaginación, la alquimia que crea mientras reinterpreta mis platos de maneras que van mucho más allá de lo que yo mismo podría haber logrado. Quiero verla prosperar. Quiero que alcance su plenitud conmigo. Sin embargo, ahora viene la ironía más cruel y la mayor lección para esta humildad que no había descubierto hasta ahora: mi hijo se siente atraído por ella y, probablemente, ella por él.

Es un hombre atractivo, y también bueno; puedo oler su decencia a un kilómetro de distancia. Me siento orgulloso y celoso al mismo tiempo. A mí me faltaba decencia. La heredó de su madre. Y Helen lo crio bien. Es tranquilo y bueno, está vivo y soltero y se siente solo. Lo mínimo que puedo hacer es ayudarlos en su camino hacia un futuro estupendo.

Si tan solo pudiera volver a la vida. Ella y yo, juntos en la cocina. Sería algo digno de verse. Anhelo sus suspiros, ansío oír su risa, me imagino la sensación de su cabello al caer sobre mi cara mientras me besa… No está bien. Mi hijo se merece la felicidad de la que le privé, y a mí también, durante todos esos años. Supongo que en esto consiste un sacrificio paterno. Además, si estuviera vivo, ahora tendría edad suficiente para ser el padre de Lucille. Ay, qué putada de situación. ¿Es posible que el destino la haya cagado?

34
Lucy

—¿Qué es eso? —pregunta Frankie, olfateando el aire.

Ha estado de un humor de perros desde que Charlie se fue, despotricando y dando patadas en el suelo. Planificar el menú mientras él me aconsejaba, aclaraba, desafiaba y corregía no ha sido tarea fácil.

He optado por un menú semanal con una opción vegetariana/vegana. Debo darles las gracias a las imágenes del folleto de Sandy por el trabajo extra. Dicho esto, siempre le he dado mucha importancia al origen de la carne y el pescado que compro, y me alegra que la gente esté cada vez más concienciada sobre la importancia de consumir carne y pescado obtenidos de forma ética.

Frankie no dejaba de hacer muecas de irritación y poner los ojos en blanco cuando fui a hacerme la cera. A veces me pregunto si le caigo bien o si lo único que quiere de mí es que lo ayude. Por la mañana estaba tan distinto. Habría sido una pesadilla trabajar con él en su época, y cuanto más sé de él, más me recuerda a Leith respecto a sus devaneos amorosos; la única diferencia es que Frankie se mostraba más abierto al respecto, incluso orgulloso. Supongo que así eran los setenta, la época de las relaciones abiertas. ¿Alguna llegaba a funcionar o no era más que un eslogan ingenioso para enmascarar el rastro de sufrimiento que la gente dejaba a su paso? Aun así, supongo que Frankie nunca mintió. Es voluble, rayando en lo imposible. ¿Cómo lo aguantó Helen?

—Es burrata —le informo.

Frankie observa con escepticismo la nívea bola de queso cremoso. Puede que esto lo ponga de mejor humor. Me encuentro sola en la cocina durante un momento, la calma antes de la tormenta de mi segunda noche.

Serge está fuera fumándose un pitillo, Hugo ha llevado algunos de los dibujos de Matthias Drewe a enmarcar y Julia se quedará en casa esta noche, pues necesita tomarse un respiro en compañía de Ken y Attica y tiene ampollas en los pies debido a sus titánicos esfuerzos de anoche.

Solo estamos Frankie, yo y la bola de burrata.

—Es mozzarella mezclada con nata y recubierta con otra capa de mozzarella. Es como saborear el paraíso. Mira.

Tomo una bola que acaba de alcanzar la temperatura ambiente y la combino con melocotón fresco y un poco de menta recién cogida. Hundo el tenedor en la burrata y veo cómo brota la cremosa mezcla. Añado la cantidad justa de melocotón y de menta al tenedor y se lo muestro: el bocado perfecto.

Frankie toma el tenedor, examina la combinación, cierra los ojos y huele; luego toma una pizca de burrata entre los dedos, notando la textura sedosa y cremosa. Cómo me gustaría que pudiera probarla.

Me mira de nuevo. Su mal humor se ha disipado, por ahora.

—Entiendo.

—Me encantaría que pudieras probarla.

Frankie se me queda mirando.

—A mí también —dice antes de cambiar de tema—. Entonces, ¿vas a combinar esto con el cordero?

—Esa es la idea. —Y es una idea muy buena, además—. Tal vez… ¿con tu *risotto* con guisantes, espárragos y limón?

—Sí, un entrante digno.

—Salvo que… —¿Cómo le dices a un prestigioso chef que no te sale bien el *risotto*? Supongo que debo admitir la verdad—. Pues… no es mi fuerte.

—¿Eh? —Él sigue toqueteando la burrata.

—Me avergüenza decirlo, pero me queda bastante pastoso.

—Una gravísima confesión culinaria: *risotto* pastoso. Lo entiendo. No le añades suficiente vino y te apresuras…

Empiezo a discutir, pero él levanta la mano y luego me lleva a los fogones.

—Enséñamelo —dice simplemente.

Comienzo a regañadientes. Él me va indicando cada paso, y una parte de mí quiere abofetearlo por hacerme sentir como si asistiera a una clase de recuperación. Pero la otra parte, en especial la que consigue elaborar un *risotto* maravillosamente ligero, quiere saltar de alegría, agradecida por la clase magistral. Al fin he superado mi temor a un plato que muchos padres preparan un día cualquiera.

Además, Frankie tiene cierto aire tranquilizador cuando da instrucciones, como una especie de respaldo que me ayuda a respirar. Es un buen augurio para el comienzo de mi segunda noche, que sin duda atraerá más fantasmas para ambos.

35
Frankie, 1979

Bill se sienta frente a mí, con la peluca junto a él sobre la mesa y la corbata blanca que lleva en el tribunal manchada de merlot. Ha tenido lugar otro largo almuerzo para los amigos. Esta noche no abrimos, solo estamos él y yo. Puros y oporto. Un almuerzo con Bill siempre se prolonga y, por lo general, implica pato y punzadas en la cabeza durante los siguientes tres días.

Bill se rellena la copa de oporto, un *tawny* envejecido de la marca Taylor's, de primera calidad. Como todo lo que él elige. Una idea le ronda la cabeza. Es un genio con las palabras y lo respeto muchísimo, porque rara vez las malgasta.

—Se avecinan problemas, Frankie.

—Siempre se avecinan problemas, Bill. Así es la vida: jodidamente confusa y tremendamente caótica.

Intento tomármelo a broma, pero noto que está preocupado y decidido a hacérmelo entender.

—Me refiero a una tempestad.

Asiento y espero. ¿De qué se trata? Helen está en casa con Charlie, mis amantes están disponibles, mis padres me dejaron entrar en casa durante cinco minutos antes de que empezáramos a gritarnos y me desheredaran otra vez, la *crème brûlée* para mañana se está enfriando, el *bœuf bourguignon* se está asentando, Dios está arriba en el cielo y todo va bien en el mundo.

—El acuerdo de Gold City.

Bill me había convencido para que invirtiera un montón de pasta que no tenía en cierto acuerdo inmobiliario infalible para construir rascacielos en Gold Coast o algo así. No domino ese tema, pero confío en Bill, aunque no en algunos de los tipos con los que suele quedar: políticos y abogados, un nido de víboras.

Empiezo a inquietarme. Piso terreno resbaladizo, más resbaladizo de lo habitual. Necesito ese dinero o perderé el Fortuna. Lo he puesto de aval demasiadas veces para salir de apuros. Procuro mantenerme alejado del hipódromo y la coca, pero incluso con estas medidas de reducción de lastre me sigo hundiendo en un montón de mierda humeante con algunos hombres a los que no invitarías a casa de tu tía Ruby a tomar té con pastas.

—¿Es muy malo?

—Todavía no. Recibí un chivatazo de otra de las constructoras.

—¿Qué hacemos?

Bill realiza algún tipo de cálculo ético en silencio.

—Te voy a comprar tu parte. Ahora mismo.

—Ya, y luego ¿qué? ¿Te dejo el marrón a ti? Ni hablar.

Bill está decidido.

—Yo te metí en esto. Sé que te gusta improvisar sobre la marcha, pero ya no hay margen para la improvisación.

—¿Cómo saldrás de esto?

Bill se ríe.

—No lo haré. Si hago algo, se me echarán encima por uso de información privilegiada y me inhabilitarán en un abrir y cerrar de ojos. Pero te puedo ayudar a ti.

—Bill…

—Dame las gracias y cierra el pico. He hecho que te transfieran el dinero desde una cuenta diferente. Úsalo para mantenerte a flote, Frankie. No para metértelo por la nariz o llevarte tías a la cama.

Como ya dije, se le dan bien las palabras.

—Hay algo más. —Bill rellena de nuevo mi vaso de oporto y también el suyo—. Voy a ser padre.

—Traeré más puros. ¡Es una noticia estupenda! Sheila debe de estar loca de contenta. Cabronazo, por lo general no te dejan entrar en el dormitorio después de tantos años de matrimonio…, según tengo entendido.

Su mirada me detiene en seco.

—Ah, no es… Mierda.

Tengo que admitir que yo, el libertino de Woolloomooloo, estoy atónito. Bill es un hombre honorable. Adora a su mujer, pero no han podido
tener hijos, lo cual es una pena porque se nota que serían unos padres muy
cariñosos. Puedo imaginarme a Bill entrenando al equipo de rugby infantil,
coleccionando dientes de leche y ayudando con los deberes.

—¿Hay otra persona, Bill..., o fue un ligue de una noche?

Él se ríe.

—Un caballero nunca hace nada solo una vez.

Noto que esto lo está destrozando.

—Es una chica joven. Casualmente, la conocí aquí. Tiene una sonrisa
deslumbrante. Nosotros..., simplemente..., pasó.

Por supuesto. Todo encaja. La joven belleza que se sienta a su lado de
vez en cuando. No me queda más remedio que reírme de mi propia especie; los humanos usamos esa frase para justificar toda una serie de malos
comportamientos, es como la tarjeta de salida de la cárcel ante todo tipo de
problemas: «No pretendía metérsela por el culo, agente, simplemente
pasó». Ay, mierda, mierda, mierda. Esto no pinta bien para Bill. Presiento
que su matrimonio está a punto de irse a pique como el Titanic.

—La quiero.

—¡Por supuesto que no! —Intento desesperadamente buscar la forma
de sacarlo de este lío—. Te tiene encoñado, eso es todo. Quieres a Sheila.
Sheila y tú sois la pareja perfecta, estáis hechos el uno para el otro, como las
barbacoas y los domingos. Bill, esto no es más que un encaprichamiento de
adolescente, un desliz pasajero con un pequeño giro. Dale dinero para que
se largue. ¿Sabes si quiere tener el crío?

Bill parece indignado.

—No se trata de eso. Ha sido... Llevamos juntos más de un año. Ella
nunca me ha pedido nada. Soy yo. Quiero estar con ella.

—Oh, por el amor de Dios. ¿Está enamorada de ti?

Bill no responde.

—¿Quiere tener el niño?

Asiente.

—Joder. ¿Quiere estar contigo?

Entonces, Bill empieza a sollozar. Pobre desgraciado, el amor ha acabado con él. Naturalmente, es probable que la buena de Sheila esté en casa
gimiendo contra la almohada, preguntándose por qué su marido se ha

vuelto tan frío. Dios me libre del patético caos del amor verdadero, siempre trae problemas; en mi opinión, es como un retrete atascado. Yo prefiero mil veces una tarta Saint-Honoré y una chica bonita para pasar la noche.

—¿Qué vas a hacer, Bill?

—Dice que quiere irse... pero no conmigo, sino para criar al niño. Estoy dispuesto a casarme con ella. Pero dice que no, que debería quedarme con Sheila, que lo olvide.

—¿No crees que tal vez tenga razón?

No según el veredicto del juez. Lo veo en sus ojos mientras bebe hasta perder el conocimiento. Ha decidido castigarse, y se destruirá a sí mismo.

36
Frankie

En menos de un mes, el acuerdo inmobiliario había fracasado. Salió en todos los periódicos. Bill estaba mucho más implicado de lo que había imaginado; tenía participaciones en minas y granjas de ovejas además de en inmuebles. Su vida se hizo pedazos rápidamente después de eso. Lo acusaron de parcialidad en relación con el lío en el que se había metido y lo inhabilitaron. Le contó a Sheila lo de la muchacha a la que había dejado preñada y su mujer lo echó de casa. Fue a buscar a su joven amor, pero ella ya se había mudado, por supuesto. Eso demuestra lo frágil que es nuestra mísera existencia. Poco después, Bill decidió dedicarse a la bebida. Le dio todo lo que tenía a Sheila y se dirigió al oeste en busca de la muchacha. Nunca la encontró, aunque tardó muchos años en regresar. Cuando lo hizo, yo ya me había subido a esta montaña rusa *post mortem*. Y empezó a proteger el local. Nunca me olvidé de que me había salvado de la ruina. Y me aseguré de que se lo recordara. Una de las últimas cosas que hice antes de que se largara fue prepararle su comida favorita y revisar mi testamento con él. Vale, estaba escrito en la parte posterior de un cartón de leche, pero estaba firmado y fechado. Y él lo cumplió a rajatabla.

Dicen que no puedes salvar a otra alma…, pero todos los que nos encontramos en el otro mundo podemos decirte que eso es una chorrada. Los humanos se salvan unos a otros constantemente. Lo complicado es no morir en el proceso.

37
Lucy

Es bien sabido que las segundas noches son complicadas, y no solo en el mundo de la restauración. Muchos actores han triunfado en su noche de estreno para luego meter la pata en la segunda; escritores y estrellas del pop suben al olimpo de la fama con su primer trabajo y caen en desgracia con el siguiente. Y no nos olvidemos de las relaciones: después de una primera cita fascinante, la pareja descubre en la segunda que tienen poco que decirse y que la persona a la que han puesto por las nubes ante sus amigos no es la misma que tienen ahora delante.

La segunda noche es la que hace que se te caiga la venda de los ojos. ¿Puede el restaurante cumplir las expectativas de la primera noche? La segunda noche se percibe una sensación de solemnidad, y comienza el trabajo de verdad. Esto es un negocio y proporciona un servicio. ¿Será consistente? Y la pregunta más importante de todas: ¿la comida será igual de buena o solo fue cuestión de suerte?

¿Tuve suerte anoche?

No le he dicho a Frankie que mamá podía verlo. Sé que debo hacerlo, pero supongo que una parte de mí quiere conservar esta burbuja de intimidad. En cuanto la reviente al contárselo, Frankie empezará a hacer un millón de preguntas, me hará traer a mi madre y todo cambiará. También se debe en parte a que estoy evitando a mi madre y en parte a que no estoy segura de si lo que dijo es cierto. Estar «enamorada» supone un compromiso, y él es un fantasma y tengo una cita con su hijo. Además, solo hace unas semanas que le puse fin a mi matrimonio, y él es un fantasma al que acabo de conocer. Mamá siempre ha sido impulsiva. Yo, por el otro lado, soy una experta en procrastinación cuando se trata de asuntos del corazón. Simplemente, no puedo pensar en ello, porque no existe ninguna posibilidad de que Frankie y yo acabemos teniendo algo bueno, sostenible o real. Tal vez sea un encaprichamiento por trabajar juntos. ¿Y si Leith tenía un poco de razón en esa reseña que escribió estando colocado? ¿Y si estoy buscando otro hombre detrás del que esconderme, aunque puedas ver a través de él? ¿Y he mencionado que tengo una cita con su hijo? Charlie es real, ayuda a arreglar cosas y me invitó a una cita que podría incluir que ambos comamos. Oh, Dios, ¿qué voy a hacer?

Ojalá viniera Julia. Ahora mismo, me hace falta su cordura. En cambio, contamos con Polly, que no dejó pasar la oportunidad de ayudar cuando Hugo la llamó. Mientras estudiaba medicina, Polly trabajó de camarera en un lujoso bar; se dedicó a mezclar cócteles como si fueran importantísimos experimentos de química y, poco después, comenzó a crear su propia gama de «elixires». Estoy segura de que, en una vida pasada (si es que tal cosa existe), fue bruja. A pesar de su interés por los estados de consciencia alterados, o tal vez debido a ello, nadie le gana bebiendo. Es una camarera magnífica e imperturbable. Además, se limita a ignorar a cualquier persona a la que considere demasiado borracha o demasiado grosera para atenderla. Espero que haya pocos clientes de esos esta noche, aunque estamos llenos.

Las cosas empiezan a estropearse cuando Serge toma el control de la música. La cambia por la de su iPod, en el que su sobrina le ha descargado todas sus canciones favoritas.

En la cocina, sin embargo, las cosas se están animando. Los clientes llegan y yo empiezo a servir crema de champiñones con el tradicional pan de ajo. Suena la banda sonora de *Xanadu*. El sol se ha puesto. Polly ya ha tachado de su lista la mesa cinco: el beligerante borracho con la bella esposa ha vuelto. Polly me informa que se niega a atenderlo porque le agarró el trasero —sonriéndole a su mujer mientras lo hacía— cuando le estaba descorchando el vino. Hugo se ha hecho cargo, aunque a él tampoco le está resultando fácil, debido sobre todo al aluvión de comentarios homofóbicos que el hombre está haciendo, sin molestarse en disimular apenas. Ese horrible Paul también ha vuelto, acompañado de más viejos verdes, aunque Polly los tiene controlados. Sé que han venido a averiguar más cosas sobre el recetario.

Mientras Olivia canta *Xanadu*, Frankie despotrica, jurando que no puede volver a escuchar esa canción. Oigo un ruido, luego un fuerte chisporroteo y se produce un destello parecido a un latigazo durante una tormenta eléctrica, seguido de un estruendo.

Todo se queda a oscuras.

Oigo a la gente moviéndose a tientas y a Frankie gritando:

—¡Joder!

Voy corriendo al comedor. Puedo distinguir el contorno de Frankie mientras los clientes murmuran y hacen preguntas. Hugo se apresura a encender velas.

—Estaba intentando cambiar la maldita cinta —mascula Frankie—. Había una canción que quería ponerte, y tus clientes merecen escuchar algo que no sea *Xanadu*. Estuve viendo cómo Serge lo toqueteaba todo el día y supuse que, si él sabía usarlo, yo también. Creo que lo sobrecargué.

Me debato entre preguntarle qué canción iba a ponerme y dónde está la caja de fusibles. Opto por lo último.

—Está fuera, encima de los contenedores. Dile a Bill que te lo enseñe. Anda por ahí.

Cojo una de las velas y salgo, acompañada de Polly.

Efectivamente, Bill está montando guardia y me señala la caja de fusibles en cuanto me ve. Echo un vistazo y le doy a unos cuantos interruptores. No pasa nada. Polly lo intenta; nada.

—Toma. —Bill me entrega su botella y prueba—. Está frita —dice un momento después—. Hace falta un electricista.

—¡Noooo! —gimo—. ¿Estás seguro?

—Tu horno es de gas —responde él—. Ofréceles una cena a la luz de las velas.

—Sí, bien pensado —dice Polly, apoyando a Bill, mientras yo visualizo de inmediato el contenido de la cámara frigorífica echándose a perder rápidamente.

Hugo toma el mando y se encarga de encender velas por todas partes; su resplandor ámbar le da un aspecto precioso al comedor. En la cocina, trabajamos guiándonos por el tacto. Gracias a Dios, hoy hay *risotto*.

Hugo despliega su encanto con los comensales y les vuelve a llenar las copas.

Vuelvo a ocuparme del *risotto* y entonces siento a Frankie, más cerca que nunca. Dicen que cuando pierdes uno de tus sentidos los otros se agudizan. Tal vez se trate de eso. Porque, ahora mismo, su olor y su calidez me resultan casi abrumadores y, durante un instante, estoy segura de que puedo sentir su barbilla apoyada en mi hombro.

—Lo siento, Lucille.

—Iba a pasar algo de todas formas —balbuceo—. Segunda noche. Solo espero que no cueste una fortuna y que no tarden mucho en arreglarlo. Si la avería dura toda la noche, voy a perder todos los congelados y las cosas que hay en la cámara frigorífica: el pollo, el pato... Me quedaré sin blanca.

—Eso no va a pasar.

—Eso no lo sabes.

—Ten fe.

—¿Qué canción era?

—Da igual, el momento ha pasado. Si eso es lo que ocurre cuando toco un aparato eléctrico, no quiero saber qué pasaría si te tocara a *ti*.

—¿Y te gustaría hacerlo? —Las palabras escapan de mi boca antes de darme tiempo a detenerlas.

—No tengo nada que ofrecerte, salvo problemas. Charlie es...

—Olvídalo.

Me alegro de que esté oscuro para que no pueda ver la decepción en mi rostro.

—Es mi hijo.

—Frankie, no puedes pasarme como si fuera una pelota —estallo.

—¿Y Ewan? Es hábil y amable. Él conocerá un electricista, ¿no? —me pregunta Serge, que parece desconcertado por mi último comentario.

—¡Serge, eres un genio!

Ewan, Katherine y su amigo Phil, el electricista, llegan veinticinco minutos después.

Se ponen manos a la obra de inmediato mientras yo sirvo los costillares de cordero en medio de la penumbra, pues la mayoría de las velas están en el comedor. Por suerte, suelo guiarme por el olfato para decidir cuándo sacarlos del horno. Frankie tiene la misma costumbre, aunque ahora no nos hablamos porque estamos enfadados y porque Katherine está presente «ayudándome». A ella, al igual que a Frankie, no acaba de convencerle la burrata, hasta que le hago probar un poco. Enseguida se abalanza sobre la masa cremosa, rematándola con melocotón y menta. «No está mal» es el veredicto.

Ewan y Phil reaparecen.

—¿Qué pasó? —pregunta Phil, preocupado.

—Solo una pequeña sobrecarga cuando intenté cambiar de canción en el iPod.

—Eso no lo habría provocado —repone el electricista, acercándose más—. La instalación eléctrica ha sufrido un aumento de voltaje masivo, parecido a una fuerte tormenta eléctrica.

—Fuerte — repite Ewan, con semblante serio e impresionado.

—Voy a necesitar más herramientas y un generador de respaldo —continúa Phil—. Voy a llamar a alguien para que me ayude. Tardaremos unas horas en arreglarlo, como mínimo.

Al parecer, el contacto con Frankie crea una catástrofe eléctrica. ¿Cómo se me había pasado por la cabeza siquiera?

38
Frankie

Se rumorea que Ewan MacColl escribió *The First Time Ever I Saw Your Face* para su amante, Peggy Seegar, en 1959 cuando estaban separados…, principalmente, porque él estaba casado con otra. Más tarde se casó con Peggy, pero esa canción lo expresa todo: la esperanza, el estupor que te invade al darte cuenta de que estás absoluta, irreductible, irremediable e irrefutablemente enamorado.

Estar con ella en la cocina, verla trabajar, reír y soñar. ¿Por qué he tardado tanto, hasta ahora que me encuentro atrapado en este páramo sin tiempo, en experimentar este sentimiento?

Estoy enamorado de la mujer con la que quiere salir mi hijo. De una mujer viva y que respira, que querrá aquello que nunca podré darle.

Y, sin embargo…

Y, sin embargo…

No me extraña haber fundido un maldito fusible.

39
Lucy

Estoy saliendo del cuarto de baño cuando un hombre me agarra. Su rostro está iluminado de forma demoníaca debido a la luz que sostiene bajo la barbilla, como solíamos hacer los críos de la comuna cuando contábamos historias de fantasmas.

Se me escapa uno de esos gritos silenciosos, como los que suelto en mis pesadillas cuando intento gritar con todas mis fuerzas para arreglar las cosas, pero no surge ningún sonido.

Trato de identificar las facciones extrañamente iluminadas. Es uno de nuestros clientes, el bravucón de anoche con la esposa guapa.

—¡Bu! Lo siento, no pretendía asustarla.

Al fin localizo mi voz.

—Vale. ¿Qué hace aquí atrás?

—Solo salí a fumar. Otra gran cena, gracias.

Parece sincero, aunque percibo un toque de malicia en su tono. Ojalá Frankie estuviera aquí. ¿Dónde se habrá metido?

—Gracias por su apoyo —contesto con voz monótona, lo cual es toda una proeza dadas las circunstancias—. Dos noches seguidas. Debe haberle gustado mucho.

Se me queda mirando, con aire casi insinuante. Dios mío, ¿dónde está Frankie?

—No tiene ni idea.

—Siento lo de las luces —añado—. Casi está arreglado.

Él se encoge de hombros con indiferencia.

—La pesada de mi mujer dice que es romántico, pero allá ella.

Vale, ya es oficial: este tipo me cae mal. Muy mal. ¿Frankie?

—Es preciosa. Su mujer, digo.

Otro encogimiento de hombros.

—Tengo que volver a la cocina. Los baños están por ahí.

—Ya lo sé. —Ilumina el lugar con la linterna de su iPhone—. ¿Dónde están los dibujos?

—¿Cómo dice?

—Los dibujos que hice para Frankie.

Entonces caigo en la cuenta.

—¿Usted es Matthias Drewe?

Él suspira, frustrado. Está claro que piensa que soy imbécil por hacer esa pregunta.

—Los llevamos a enmarcar.

—¿Los tiene todos?

—No sabría decirle. Creo que hay unos cinco. Los propietarios quieren que permanezcan en el restaurante.

—Valen una fortuna, ¿sabe?

—No sabría decirle —repito. Oh, por favor, vete—. Tengo entendido que trabajó para Frankie, hace mucho tiempo.

—Era un gilipollas.

Justo entonces, aparece Frankie.

—Yo también te he echado de menos, cielo.

Me invade el alivio.

—¿Qué ha dicho? —Matthias Drewe parece borracho.

—¿Yo? Nada. Tengo que ir a preparar el postre. Disfrute de la velada.

—No le importará que use el baño del personal. —Es una afirmación, no una pregunta.

Me aparto mientras él entra en el aseo. Frankie se sitúa junto a la puerta del baño.

—Largo —me dice—. Vuelve a la cocina, los suflés están listos.

—No hagas nada estúpido —le advierto.

—Ni siquiera puedo usar el radiocasete, ¿qué podría hacer aquí?

Me mira con aire de inocencia.

Las luces vuelven a encenderse justo cuando estoy sacando el último suflé del horno. En el comedor se oye una mezcla de aplausos y exclamaciones de consternación: es evidente que algunos de los comensales prefieren el ambiente a la luz de las velas. Katherine sale con su cuaderno preparado.

—Me alegra que podamos verlos mejor. —Paul entra en la cocina y vuelve a sonreírme como el gato de Cheshire. Por supuesto que todo esto tiene que ocurrir la segunda noche—. Discúlpeme por presentarme en la cocina. Las viejas costumbres no se pierden fácilmente: *era* crítico gastronómico.

Tiene mucha labia.

—¿Y le permitían entrar aquí, en aquel entonces?

—Frankie sí.

Me cuesta creerlo.

La mirada de Paul se dirige hacia el recetario rojo abierto allí cerca. Cuando hace ademán de acercarse, me interpongo.

—Paul, debe ir a sentarse. Hay que servir los suflés de inmediato.

—No recuerdo que Frankie les pusiera… ¿café, si no me equivoco?

—Tiene una nariz excelente.

—Para olerla mejor, querida.

Hace ese comentario con la cadencia de una broma, pero noto un matiz siniestro. Me obligo a reír.

—Fuera, vuelva a sentarse. Esta receta es de mi abuela y se enfadaría si supiera que me está entreteniendo.

—Nunca se me ocurriría. Solo quería felicitarla y preguntarle si podría echarle un vistazo a ese libro. Creí entender que había dicho que lo tenía el dueño.

—Lo trajo hoy cuando se pasó por aquí —miento.

Paul parece desconcertado, pero lo disimula rápidamente con una sonrisa benévola y se marcha.

Hugo, Polly y yo misma sacamos los suflés de café. La salsa hecha con nata, whisky y moca que los acompaña se les echa por encima en la mesa.

Me fijo en que Matthias no ha regresado a su mesa y Frankie también está ausente. Decido verter la salsa sobre el suflé de la bella esposa.

—Oh, tal vez debería esperar —protesta ella.

—Los suflés no esperan, eso es lo que los hace especiales. —Termino de servirle la salsa—. Por favor, me ofenderé si no lo prueba.

La belleza asiente y toma una cucharada. Es evidente que le gustan los postres, lo que hace que me caiga bien.

—Vaya, está divino.

—Gracias. Soy Lucy. Creo que nos conocimos brevemente anoche, ¿verdad?

—Sí, soy Vivianne. Otra velada sensacional. Y me encantó la penumbra.

—Nuestro objetivo es complacer a nuestros clientes. Su marido es el artista que hizo nuestros dibujos.

—Sí.

—¿Usted también es artista?

Vivianne contiene la respiración un momento.

—Historiadora de arte. Últimamente soy más bien la administradora de Matthias. ¿Le preguntó por la exposición?

—¿Cómo dice?

—Qué tonto, por eso lo envié a buscarla. Tiene una exposición el mes que viene y queríamos…, bueno, *yo* quería preguntarle si podríamos pedirle prestadas algunas de sus obras. Es una retrospectiva y todavía quedan algunos huecos que cubrir. Será en Woollahra, en la Knox Gallery. ¿Solo durante tres semanas?

—Eh… Puedo preguntárselo al dueño. Digo, dueños.

—¿Haría eso? Genial, gracias. Además, nos encantaría reservar el Fortuna para que se encarguen del bufé de la fiesta de inauguración. ¿Le interesaría?

—Por supuesto.

Vivianne cada vez me gusta más. Una amante de los postres que va a reservar todo el restaurante: ¿cómo no me va a gustar?

—Fantástico. Mattie se siente muy ligado a este sitio. El dueño y él estaban muy unidos cuando era niño.

Me dan ganas de decir: «Sí, esa pequeña rata saboteó a Frankie, le robó y lo usó». En cambio, opto por:

—Qué interesante. Por favor, disfrute del suflé.

Y regreso a la cocina, deseando tomarme una copa.

Transcurren otros quince minutos antes de que Matthias reaparezca, quejándose ante Hugo de que se ha quedado encerrado en el baño. En mi opinión, tuvo suerte, podría haber sido peor.

Todo va bien en el comedor. Los comensales se entretienen hablando y terminándose sus copas. Al parecer, la luz de las velas potenció de algún modo el ambiente de intimidad. Pero yo…, yo quiero que este día acabe de una vez. Terminamos de limpiar y les ofrecemos a Katherine, Ewan y Phil nuestro eterno agradecimiento, una botella de champán y trato vip durante el próximo mes.

Hugo anuncia que se marcha porque tiene una cita con uno de los camareros del Circa con el que ha estado coqueteando, acostándose o lo que sea. También me cuenta que Leith ha tenido que cerrar su restaurante durante cinco días mientras se reparan las cañerías, tras la exhaustiva investigación de Ewan para su informe para el ayuntamiento. Leith debe de estar que trina. Katherine le envió una lista de lecturas recomendadas para que mejore sus habilidades para escribir reseñas y añadió su correo electrónico a la lista de contactos de un centro de rehabilitación para que pueda ocuparse de su adicción al cannabis. Tal vez Dios exista, después de todo.

Serge, que se ha pasado gran parte de la noche ayudando a solucionar los dramas eléctricos, reaparece con un poema garabateado en una página de uno de los manuales de Ewan sobre prevención de riesgos laborales. Me lo entrega con un ademán serio y solemne.

—Serge, ¿no podrías haberme ayudado a fregar los platos y *luego* escribir un poema?

—La musa, Lucy, la musa ha inspirado a Serge. —Se golpea el pecho con el puño—. Durante muchas décadas, la musa me había abandonado.

—Ay, madre mía, está perdido. La poesía es mala señal —opina Frankie.

Miro a Frankie, que lleva de nuevo un caftán y también encajaría con esa pinta en un recital de poesía.

—Serge se enamora a menudo. Bueno, más que enamorarse, se obsesiona. Cuando se pone así, tienes que gritarle mucho y darle órdenes específicas o se pasará todo el tiempo escribiendo sonetos.

—¿Todo esto es por mi madre?

—Todos somos tontos por amor, Lucy —se lamenta Serge.

—Pero, Serge, si ni siquiera la conoces. La viste unas cuantas veces en los setenta y luego otra vez anoche. No sabes cómo es de verdad.

—Mi alma reconoce su alma.

—Lo dudo. No la has visto colocarse y pasarse delante de la tele ocho horas seguidas ni roncar tan fuerte que despierta al bebé de los vecinos ni arrancarse los pelos de la barbilla, que heredó del abuelo…, pelos gruesos, Serge. No todo son duetos de Barbra y Barry. Mamá es una egoísta que te chupará la fuerza vital cada vez que pueda.

—¡Oh, cómo ansío ese momento! —exclama Serge con tono soñador.

—No sirve de nada —insiste Frankie—. Está perdido.

—¿Cuánto durará?

—¡Para siempre! —afirma Serge de modo tajante.

—Unos meses, probablemente, aunque una vez se pasó un año entero suspirando por una mujer que le vendió un traje.

—¿Y por qué no la invitas a salir? —le sugiero—. ¿O vienes a casa a visitarla? Eso te curará.

De pronto, Serge parece aterrorizado. Le quito el poema de las manos y escribo la dirección y el número de teléfono de mamá en la parte posterior.

—Siempre está en casa.

Serge observa el papel como si fuera el Santo Grial. Me da las gracias con un murmullo y luego se va, con expresión aturdida.

—No irá enseguida —me asegura Frankie—. Es demasiado tímido. Tardará una semana en armarse de valor para llamar. Aunque puede que le envíe algo por correo.

—¿Como qué? ¿Su oreja?

—Más poemas. Tendrás que prohibirle escribir mientras está en el trabajo o lo quemará todo. Es bastante buen poeta, por cierto. Aunque demasiado sensiblero en mi opinión. A mí me gusta Ted Hughes.

—No me extraña. —Termino de guardar la comida en la cámara frigorífica y luego regreso con Frankie—. Polly me está esperando.

—Os vais de juerga, ¿eh?

—Solo vamos a tomarnos unas copas para relajarnos.

—Suena bien y te lo mereces. Has sobrevivido a tu segunda noche relativamente ilesa.

—Aparte de cortes de electricidad, artistas psicópatas, críticos gastronómicos corruptos y ahora un *sous-chef* enamorado de mi madre…, sí, ha sido la mar de tranquilo.

—La tranquilidad está sobrevalorada.

—¿Y tú cómo lo sabes? Nunca la hubo en tu vida.

—*Touché*, Lucille.

Nos miramos, indecisos. La electricidad se arremolina de nuevo en el aire que nos separa, intensificándose hasta casi crepitar.

—Pues…, buenas noches.

—Buenas noches, Lucille.

Me observa mientras lo encierro dentro y me voy. Me observa con intensidad y curiosidad. Es como si un campo de fuerza creciera entre nosotros. Siento una necesidad constante de permanecer cerca de él. Pero hay una vida fuera del Fortuna donde Polly me espera. Recorremos Cowper Wharf Roadway, cogidas del brazo.

—¿Con quién estabas hablando ahí dentro? —me pregunta.

—Oh, solo era el fantasma que vive allí.

—Genial.

Seguimos caminando. Polly ve el mundo de manera tan diferente que es imposible no adorarla; su experiencia en el campo de los cuidados paliativos y ser anestesista significan que está abierta a casi cualquier idea.

—Yo todavía hablo con mi madre.

La madre de Polly murió cuando ella tenía quince años, lo que la empujó a emprender este viaje para salvar vidas e intentar comprender qué nos aguarda más allá de la muerte.

—¿Y te responde?

—Constantemente.

Nos reímos y seguimos paseando, dejando atrás los barcos de la marina que duermen como grises monolitos de acero en el agua y los jóvenes oficiales con sus gorras blancas que suben a bordo o bajan o se dirigen a los clubes de Kings Cross.

Subimos la colina hacia Wylde Street, lo que nos hace jadear a ambas. Se percibe una cálida suavidad en el aire salado que anuncia la llegada del verano. El cielo nocturno está abarrotado de estrellas.

—Oh, Dios, ¿no echarías esto de menos si ya no vivieras aquí? —No es más que un pensamiento expresado en voz alta, pero Polly se muestra de acuerdo.

¿Cómo lo soporta Frankie, sin poder percibir el paso del tiempo, sin ver amanecer, sin esto, echando únicamente un vistazo desde la puerta, encerrado ahí solo en el restaurante, preparando platos que la gente ya ha comido o viéndome preparar comida que no puede comer? Debe ser una tortura. No me extraña que quiera ponerle fin. Me sentí culpable al salir de allí esta noche, pues sé que estará esperando a que regrese. ¿Por qué las normas de la otra vida no pueden incluir un paseo de vez en cuando hasta Potts Point? Nadie podía verlo. De todos modos, ¿quién pone esas normas?

Señalo un titilante grupo de estrellas.

—¿Sabes que esa es la gran constelación del Monte de Lamington?

Polly asiente con la cabeza.

—Necesitas una copa urgentemente.

Vamos por nuestro segundo martini en el pequeño bar italiano que nos encanta cuando empiezo a sentir que todo vuelve a su cauce.

—Bueno, ¿y cómo es la vida de separada?

—Mejor que la alternativa.

Brindamos por eso. Polly siempre fue educada con Leith, pero no se llevaban bien. Además, a él le daba demasiado miedo intentar tirarle los tejos. Polly es tan leal como despampanante. Ahora mismo, mi vida con Leith parece a años luz de distancia.

—Me gusta mi nueva vida. Tiene que funcionar, ¿verdad?

—*Está* funcionando. En realidad, se trata de frecuencias: tienes que mantener la tuya alta.

Polly, que padece insomnio cuando no está haciendo experimentos con combinaciones químicas, también estudia física cuántica. Suele prestarme libros y enviarme vídeos de YouTube sobre diferentes aspectos de ese tema… pero, tras leerme una página o mirarlo durante un minuto, empiezan a cerrárseme los ojos. Me interesan los conceptos generales, pero las nociones científicas propiamente dichas en las que se basan resultan confusas para alguien que aprobó biología por los pelos.

—¿Crees que la gente puede regresar de la muerte? —le pregunto.

—Claro, resucitamos personas todos los días.

—Pero ¿después de que lleven muertos un tiempo?

—¿Te refieres a zombis?

—Más bien… fantasmas.

Polly muerde la aceituna de su copa, le pide otra ronda al joven y guapísimo camarero italiano que la ha estado observando con anhelo y continúa, sin perder el hilo en ningún momento:

—No estoy en contra de esa idea. ¿Los llamaría fantasmas? No. No sé cómo los llamaría, pero creo que podría haber un conjunto de átomos y moléculas que constituyan una especie de ser atrapado entre el antes y el después…, entre dimensiones, si prefieres decirlo así.

—Eso es. Un fantasma.

—Lo que debes recordar, Lucy, es que el tiempo no solo avanza a lo largo, sino también a lo ancho.

Me termino el martini con la esperanza de que eso me ayude a encontrarle algún sentido a esa afirmación.

—Una de las conclusiones más fundamentales en física cuántica es que, con el impulso adecuado, una partícula puede pasar por dos ranuras. Es decir que podemos estar en dos lugares a la vez.

—Entonces, ¿puedes estar muerto y no muerto?

—Claro, pregúntale a cualquier desgraciado con el corazón roto. El enigma es: ¿cómo lo medimos? La longitud de onda es inversamente proporcional a la dimensión de una partícula. Pero, cuando ilumino una partícula para medirla, la estoy alterando a todos los efectos… ¿Cuánto? Eso nadie lo sabe.

—¿Esa es una forma científica de preguntar: «¿Si un árbol cae en el bosque…»?

No entiendo nada.

—Más o menos, sí. Todos los momentos, todas las cosas, todos los seres, todas las modas, todas las discusiones, todos los nacimientos, las muertes, los matrimonios, los desastres naturales, los triunfos políticos, las peleas con tu ex, los orgasmos con tu amante…, todo ello coexiste. Es nuestra forma de medirlo, de medir el tiempo, lo que falla. La luz altera inevitablemente la velocidad de las partículas. Esa es la dualidad onda-partícula… o principio de incertidumbre.

—Podría aplicar el principio de incertidumbre a la mayor parte de mi vida.

—Como todos. Solo necesitas expandir tu mente.

—Pero, si todo coexiste, ¿cómo podría mi yo del presente coexistir en una realidad que nunca he experimentado estando despierta?

—Porque la realidad no se limita a cuando uno está despierto. Es más, la realidad tal y como la consideramos no existe, no exclusivamente, no con el monopolio que le atribuimos.

—Dios mío, seguro que sacaste muy buenas notas en filosofía.

—Todos lo hicimos, es la única asignatura que no puedes suspender; era la asignatura de letras en la que se matriculaban todos los aspirantes a estudiantes de medicina. Pero la física cuántica tiene que ver con el *cómo*, no con el *por qué*. Ahora, háblame de la fantástica cita que tienes con ese tío bueno.

Llegan más martinis.

—En realidad, no sé nada de él. Es crítico gastronómico, es el hijo de Frankie, es mi casero, vino a ayudar con la inspección del ayuntamiento, está...

—Entusiasmado.

—No sé yo. Cuando lo conocí, tenía una cita con «Miss Casi Adolescente»; no se va a interesar por alguien con arrugas. Probablemente solo quiera hablar del restaurante y hacerme saber con tacto que no van a ampliar el contrato de arrendamiento.

—Vaya, veo que las afirmaciones positivas te están funcionando bien.

—Tú no crees en eso.

—Antes no, pero creo en la neurociencia, y puedes activar las mismas neuronas pensando en el futuro que en el pasado, así que ¿por qué no imaginar algo bueno sobre el futuro?

De alguna manera, cuando Polly dice cosas como esas, tienen sentido. Cuando cumplí trece años, mi madre me regaló un ejemplar de *Usted puede sanar su vida* de Louise Hay, que guardé rápidamente en un estante y nunca leí. Ese mismo año, mis abuelos me regalaron un álbum de fotos de la familia real, que, también sin leer, fue a parar directamente al estante junto al otro libro. Lo que yo quería era una bicicleta nueva. Y esa afirmación no se hizo realidad.

Hablar de Charlie me pone nerviosa, porque hay un tema —un fantasma en el restaurante— que no sé cómo abordar. No consigo pensar en Charlie sin pensar en Frankie, lo que me hace sentir como un personaje de una farsa.

—¿Echas de menos a Leith? —Gracias a Dios, Polly ha interrumpido mis pensamientos.

—No he tenido tiempo ni ganas de pensar en él —respondo con sinceridad.

—Ahí Maia metió la pata. No ha ido a yoga desde que se liaron.

—Leith tiene ese efecto en las mujeres. Yo también perdí la cabeza cuando lo conocí.

—Brindo por eso.

Bebemos… y bebemos…

Más tarde, nos dedicamos a divagar mientras nos bebemos una buena botella de pinot. Me encantan los martinis y me encanta el vino tinto. Por desgracia, el sentimiento no es recíproco, y la combinación de ambas bebidas sumada al estrés y la falta de sueño hace que no me dé cuenta de que tengo la boca pastosa ni que se me ha desenfocado la vista como si fuera una peli de Jessica Lange de los ochenta.

—Ninguna relación dura —declaro con tono morboso mirando mi copa de vino medio vacía. Muerdo un crostini envuelto en prosciutto y se me cae la mitad en el regazo.

—Por el amor de Dios, ¿por qué estás siendo tan negativa? —dice Polly mientras me rellena la copa. Parece mucho más sobria que yo, aunque hemos bebido la misma cantidad.

—Vale, ¿cuántas parejas realmente felices y fieles conoces?

—¿Tenemos que hacer esto?

—*Shhh*, sí. ¿Sabes cuántas conozco yo? Una. Mis abuelos. Y tal vez Julia y Ken, y para de contar. De entre toda la gente que conozco, ellos son los únicos. Los únicos.

—Luce, creciste en una comuna, ¿qué esperas?

—¿Tus padres son felices?

—Mierda, no. Bueno, mi madre está muerta, como ya sabes; pero, cuando estaba viva, eran un desastre. Siguieron juntos por nosotros, y porque mi padre era demasiado tacaño para desembolsar pasta para divorciarse.

—¿Lo ves? Y tu hermana está divorciada. Tú estás soltera. Venga, en serio, la vida es un páramo de corazones rotos y almas heridas y luego te mueres y te quedas atrapado en un mundo en el que no puedes tragar.

—¿Tragar qué?

—Comida.

—Conozco un montón de parejas geniales.

—¿Como quién?

—He conocido a un montón en el trabajo.

—Pero esa gente está enferma o se está muriendo. Todo el mundo se porta bien entonces.

—O tal vez la verdad sale a relucir.

—Pero uno de ellos está a punto de estirar la pata. ¿Qué sentido tiene?

—Que el amor que das equivale al amor que te llevas.

—No me cites a los Beatles cuando estoy enfadada.

—Hay parejas cuyo amor me hace creer en la bondad del ser humano. Las que están ahí preocupándose, cuidándose y apoyándose sin importar lo que haya pasado. Y no solo un día; puede prolongarse semanas, meses, a veces años de forma intermitente. Eso no puede ser fingido.

—Pero se han dado cuenta de lo que tenían demasiado tarde, ¿no? —sostengo—. Se les acaba el tiempo.

—Como a todos, cielo. Lleva al tío bueno al cine. Demasiada conversación durante la cena apaga la pasión, sobre todo si estás tan lúgubre como ahora.

—No estoy lúgubre. Ir al cine lo convierte en una cita real.

—¿A diferencia de una reunión para planificar el presupuesto?

—No estoy lista.

—Ya no sentías nada por Leith dos años antes de dejarlo.

—Necesito estar sola para aclarar mis ideas antes de estar lista para conocer a otra persona.

—Has estado sola mucho tiempo mientras estabas casada. Además, yo no apoyo ese dogma. Conoces gente cuando la conoces. Si hay una conexión y estás libre, deberías seguir adelante.

—No quiero que me vuelvan a romper el corazón nunca más.

—No estoy segura de que eso dependa completamente de ti.

—¿Qué hay de ti y ese cirujano?

—Está bueno, pero creo que solo quiere divertirse un poco. Habla de sí mismo en tercera persona, lo que suele ser un indicio para reconocer a un imbécil.

—¿Alguna vez has estado real, profunda y absolutamente enamorada?

—Todavía no. Pero lo haré.

Polly lo dice con tanta convicción que no me cabe duda de que es verdad. Pero se me están empezando a cerrar los ojos…

El resto de la noche se limita a un vago viaje en taxi y promesas de amistad eterna y llegar al núcleo de la existencia, sea lo que sea lo que eso signifique.

Cuando por fin me acuesto con los dientes manchados de burdeos, siento que la habitación gira a mi alrededor. Me tomo medio vaso de agua y duermo con un pie en el suelo, un truco que me enseñó mi primer jefe para intentar que la cabeza deje de darte vueltas. Mis últimos pensamientos, antes de que el alivio del olvido etílico al fin se apodere de mí, tienen que ver con Frankie. Frankie y ¿qué canción era...?

40
Frankie

Por lo general, cuando las mujeres se adentran en la noche con esa actitud se proponen cantarle las cuarenta a un ex, tener sexo por venganza, desahogarse con una amiga, gastarse una fortuna en un vestido o hartarse de cócteles… o una combinación de todo eso.

Ojalá hubiera podido ir con ella.

41

Lucy

La alarma, que de algún modo tuve el sentido común de pedirle a Polly que activara en mi móvil antes de bajarme del taxi, suena apenas unas horas después. Me despierto con excrementos de pájaro en la boca, el corazón palpitante y una jauría de perros aullando en mi cerebro. El recuerdo de este tipo de resacas es lo que me impide beber demasiado la mayoría de las veces.

Aunque no anoche. Me siento mal: sudorosa, mareada y a punto de vomitar. Todavía tengo la vista borrosa, lo que significa que probablemente sigo borracha. Espero estar lo bastante sobria como para conducir, pienso mientras cargo la nevera portátil y el hielo en el utilitario, chupando un cubito. Por suerte todavía está oscuro, aunque el amanecer se va abriendo paso poco a poco por el horizonte mientras conduzco hacia el oeste en dirección al mercado.

Es un hecho reconocido universalmente que una mujer con una resaca tan fuerte y espantosa como la mía no debería estar en el mercado de Sídney la mañana de la subasta anual de cerezas que señala el inicio de la nueva temporada. Por desgracia, este hecho se ve reforzado por la cruda realidad del mercado, que ha abierto pronto este año, y la locura de las cerezas que parece haberse apoderado del público general. Siguiendo esta antigua tradición, muchos de los productores de cerezas acuden al mercado para ver cómo sus ganancias aumentan o disminuyen en función de la calidad de la cosecha y sus ventas. El primer día de la venta de cerezas es como los Oscar del mundo de las frutas y verduras. Este día en concreto coinciden aquí chefs famosos, escritores sobre gastronomía con libros recién publicados, personalidades de la televisión matutina y meteorólogos.

Cuando por fin llego, el mercado ya está abarrotado; pero, por suerte, mis proveedores habituales me han reservado algunos de los productos de más calidad, sobre todo unas alcachofas impresionantes.

Y luego viene el tema de las cerezas. Un fotógrafo pasa y me pide que pose para una foto rápida con Peter, uno de mis productores favoritos. Detrás de los gruesos cristales de las gafas de sol, intento sonreír y tengo que tragar saliva con fuerza para evitar que el vómito salga disparado como un proyectil. Entonces los veo en el centro de la multitud: Leith, descansado y resplandeciente, con Maia a su lado, anunciando su nuevo restaurante, de *ambos*, que al parecer llevaban planeando nueve meses, pero que habían mantenido «en secreto hasta ahora». Un proyecto en Pyrmont: Square One, un hermanito pequeño para el Circa. Un destello de *flashes* de cámaras. Me acerco a ellos con la esperanza de que, si acabo vomitando, sea en la cara de Leith. Él me ve, pero no se le borra la sonrisa para las fotos.

—¿Nueve meses, Leith? ¿Estabais embarazados y no me había enterado?

—Tú no me contaste lo de tu Fortuna —replica él.

—No me diste tiempo. Acababa de empezar a planearlo y, horas después, empezaste a *tuitear* sobre el tema.

—Lo mismo digo —comenta él con una risita pensada para dar la impresión de que somos buenos amigos.

Maia parece contrita. Mi estómago ruge.

—Pareces a punto de echar la pota, y apestas a alcohol.

Leith sigue sonriendo.

—Tiene gracia, viniendo del monstruo de las galletas de hachís.

Maia se disculpa y se marcha a toda prisa. Las sonrisas acaban. Gracias a Dios, joder.

—¿Ves lo que has hecho? La has disgustado.

—Simplemente, dime una cosa: ¿por qué protestaste tanto cuando me fui, incluso me obligaste a ir de vacaciones contigo y no dejabas de hablar de reconciliarnos, si ya tenías todo esto planeado?

Leith no responde. Una cereza gigante de tamaño humano se acerca y me entrega una bolsa con muestras de fruta. Se me revuelve el estómago.

—Tengo que terminar la compra —digo.

—Sí, bueno, yo también estoy bastante ocupado.

—¿En serio? Oí que te estabas tomando un pequeño descanso mientras arreglan las cañerías del Circa.

Leith saluda con la mano a unos periodistas que se acercan.

—Te estás hundiendo sin mí para mantenerte a flote. Mírate, estás hecha un desastre.

A continuación, se dirige con paso decidido hacia su siguiente oportunidad de promocionarse. Cuarenta y ocho horas parecen haberlo transportado directamente a la fase de ira. Solo espero que su nuevo restaurante lo mantenga ocupado. Y, seguramente, solo es cuestión de tiempo que acabe presentando un *reality show* en la tele.

Cuando al fin aparco delante del Fortuna, soy una masa de sudor frío y remordimiento deshidratado. Bill, que está tomando el sol fuera del restaurante, me observa bajar del coche y cargar con la nevera portátil.

—Tienes mala cara.

Eso es significativo viniendo de Bill, que casi nunca pierde de vista su botella de jerez. Debo de tener mala pinta, porque me ayuda a descargar las cosas, aunque sigue sin atreverse a entrar en el restaurante.

Frankie me está esperando. Me examina de arriba abajo.

—Necesitas acostarte en una habitación oscura y luego tomarte mi remedio.

A estas alturas, me cuesta hablar, pero logro asentir con la cabeza. Saco los productos de las bolsas.

—¿Qué hay esta noche?

—Cerezas, alcachofa…

Eso es todo lo que consigo decir antes de huir al baño a vomitar. Cuando regreso, Frankie se pone al mando.

—Carpaccio de ternera con corazones de alcachofa, pithivier de cerdo con guarnición de judías al vapor y cerezas *jubilee*… No, espera, pastel de cerezas con helado de crema fresca y vainilla para culminar. ¿Estás de acuerdo?

Me las arreglo para asentir otra vez.

—Bébete tres vasos de agua tibia con un paracetamol, cómete una galleta salada y luego llama a Serge y dile que venga antes y te prepare la Poción Resucitadora de Frankie. Luego ve a tumbarte debajo de la mesa ocho. Hay una manta en el armario, junto a los manteles que lavó Julia.

Tengo demasiada resaca, así que, simplemente, obedezco. ¿En qué estaba pensando para cogerme una cogorza con Polly teniendo que trabajar al día siguiente? Solo me emborracho una vez al año, y nunca en un día laborable. Dios, mi cabeza.

Reaparezco dos horas después. Serge me controla mientras ingiero un mejunje del color de la salsa Worcestershire y con la consistencia de las natillas. Percibo que contiene huevo, chile, limón, anchoa y beicon. Cuando me lo termino, Serge y Frankie asienten con satisfacción.

—Oh, Dios...

—¡No, no lo vomites! Mantenlo dentro. ¡Vamos, mujer, controla ese tracto digestivo! —me ordena Frankie.

Aprieto la mandíbula y aguanto.

—Respira, chef —me indica Serge, moviendo las manos con fluidez para marcarme el ritmo, y, a pesar de las náuseas, me fijo en que se ha cortado el pelo y se ha afeitado.

La poción resucitadora y mis tripas se asientan y, milagrosamente, menos de una hora después, ya no estoy tan hecha polvo. Aun así, Serge se hace cargo de la cocina. Frankie se sitúa a su lado, diciéndole qué hacer, y, con cinco segundos de retraso, Serge se repite en voz alta las indicaciones de Frankie, recordando.

—Dóblalo hacia adentro despacio.

—Debo doblarlo hacia adentro despacio.

Me limito a asentir y recordarle cantidades y tiempos de cocción mientras bebo despacio otro brebaje con un montón de ajo que supone la segunda parte del remedio de Frankie.

—Apuesto a que no echas de menos las resacas —le murmuro a Frankie cuando Serge está en la cámara frigorífica.

—En realidad, sí. Acabé teniendo demasiadas, por supuesto, como suele pasar: bebes para curarte la resaca en lugar de disfrutar del vino. Pero una resaca como Dios manda en el momento apropiado es una bendición.

—No sé de qué hablas.

—Es como un incendio forestal: arrasa con todo y limpia las telarañas, incrementa tu humildad, puede ayudarte a empezar de cero, como si reiniciaras.

—No estoy segura de que a mí me haya servido. Leith estaba allí esta mañana, era el primer día de venta de cerezas. Va a abrir otro restaurante, con Maia, llevaba planeándolo casi un año.

Frankie parece desconcertado.

—¿Y qué? Ya no puede hacerte nada.

Me doy cuenta de que es verdad. Yo soy la que se marchó. Quiero recuperar la antigua silla Eames de mi abuelo que está en el apartamento que compartíamos y se me debe algún tipo de compensación por el Circa, pero hoy no.

—Consigue lo que se te debe y pasa página. En mi opinión, deberías dar gracias al cielo.

Asiento mientras Julia entra.

—Llegas pronto.

—Y menos mal, estás hecha un desastre. ¿Una buena noche?

—Polly y martinis. ¿Estoy muy mal?

—Estás mucho mejor que antes —señala Frankie, complacido con el efecto de su poción.

—¿En una escala del uno al diez? —dice Julia—. Menos tres. Supongo que necesitabas descargar un poco de estrés.

—Tenía muchas cosas en la cabeza.

—Ya lo sé, cielo. ¿Y cómo te sientes ahora?

—Como la carta de ajuste de la tele.

—Bien. —Frankie está impresionado.

—En ese caso, este es el momento perfecto —anuncia Julia.

—¿Para qué? —pregunto.

—Una intervención.

—Jules, hace falta más de una persona para que sea una intervención. Y fue solo una noche.

—No se trata de que anoche te emborracharas, aunque no lo conviertas en un hábito.

—¿Entonces?

—Sara me llamó. Dice que la estás evitando y que por eso saliste de fiesta.

—Ay, Dios.

—¿La estás evitando? Me refiero a más de lo habitual. Dice que tú sabes por qué.

—¿*Tú* sabes por qué? —contraataco.

—¿Por su romance con Ewan?

Frankie se echa a reír a carcajadas y Serge reaparece.

—¿Ewan? —pregunto, confundida.

—Al parecer, le gustan las mujeres mayores. Pobre Katherine.

—¿*Qué?*

Julia asiente, muy convencida.

—Le envió un poema. Se lo metió por debajo de la puerta anoche. Sarah dice que está escrito en pentámetro yámbico… en su mayor parte.

—¿Qué? ¡No, fue Serge! ¡*Serge* es el que se ha encaprichado de mamá, no Ewan!

Las risitas de Frankie resuenan en la cocina y en mi cabeza.

Serge parece afligido y celoso.

—¿Sara está haciendo el amor con Ewan?

—¡Nadie está haciendo el amor con mi madre! Serge, ¿firmaste el poema?

—No pensé que fuera necesario, por supuesto que es mío.

—Lo escribiste en una página del manual de Ewan.

—Buen trabajo —se burla Frankie.

—No ha decidido responder al poema, ¿no? No está persiguiendo a Ewan, ¿verdad? —le pregunto a Julia mientras me viene a la mente una horrible visión.

—No, dice que Ewan no tiene suficiente vello facial para su gusto. Serge, todavía tienes posibilidades, pero solo si no interfiere con tu trabajo aquí.

Serge hace una reverencia.

—Nada puede interponerse entre nosotros.

—¿Entre mi madre y tú?

—No, entre el restaurante y yo. El Fortuna, tú, Frankie… Soy tuyo primero.

—Pues que siga así. —Julia usa la misma voz de maestra severa que emplea conmigo, y que surte un efecto estupendo—. Ahora, en cuanto a ti —continúa, mirándome fijamente—. Tu madre dice que no puedes evitarla a ella ni a la verdad y que ambas lo sabéis. Supongo que se refiere a que se cree que todos los hombres del mundo la desean, ¿no?

Asiento, aunque sé muy bien a qué se refiere mi madre en realidad. Intento no mirar a Frankie.

—De todas formas, va a venir luego a echar una mano.

—¿Qué?

—Como si estuvieras en condiciones de rechazar ayuda. Puede sacarle brillo a las copas o algo así.

Serge comienza a silbar.

—Ahora, ve a arreglarte y ponte a trabajar.

—Te sigo, fiera. —Frankie me guiña un ojo. Le devuelvo el gesto.

—¿A qué ha venido eso? —Julia frunce el ceño—. ¿A quién le estás guiñando el ojo?

—A mi destino.

Otra ventaja de las resacas es que simplifican tus palabras y te aclaran las ideas.

Pastel de cerezas

Ingredientes

- 4 tazas de cerezas frescas (después de seleccionarlas, enjuagarlas, comprobar su calidad y escurrirlas bien)
- 2 cucharadas de harina de maíz
- ⅔ de taza más 2 cucharadas extra de azúcar (azúcar moreno va bien)
- 2 cucharadas de zumo de limón fresco (aproximadamente ½ limón)
- 1 taza de harina
- 1 cucharadita de levadura en polvo
- ½ cucharadita de sal
- 85 gramos de mantequilla fría, picada en trozos grandes
- ½ cucharadita de ralladura de limón
- ½ cucharadita de romero fresco picado

Elaboración

Precalienta el horno a 170 °C.

En un cuenco lo bastante hondo como para contener las salpicaduras, corta las cerezas, desecha los huesos y conserva las frutas y cualquier zumo que hayan soltado. Luego añade la harina de maíz, ⅔ de taza de azúcar y el zumo de limón y remueve con suavidad hasta que se mezclen.

En un cuenco pequeño, combina las 2 cucharadas restantes de azúcar, la harina, la levadura, la sal y la mantequilla. Amasa la mezcla con los dedos hasta que adquiera la consistencia de migas de pan. Luego añade ¼ de taza de agua hirviendo y revuelve con una cuchara de madera hasta que los ingredientes se mezclen.

En una fuente para el horno de calidad, calienta la mezcla de cerezas hasta que empiece a burbujear. Retírala del fuego. En cuanto las burbujas hayan desaparecido, unta cucharadas colmas de masa sobre las cerezas. A continuación, espolvorea la ralladura de limón y el romero por encima. Hornéalo en el centro del horno entre 45 y 50 minutos o hasta que la parte superior esté dorada.

Sirve el pastel con helado de vainilla de calidad. Prepárate, porque querrás repetir.

42
Frankie, 1982

Tengo una resaca de campeonato, como si una jauría de perros del infierno aullara dentro de mi cabeza. Mis pobres y doloridos ojos se esfuerzan por abrirse y enfocar a Paul y sus jefes.

Empiezo a recordar fragmentos de una noche que comenzó hace tres días y acabó convirtiéndose en una borrosa sucesión de apuestas perdidas y putas aderezadas con polvitos blancos para la nariz. Escucho el golpeteo de sus tacones por la calle. Una de ellas le desea a su cliente de esa noche feliz cumpleaños y suerte para volver a Watsons Bay sin la cartera. Otro recuerdo desciende hacia mí como si fuera un pétalo: Jim llama a las damas de la noche y luego les exige un descuento porque ha tomado tanta coca que no se le levanta.

—Buenos días, caballeros —intento decir mientras un torrente de vómito brota de mis entrañas y cae sobre mis sábanas manchadas.

Recuerdo que el juez Simon, el colega de Bill, también estaba allí. Su especialidad consiste en practicar el *cunnilingus* frente a sus amigotes, instruyéndolos sobre la marcha. Él lo considera una especie de servicio comunitario. Aunque daba la impresión de que la pobre Vera preferiría estar investigando su árbol genealógico en lugar de servir como modelo para los entretenimientos orales de la élite política y legal de Sídney. Espero que le cobrara lo suficiente.

Ninguno de ellos parece muy contento de verme esta mañana. Y, sin embargo, los últimos días han sido un continuo recital de indulgencias orgiásticas.

—Tienes que firmarlo, Frankie.

—¿Qué es eso, Clive?

El bueno de Bill me advirtió sobre estos tipos antes de largarse. Me dijo que me mantuviera alejado de ellos. No le hice caso. Han pasado más de dos años y todavía no hay indicios de que vaya a regresar. Se rumorea que ahora vive en la calle. No tiene por qué hacerlo, pero lo hizo de todas formas. Siempre con una botella en la mano. Mis adicciones me llevan en la misma dirección.

Idiota.

—El contrato para el restaurante.

—Iros a la mierda.

—Debes ochenta mil dólares, Frank.

—Aun así, no estoy ni la mitad de jodido que tú cuando llegues a casa, Jim. ¿Le contarás a tu mujer lo del trío con las chicas antes o después de soplar las velas de tu tarta? Muchas felicidades, por cierto —me burlo.

—Estás acabado, Frank. Nadie te venderá en el mercado, haremos que cada noche el restaurante esté más desierto que un cementerio.

—¿Por qué os interesa tanto, amigos? —pregunto—. Es un sitio muy pequeño.

—Está afectando a los demás negocios de la ciudad. Y lo sabes.

—Pasará lo mismo dondequiera que vaya, porque la mayoría de los chefs de por aquí no saben diferenciar una *brûlée* de un moscardón.

—Pero es que no vas a trabajar en ningún otro sitio. Te vas a tomar una excedencia. ¿O prefieres abrir un restaurante de comida rápida en Ulladulla? —sugiere Jim.

—Y a la mujer de Clive le apetece abrir una tienda de ropa, así que necesitamos el local —argumenta Simon.

—Ah, ya veo. Una *boutique*. ¿Por qué no lo dijisteis antes? Me gusta Tracy.

Hay cuatro de ellos reunidos alrededor de mis sábanas empapadas de vómito. Estoy desnudo, algo que les resta fuerza a tus argumentos en una negociación.

—Me gusta su estilo —añado.

Clive asiente con la cabeza, orgulloso a pesar de que se ha pasado la noche sodomizando a otro abogado llamado Keith.

—Me gustó sobre todo esa falda cruzada, creo que era azul y verde... Le quedaba espectacular subida alrededor de las orejas cuando me la follé en mi cocina la semana pasada y ella aullaba agradecida porque alguien que sabía follarla por el orificio correcto la había hecho correrse. En serio, Clive, te habría venido bien tomar notas durante la explicación de Simon; aunque, claro, él se considera el rey del *cunni* porque tiene la polla más pequeña que el tampón de una virgen.

El primer golpe siempre es el peor. Después de eso, experimentas una extraña sensación de liberación espiritual cuando te dan una buena paliza. Optan por no matarme. A estas alturas, sus niveles de corrupción ya están suscitando rumores en la ciudad, así que el hecho de que yo aparezca muerto poco después de ser visto con ellos causaría un gran revuelo. Pero quieren deshacerse de mí. De eso no me cabe ninguna duda.

Golpes, patadas y puñetazos; por suerte, ninguno de ellos sabría manejarse en una pelea decente y no los acompañan sus matones. Además, a ellos también se les notan los efectos de tres días de indulgencias carnales. Pero mi continua presencia en sus vidas es como una espina clavada en su costado colectivo, tan bienvenida como un libro de poesía en una gran final de rugby.

El gran crimen que he cometido no es extender mis desenfrenados apetitos a sus refinadas esposas, sino mi verdadero talento: mi forma de cocinar. Mi cocina le ha proporcionado a mi restaurante un prestigio que los tugurios que ellos poseen no pueden comprar, intercambiar ni robar. Mi presencia culinaria ha elevado el listón, cuando lo único que ellos quieren es mantener un monopolio mediocre. Se han ofrecido a comprarme el negocio y volver a contratarme por cantidades exorbitantes de dinero, pero la idea de tener que decirle «Sí, jefe» a cualquiera de ellos me resulta intolerable.

Otro motivo (—y, si soy sincero, tal vez el mayor— por el que están preocupados es el hecho de que mi pequeño y destartalado restaurante se encuentra demasiado cerca del gran proyecto que están planeando construir en el muelle abandonado. La enorme y cavernosa nave, que ya no se emplea para esquilar ni para desplegar tropas puesto que ya no hay ninguna guerra mundial, se encuentra en muy mal estado. Los planes de estos hombres, que con sus contactos seguramente recibirán el visto bueno del gobierno estatal, se extenderán por el vecindario circundante. La *boutique* de Tracy, por supuesto, será una de las numerosas tiendas situadas en la entrada del gigantesco casino.

Tendrán que comprarles sus viviendas a los demás residentes de la calle. Pero los contactos de mis amigos, tanto en la administración local como en el sector político estatal, pueden solucionarlo. Por no mencionar el realojo de los residentes en las viviendas públicas, a los que sin duda trasladarán a calles desconocidas y sin infraestructuras en una de esas urbanizaciones de mala muerte en las que están metiendo a los pobres en el oeste. No pienso formar parte de esto.

Soy como una hemorroide en sus vidas, la almorrana de sus aspiraciones colectivas.

Más tarde, a uno de ellos debe haberle entrado el pánico al pensar que me habían matado a golpes. Aparece Serge de pronto, me cubre con una manta y me lleva al hospital St. Vicent. Me dan el alta a tiempo para preparar la cena esa noche, aunque estoy hecho un cristo y me faltan dos dientes.

Me sorprende haber vivido tanto tiempo. Siempre lo llevo todo al límite, más por curiosidad que por indiferencia por mi vida; pero el hecho de haber superado los treinta años supone una grata sorpresa para mí. No me malinterpretes, no tengo ningún deseo de morir. Me encanta la vida. El problema es que me gusta tanto que he exprimido la mía hasta agotarla.

43
Lucy

La velada transcurre sin incidentes. No es para tirar cohetes, pero, entre preparar los platos y evitar que mamá me pille charlando con Frankie, la cena absorbe toda mi atención.

En todo caso, esto me ha hecho sentirme más agradecida por el destartalado equipo del que me he rodeado. Incluso mamá hace bien su parte, que es bastante simple, todo hay que decirlo: sacarles brillo a unas cuantas copas, cortar hierbas y espolvorearlas sobre la comida mientras Serge proclama que es un genio.

Creo que muchas personas trabajan en restaurantes porque les da la sensación de estar en familia. Las familias y la comida son intercambiables en muchos sentidos. Las comidas que compartes son lo que define tus relaciones. Trabajar con un grupo de personas que, por el motivo que sea, consideran que la comida es lo bastante importante como para prepararla y servirla bien te hace sentir que formas parte de un clan.

Serge, que recita recetas mientras las prepara y les canta a sus tartas para asegurarse de que crezcan. Hugo, que comprende la importancia del servicio cohesivo, de intuir los gustos y las necesidades de la gente, y que viene de una familia en la que la hora de comer está relacionada con atender y amar. Julia, a la que le encanta comer con la gente a la que quiere, aunque no le guste demasiado compartir el postre. Y mi madre, que a lo largo de los años ha mantenido una relación algo errática con la comida y todo lo relacionado con ella, pero le gusta que la atiendan y nunca rechaza un dulce. Y luego está Frankie, con el paladar de un mesías y una devoción por la cocina comparable a la de la Madre Teresa por los pobres. La comida y la creación de nuevos platos están indisolublemente ligadas a su ADN.

Así ama y así trabaja, y no puede dejarlo, y probablemente por eso no puede marcharse.

Siento como si me hubieran dado un puñetazo en el estómago. No quiero que se marche. Nunca. Durante estos últimos días, horas, sea cual sea la cantidad de tiempo, aunque soy consciente de que ha sido limitado, los platos que he compartido, creado, servido y consumido junto a Frankie han elevado mi amor por la comida, y por la cocina, a un nivel completamente nuevo. Estar con él me hace sentir en casa. Y la alegría que esto me produce está intrínsecamente ligada a su presencia, aunque sea solo en mi mente y no en mi mundo.

El problema, por supuesto, radica en mi cita con Charlie y el hecho de que Frankie no acaba de decidir si quiere emparejarme con él o no. Sin embargo, aunque lo intente con todas mis fuerzas, no consigo imaginármelo como algún tipo de figura paterna en mi mundo. Se está convirtiendo cada vez más en mi inspiración.

Vi *El invisible Harvey* con James Stewart cuando era niña, y me encantó. También aprendí a bailar en claqué *Me and my Shadow*. Comprendo por qué el alma solitaria conecta con el ser inexistente —aunque sea un conejo— y, tras aprender la lección, el amigo imaginario se marcha. Si estuviera escribiendo esto como si fuera un cuento de hadas, la lección consistiría en lograr que el restaurante triunfe y aprender a tener una relación saludable con un joven encantador como Charlie, en lugar de con un imbécil sediento de poder como Leith. Y luego me casaría con Charlie, abriríamos una franquicia, la llamaríamos Frankie's y viviríamos felices para siempre. El problema es que odio las franquicias, y estar con Frankie es mi parte favorita del día. Esto, por supuesto, no son más que divagaciones debidas a la resaca y haría bien en ponerles fin de inmediato. No estoy lista para tener una relación con nadie, sea mortal o no. Y sin embargo...

El domingo pasa en un santiamén, el *coq au vin* es un éxito y, antes de darme cuenta, llega el lunes y mi cita con Charlie.

Entro en el restaurante para realizar algunos preparativos para mañana, revisar los suministros y ver a Frankie.

Él no está de muy buen humor.

—¿Qué hay en el menú?

—Ya lo hemos repasado.

Frankie suelta un gruñido.

—Me refiero para esta noche… con Charlie.

—Oh, eh… Creo que solo vamos a comer algo por ahí y luego ir al cine.

—¿Vais a ir al cine en una cita? Dios mío, me cuesta creer que sea mi hijo.

—¿Qué tiene eso de malo?

—Evita la intimidad.

—¿Prefieres un aumento de intimidad?

Frankie no me responde. Me he fijado en que lo hace a menudo. Finge que no me ha oído y luego saca un tema interesante pero que no tiene ninguna relación con lo que estábamos hablando. El método de distracción perfecto. Se cree muy listo.

—Los melocotones que cultivan en una pequeña aldea cerca de Saint Paul de Vence son incomparables si quieres elaborar la mejor crostata de melocotones con zabaione.

—Frankie, ¿quieres que salga con Charlie?

—Estuve allí unos días después de hacerme amigo de Bjørn, que me dio la dirección de un pariente con el que podría quedarme. La apuntó con su preciosa letra en un trozo de su cuaderno de dibujo. Todavía la tengo en algún sitio. Quizá esté en el recetario. ¿La buscamos? Creo que es importante que la veas.

—¿La dirección?

—La letra.

—¿Quieres que vaya a cenar con Charlie esta noche?

Esta vez, se digna escucharme.

—¿Que si quiero que tengas una vida más allá de estas cuatro paredes? ¿Eso es lo que me estás preguntando? Querida, debes hacer lo que te apetezca, aunque no me parece que pasarte dos horas encerrada en una sala oscura con alguien a quien no conoces viendo tonterías en una pantalla sea demasiado apetecible.

—Vaya, qué romántico eres.

—Me he magreado unas cuantas veces en un cine. Y sí, antes de que lo preguntes, me gustan las películas. *E.T.* es una obra maestra.

¿De dónde ha salido este tío? Siento que la rabia me sube por la garganta y, cuando hablo, mi voz suena fría y cortante.

—A mí me parece que está bien que nos hagamos amigos. Después de todo, *es* tu hijo.

—Amigos, amantes, cónyuges —canturrea él con tono burlón—. Haz lo que te dé la gana… y luego regresa y ayúdame a averiguar quién me mató.

—¿De verdad no te importa? —lo reto.

—Lucille, no me estarás pidiendo la mano de mi hijo en matrimonio, ¿verdad? —me espeta.

En este momento lo odio. Me invade la ira y me dan ganas de abofetearlo. Quiero sentir mi mano contra su mejilla, mi piel sobre la suya. Oh, Dios, me saca de quicio.

—Tal vez tengamos una de esas citas que duran doce horas… o incluso doce años.

—Mientras acabes volviendo para hacer tu trabajo y cumplir tu promesa… —Vuelve a ser la compostura personificada.

—¿Eso es todo?

—¿Esperabas otra respuesta, Lucille?

Muevo los productos bruscamente en los estantes de la despensa y luego termino de hacer el hojaldre a toda prisa. Él se sienta en la mesa de trabajo y me observa sin hablar, para variar.

Ninguno está dispuesto a ser el primero en dar su brazo a torcer.

Frankie me sugiere una alternativa al hojaldre, que ignoro. ¿Por qué estoy tan cabreada?

Cuando termino, supongo que me lanzará en cualquier momento un comentario arrogante, pero no, ni una palabra. Limpio las mesas de trabajo. Nada. Cojo mi bolso. Nada. Apago las luces y cierro la puerta. Nada de nada.

44
Frankie

Por el amor de Dios, esta es la reina indiscutible de las relaciones complicadas. Podríamos representarla en la Acrópolis.
Lo que Lucille no escucha, porque está demasiado decidida a seguir de mal
humor, es mi voz diciéndole mientras se marcha:
—Mientras acabes volviendo conmigo.

45
Lucy

Prepararse para una cita que no es una cita es divertido…, ¿verdad? Entonces, ¿por qué la alegría me ha abandonado por completo? Tener una relación íntima e intensa con un fantasma tiene desventajas. Por ejemplo, no hay ninguna esperanza de que me escriba un mensaje, me llame o me envíe un correo electrónico para disculparse o que se presente y me diga: «Oye, soy un idiota, un tonto, por supuesto que no deberías salir con mi hijo… Estoy enamorado de ti». Ya, ¿y luego, qué? ¿Cómo íbamos a consumarlo? La idea de besar a un fantasma, de tener sexo con un fantasma, no es demasiado atractiva. Pero ese es el problema: Frankie me parece tan real que una parte de mí está furiosa con él por no agarrarme y besarme. Esto es imposible.

La indignación me hace conducir hasta Paddington y entrar en Scanlan Theodore, mi *boutique* favorita en el mundo. No puedo permitirme nada de lo que hay en la tienda, por supuesto, pero supongo que echar un vistazo no hace daño. Yo lo considero terapia de compras visual. Oh, qué tontos somos cuando nuestros deseos entran en juego. Una vez dentro de la tienda, me encuentro de nuevo ante el fresco encanto del suelo de hormigón, la distancia perfecta entre cada una de sus prendas bellamente diseñadas, los enormes probadores…, aunque no es que vaya a entrar en ninguno. Y entonces lo veo: el vestido de mis sueños, el vestido perfecto para la cita que me gustaría tener. Tal vez sirva para salvar la distancia entre mis dos mundos.

Hace siglos que no me compro ropa. Estoy ahorrando para la fianza de mi próximo apartamento, y además hay que recoger los dibujos que llevamos a enmarcar…, aunque Matthias Drewe se ha ofrecido a pagar la factura a cambio de poder usarlos en la retrospectiva que está preparando. Toco la seda resplandeciente y, como si fuera un hábil mago, el tacto de la tela borra todo rastro de estrés y tensión. Decido que sería una tontería no probármelo. El vestido con cinturón, de un suave tono café, me arrulla mientras lo llevo al probador. Jay, la dependienta (que estudia arte y siempre está alcanzando nuevos niveles de comprensión mutua y éxtasis orgásmico con su sexi novio diseñador de joyas), me ayuda. Me subo la cremallera, salgo, me miro en el espejo principal y veo, dejando a un lado el agotamiento y el cabello encrespado, una versión más feliz de mí que hacía años que no veía. Hace tanto tiempo que no me gusta quién soy. A veces, un nuevo vestido de marca puede ayudarte a evolucionar. ¿Es posible que el hombre adecuado también pueda hacerlo? Sé que el plato adecuado no solo puede transportarte de regreso al pasado, sino también darte una idea de la vida que sueñas tener.

Llego a casa con el vestido en una bolsa y emprendo una especie de cambio de imagen. Hace demasiado tiempo que no permito que el acondicionador penetre en mi cabello, que no me aplico una mascarilla ni uso un rizador de pestañas. Por algún motivo, por mucho que me esfuerce por arreglarme, siempre parezco un tanto desaliñada. Supongo que soy una persona cinética: siempre tengo algún mechón rebelde o un botón que no se queda en su sitio. Pero esta noche no.

Mamá me inspecciona antes de salir.

—No te vendría mal alguna joya brillante.

—Así está bien, mamá.

—¿Adónde vais?

—Al japonés de Potts Point.

Me doy cuenta de que se esfuerza por no decir lo que está a punto de salir de su boca.

—De donde no hay, no puedes sacar, Luce.

—Mamá, solo nos estamos conociendo.

—Solo vas para intentar conseguir más información sobre Frankie. Ese vestido nuevo es para él, no para el pobre Charlie.

—No conoces a Charlie, ni yo tampoco. Por eso voy a…

—Es como solía decir el gurú: «Puedes huir de tu destino, pero no puedes esconderte».

—¿Y eso qué significa?

Mi madre muerde un brownie y lo medita.

—No sirve de nada que te engañes a ti misma.

—Por favor, no me digas que el corazón es un cazador solitario.

—No iba a hacerlo. Sabes muy bien que le tienes fobia a la intimidad. Pero estás apostando al caballo equivocado al salir con Charlie. No lo utilices.

Dios, cómo odio que mi madre tenga razón.

—Mamá, uno de los caballos es un fantasma.

—Que te está devolviendo a la vida. No seas tan sosa.

—Buenas noches, mamá.

Le doy un beso a la loca de mi madre y me voy.

El restaurante está situado enfrente de la fuente de Macleay Street. Es el lugar perfecto para llevar a alguien a quien no conoces bien, porque la barra de sushi ofrece una gran distracción. La comida también está magníficamente preparada y es muy, muy buena.

Charlie me está esperando. Está muy guapo con sus suaves rizos castaños enmarcando a la perfección su rostro masculinamente angelical. Se levanta para saludarme y me besa en la mejilla. Lleva un *blazer* entallado junto con camiseta y vaqueros y sus zapatos de cuero relucen. Al captar la fragancia de una colonia muy cara, me doy cuenta de que estoy buscando el aroma a asado de Frankie. Sin embargo, por derecho propio, Charlie es verdaderamente encantador.

—Pensé que sería mejor sentarnos en la barra, por si nos quedamos sin temas de conversación.

También es gracioso. Me gusta.

—Estás preciosa —añade.

Me gusta aún más.

El sake es un remedio ancestral para los nervios de una primera cita. Sé que es mejor si se sirve frío; pero a veces, cuando la ansiedad se dispara, el cálido consuelo de este licor de arroz te proporciona un aterrizaje suave. Pedimos un poco, y luego un poco más…

—Gracias por no llevarme al Circa.

—Bueno, eso sería una grosería. ¿Sabes que Leith va a abrir otro…?

—Sí, lo sé.

—¿Seguís siendo amigos? —me pregunta Charlie con tacto, asintiendo con gesto esperanzado.

—Es una forma de decirlo.

—Sé que Maia...

—Sí, a mí también me sorprendió. Pensé que la conocía, pero es evidente que me equivoqué.

Charlie se ríe.

—Sí, es raro, siempre decía que no quería tener hijos.

—¿Cómo dices?

—Fuimos juntos a la universidad y yo solía salir con una de sus amigas. Estabas hablando de su embarazo, ¿no?

Noto una opresión en el pecho mientras apuro el contenido de mi tacita de cerámica con forma de dedal.

—Claro. Sí. Es una gran noticia...

Se produce una pausa durante la cual es evidente que Charlie desearía poder dar marcha atrás.

—¿Leith no te lo contó?

—Los vi el primer día de venta de cerezas... ¿De cuántos meses está?

—Le están diciendo a la gente que de tres. ¿Cuánto tiempo lleváis separados?

Charlie sirve más sake. Parece preocupado.

Agito la mano en el aire en un esfuerzo por sacar un número de la nada.

—Bastante..., eh..., sí..., un tiempo. ¿Pedimos?

Nos ponemos manos a la obra mientras yo dedico un momento a hacer unos cálculos mentales básicos. Supongo que Leith no lo sabía cuando me propuso aquellas horribles vacaciones en Seal Rocks, pero su insólita aparición en casa de mi madre y su silencio absoluto desde la apertura del Fortuna ahora tienen más sentido.

Es extraño enterarte de que tu marido va a tener un hijo con otra mujer. Habíamos decidido no tener hijos, el restaurante era nuestro bebé. No me malinterpretes, no quiero volver con él. Supongo que, sobre todo, me siento estúpida. ¿Cómo no me di cuenta de que se había liado con Maia ni até cabos en el mercado? Incluso hice aquel comentario sobre un embarazo, por el amor de Dios. Soy una idiota. Esa pobre mujer va a estar atada a él de por vida. Tomo nota mentalmente de ponerme en contacto con el tío de Hugo y empezar a tramitar el divorcio enseguida. Quiero recuperar mi silla Eames, el resto de mi ropa...

—¿Te gusta la anguila?

Charlie me hace volver al presente repasando el menú con ojo experto. Dirijo la mirada al mundo del miso y el sashimi, aunque en mi mente dan vueltas fechas de calendario y pruebas de embarazo. ¿Maia lo habría planeado?

—El cangrejo es excelente —comenta Charlie.

—Sí, me encanta el cangrejo...

¿Por eso decidió quedarse, porque sabía que estaba embarazada? ¿Por qué no me lo contó? Aunque, claro, ¿cómo iba a hacerlo? Aun así no la odio, pero a él..., uf.

—¿Ostras?

Charlie tiene ahora toda mi atención: no confío en un hombre que no come ostras ni bebe de vez en cuando.

—¿Te gustan las ostras?

—Me apasionan. Y aquí les ponen...

—Infusión de wasabi. Sí, lo sé, es mi favorita.

Tengo sentado a mi lado a un hombre encantador. Un hombre encantador, soltero, vivo, guapo y al que le gustan las ostras. Vamos, Lucy, ¿a qué estás esperando?, deberías dar gracias al cielo.

—¿Creciste por aquí? —me pregunta.

Pero no puedo hacerlo. No puedo jugar a las primeras citas. No sé si es por Leith, o por Frankie, pero la idea de conocer el universo de otra persona y permitirle entrar en el mío —descubrir los éxitos y los fracasos de mi ser imperfecto— me da ganas de acurrucarme en un rincón y cubrirme la cabeza con una manta. Ay, Dios, mamá tiene razón otra vez: le tengo fobia a la intimidad y por eso me estoy enamorando de un fantasma. Recupera la compostura, Lucy, y respóndele al pobre hombre.

—Crecí en la costa sur con mis abuelos y en el norte, cerca de Casino, la mayor parte del tiempo en una comuna.

—Caray. ¿Y cómo era?

—Colorido. —Es lo que digo siempre cuando no quiero entrar en detalles. Vamos, Lucy, profundiza un poco—. Quiero decir que fue divertido y teníamos mucha libertad, pero había muchas cosas que no me gustaban, y la comida era asquerosa.

Charlie se ríe.

—¿Y tú?

—Mi infancia fue mucho más tranquila que la tuya, salvo por mi padre. Crecí en Cremorne con mi madre. Comíamos *risotto* una vez a la semana, que era mi habilidad culinaria, y patatas fritas después del colegio.

—¿Tu madre se volvió a enamorar?

—Sí. De Dave, un hombre muy tranquilo, lo opuesto a papá.

—¿Siguen juntos?

—Lo habrían hecho, pero Dave murió el año pasado.

—Lo siento. ¿Estabais unidos?

—Supongo. Me gustaba porque era todo lo que no era mi padre: era paciente, podías contar con él y llamaba a mamá cuando volvía a casa del trabajo para ver si necesitaba algo.

—Parecía agradable. Lo siento…

—Mamá lo lleva bien. Ha vuelto al trabajo.

—Qué bien. ¿A qué se dedica?

—Es profesora de Economía. —Me sonríe—. Es estupenda, tienes que conocerla. Me parezco a ella. Quiero decir que…, no quiero decir que…, ya sabes a qué me refiero.

—Sí. Pero tal vez heredaste la pasión de tu padre por la comida, ¿no?

Deja de buscar más información sobre Frankie, Lucy.

—Papá opinaba que los escritores y los críticos gastronómicos eran el Anticristo. Era un poco capullo y se suicidó porque no podía lidiar con su vida.

Oh.

—¿Qué quieres decir?

—Se creía una estrella de rock y quería que cada día fuera una gloriosa celebración de su talento. Cualquier cosa normal, como los hijos, los deberes o pasar tiempo con la familia lo aburría…, igual que las relaciones. Creo que se dio cuenta de que tendría que sentar la cabeza en algún momento y decidió que no podía. En su lugar, eligió un final impactante.

—¿Estás seguro de que se suicidó?

Charlie me dedica una mirada extraña.

—Se ahorcó. Y dejó una nota.

Deja de hacer preguntas, Lucy.

—¿Podrían haberle tendido una trampa?

Uy.

—¿Quién? Lo que necesitas saber sobre mi padre es que, cuando rascas la superficie, no era tan interesante. Había mucha palabrería y franqueza, pero poco más debajo…, solo un montón de tonterías y ruido de cacerolas. Probablemente lo has idealizado debido al Fortuna.

—Puede ser, pero… tengo la corazonada de que no quería dejarte, y le gustaría decírtelo si pudiera.

Charlie me lanza otra mirada extraña.

—Gracias.

—Culpa al sake y a mi madre, la aspirante a médium. Pero… ¿te caía bien cuando estaba vivo?

Ahí voy otra vez. Deja de hablar de Frankie.

Charlie hace una mueca de dolor.

—Lo idolatraba.

—¿Nunca quisiste encargarte del restaurante?

Él se mueve incómodo en la silla. Esta no debe ser la conversación que esperaba mantener.

—Mamá lo habría odiado. Ella tiene muchas ganas de venderlo, pero las condiciones del testamento no se lo permiten. Suele decir que papá sigue siendo insufrible incluso después de muerto, que nos obliga a permanecer cerca de él.

—¿Y eso es malo?

—Lo es si ya no estás y si fuiste una mierda de persona cuando estabas aquí.

—¿Alguien lo odiaba? Me refiero a odiarlo de verdad.

Ay, Dios, soy una detective horrible y Charlie está empezando a sospechar.

—No era muy popular entre algunos de los dueños de otros restaurantes, se peleó con Paul Levine después de una mala crítica, tenía un montón de exnovias descontentas y mamá no le hablaba cuando murió. ¿Se puede saber por qué seguimos hablando de mi padre muerto?

Intento tomármelo a broma.

—Lo siento. Es que…, al estar allí todo el tiempo, casi puedo sentir su presencia.

—Te entiendo, incluso pude olerlo la otra noche. Pero ¿podríamos no incluirlo también en nuestra cita, por favor?

—Por supuesto. Lo siento.

Brindamos de nuevo con los dedales de sake y repasamos toda una serie de temas adecuados para una primera cita, aunque volvemos a los restaurantes y la comida con bastante frecuencia. Es realmente encantador y daría cualquier cosa por desear besarlo.

La comida continúa llegando hasta que estamos llenos y luego vamos caminando hacia Oxford Street, uno al lado del otro, con cucuruchos de helado de Messina en la mano. Es prácticamente una cita perfecta.

Vemos una nueva película de acción que evita cualquier controversia sobre política o intimidad. Me siento cómoda con él, pero constantemente…, mierda, miro sus manos y pienso en cuánto se parecen a las de Frankie, su forma de inclinar la cabeza, de reírse, de andar…, todo me recuerda a él.

Charlie es más tranquilo que Frankie, más comedido, más amable…, probablemente también sea más bueno. Si lo hubiera conocido primero a él en lugar de a su padre, ¿las cosas serían diferentes? No dejo de oír la voz de mi madre en la cabeza y, aunque soy capaz de engañarme sobre muchas cosas, no lo haré sobre esto. Es un buen tío y no estaría bien.

Después de que la película haya terminado y nos hayamos comido las palomitas, Charlie me acompaña de regreso a mi coche. Se hace el silencio habitual al final de una cita.

—Ha sido estupendo, una noche genial, gracias —le digo.

—Encantado. Hay un nuevo local coreano en Redfern, ¿te gustaría probarlo la próxima semana? Se supone que es innovador.

—Un coreano innovador…, vaya.

Cuando levanto la mirada hacia él, veo que me está sonriendo abiertamente. Es encantador. Me atrae hacia él.

Ha llegado el momento. Lo miro a los ojos y, durante una décima de segundo, son los de Frankie y deseo desesperadamente rozar sus labios con los míos. Inspiro, giro la cabeza y le deposito un beso en la mejilla.

—Gracias. Ha sido genial verte.

Oh, Dios, ¿alguien ha pronunciado una frase más incómoda con mayor torpeza?

Charlie, tan caballeroso como siempre, me sostiene por los brazos.

—Leith y tú… Debe ser duro. ¿Querías reconciliarte con él?

—Oh, Dios, no. Pero…, eh…, gracias.

Otra pausa incómoda. ¿Debería decir algo más, tal vez algo por el estilo de «siento algo por tu padre muerto»?

—Voy a llevar a mamá al restaurante —comenta Charlie.

—¡Será genial!

—No sé yo, no ha vuelto a entrar allí desde que papá murió, pero quiero que pruebe tu comida.

No digas nada más, Lucy. Mantén la boca cerrada y entra en el coche.

—Eres realmente encantador, Charlie. Tu padre estaría orgulloso de ti.

Mierda.

Charlie asiente, confundido.

—Gracias.

—Bueno, pues buenas noches.

Me subo al utilitario y arranco mientras él se despide con la mano desde el bordillo.

Y regreso directamente al Fortuna.

Ostras con infusión de wasabi

Ingredientes

- Una docena de ostras
- 1-2 cucharaditas de pasta de wasabi de gran calidad
- Una pizca de pimienta blanca
- Un chorrito de vinagre blanco
- Un chorrito de mirrin

Elaboración

Calienta las ostras en una cacerola con agua a fuego lento, permitiendo que se abran antes de completar la labor con un cuchillo para desbullar (procura no ir con prisas ni estar de mal humor).

Mientras las ostras se calientan y abren, mezcla los ingredientes restantes en un cuenco.

Usando una jeringa de cocina, inyecta con cuidado el relleno de wasabi en cada ostra. Usa solo una pequeña cantidad en cada una, aproximadamente del tamaño de una moneda de 5 centavos.

Sírvelas de inmediato acompañadas de una copa de vino espumoso muy seco y conversación chispeante.

46
Frankie, 1982

Acabo de sentarme a almorzar cuando ocurre. Mi proveedor de carne, Merv, me ha conseguido las chuletas de ternera más suculentas, recién llegadas del matadero de Casino, criadas de forma humanitaria y alimentadas únicamente de la ubre de su madre, de un color rosa muy pálido y con olor a leche en la carne. Estamos en otoño y es temporada de setas. Rebozuelos frescos procedentes de Bowral, que recogen muchachas con cabellos ondeantes y amplias sonrisas y que se encarga de repartir su líder, la intrépida April, que se niega a ponerse sostén o a quitarse las botas de goma. La ternera y los rebozuelos forman una unión sumamente romántica: mezcla las setas con una salsa cremosa de vino blanco, sírvelo con una guarnición de coles de Bruselas cocidas a la perfección, y ya tienes el Mozart de los platos.

Anoche apenas dormí. La luna llena brillaba en mis ojos y le permití ser mi única amante. Mientras me envolvía con su luminosa magnificencia, experimenté una inusitada sensación de paz. Fue como si estuviera en un maldito confesionario: bajo su insistente luz, comencé a darme cuenta de que quiero amor en mi vida, no esta sucesión de polvos triviales. Intenté quitarme esa idea de la mente, diciéndome que estaba pensando como una *hippy* premenstrual, pero no hubo manera: vive una vida mejor, Frank..., haz que valga la pena.

Siempre he sabido que mi vida debía causar impacto, a través de la comida. Debía servir para elevar y, a su modesta manera, celebrar la civilización; pero estaba tan hambriento que nunca me detuve a esperar que pasaran quince minutos para sentirme saciado..., supongo que por miedo a no llegar a sentirme así. En fin, que conozco muy bien los peligros de una epifanía, pero anoche experimenté la suave y sosegada satisfacción de un auténtico beso de amor: no demasiado fuerte, pero cálido y acogedor. Me quedé dormido cerca de las 5 de la madrugada y, por primera vez desde hacía siglos, me desperté sin una resaca espantosa.

Preparé café, le di unas palmaditas al perro del vecino, fui temprano al mercado, compré el periódico y llegué incluso antes que Serge. Lo preparé todo para esta noche y me hice el almuerzo, y ahora estoy aquí sentado con el periódico y una copa de Chablis. He comido tres bocados y estoy contemplando esta combinación divina con veneración, cuando un brazo me agarra por el cuello, una bolsa me cubre la cabeza y luego todo se vuelve negro.

Aquellos cabrones podrían al menos haberme dejado terminar la ternera. Y podrían al menos haberme mirado a los ojos. Cobardes.

Filete de ternera con vino blanco y rebozuelos

Ingredientes

- 8 tajadas de 1 centímetro de grosor de solomillo de ternera deshuesado, cortadas con mucho cuidado
- Sal y pimienta negra recién molida
- Harina, para espolvorear
- 2 cucharadas de mantequilla
- 250 gramos de rebozuelos australianos frescos, limpios y cortados con delicadeza
- 2 cucharadas de un vino blanco con cuerpo (o madeira, si es necesario)
- ¾ de taza de nata líquida
- 1 cucharada escasa de perejil picado

Elaboración

Sazona la ternera ligeramente con sal y pimienta y espolvoréala con harina.

En una sartén grande y bien cuidada, derrite la mantequilla a fuego medio.

Cocina la ternera durante 2 minutos por cada lado o hasta que esté dorada.

Calienta una fuente y tenla preparada.

Baja el fuego, luego añade los rebozuelos, tápalo y cuécelo a fuego lento durante 4 minutos. Retira la ternera de la sartén y déjala a un lado en la fuente caliente.

Continúa cociendo con cuidado los rebozuelos hasta que el líquido se evapore. ¡Pero no permitas que se sequen! Agrega el vino y déjalo hervir. Cuece brevemente, probándolo para comprobar el sabor. Añade la nata poco a poco y luego hierve a fuego lento de 4 a 6 minutos, hasta que la salsa adquiera una consistencia espesa y aterciopelada.

Sazona al gusto con pimienta blanca y sal y coloca los rebozuelos sobre la ternera con una cuchara. Espolvorea con perejil.

Sírvelo caliente con patatas nuevas cocidas, pan crujiente para rebañar la salsa, una copa de un buen Chablis y un excelente artículo para leer.

47
Lucy

El problema de la comida japonesa es que, por muy buena que sea —y la considero una de las mejores cocinas del mundo—, siempre me vuelve a dar hambre unas horas después. Su delicadeza es parte de su atractivo, ya lo sé, pero a veces simplemente necesitas —o eso es lo que *yo* necesito desesperadamente en este momento— un filete, una gigantesca chuleta a la que hincarle el diente. Bah, ¿a quién quiero engañar?, lo más probable es que se trate de frustración sexual. Charlie y el casi beso y el asunto de Frankie.

El viejo Bill está montando guardia. Me saluda tocándose el inexistente sombrero, inclina la cabeza y desaparece en la noche.

Enciendo las luces, suponiendo que Frankie me estará esperando. Pero no hay nadie allí.

Lo llamo; nada. El pánico me atenaza el pecho. ¿Se ha marchado para siempre, ha tirado la toalla por culpa de mi mal genio? ¿Acaso puede decidir durante cuánto tiempo ser un fantasma? ¿Ha pagado su karma, o piensa que su trabajo ha terminado, o… dónde está?

Cojo una chuleta, la coloco sobre la parrilla y me sirvo una copa de syrah.

¿Y si no lo vuelvo a ver? ¿Y si me lo inventé? Me recuerdo que mi madre lo ha visto, por lo tanto existe, aunque solo sea en un sentido espiritual.

¿Y si se ha ido… al más allá o donde sea? Lamentaría que nuestra última conversación fuera tan desagradable. Tal vez sigue de mal humor y me está observando asar la chuleta. Salteo unas espinacas para acompañarla y preparo rápidamente una salsa bearnesa.

—¿Frankie?

De un momento a otro me dirá que debo añadir más nata, ¿verdad?

—¿Frankie?

Durante una de mis sesiones de terapia con Leith —vimos a cuatro consejeros matrimoniales diferentes durante nuestros cinco años de matrimonio— nos pusieron un ejercicio. El terapeuta nos preguntó: si esa fuera la última vez que nos viéramos, si ese fuera el último adiós, ¿qué nos diríamos? Tuvimos que escribir nuestras respuestas y luego sentarnos frente a frente en el amplio sofá de terciopelo rojo de la consulta, tomarnos de las manos, mirarnos a los ojos y «hablar con el corazón». Me avergüenza confesar que mentí. Dije todas esas cosas que se dicen para que la otra persona se sienta en paz: «Gracias por cambiarme la vida, me ha encantado cada segundo que he pasado contigo y bla, bla, bla»; pero lo que de verdad quería decir era: «Siento que me estoy ahogando, odio que nunca te bajes al pilón, te deseo paz y quiero que sepas que solía gustarme nuestra vida sexual y que te agradezco los buenos momentos, pero pisoteaste mi corazón, nunca me has tenido en cuenta y, aunque te deseo lo mejor, me alegro de no volver a verte».

Creo que Leith también mintió. En esa época se estaba follando a Sabrina, la ayudanta de cocina adolescente.

Pero ¿y si no volviera a ver a Frankie? No volver a verlo sería algo horrible. ¿Cómo puede alguien entrar en tu vida y apoderarse por completo de tu alma? Durante el poco tiempo que hemos pasado juntos me ha inspirado y elevado como nunca antes lo había experimentado. Su determinación a verme prosperar, su sentido del humor, su forma de divertirse, incluso su carácter temperamental... Nunca he anhelado la presencia de otro ser humano como la suya. Si no vuelvo a verlo, me quedaría devastada por no haberle dado las gracias, de corazón, por animarme y por ser él mismo en toda su peluda, sexi, políticamente incorrecta, histérica y mandona gloria. Oh, Dios, ¿*dónde está*?

—¿Por qué las mujeres nunca comen en las primeras citas?

Está sentado de nuevo en la mesa de trabajo, recetario en mano. Me alivia tanto verlo que me echo a llorar.

—¿Ves? Eso es lo que pasa por estar mucho tiempo sin tomar una comida decente, Lucille. ¿Hace falta que llores? Tu filete está listo y, sí, tienes que añadirle un poquito más de nata a la bearnesa.

—Gracias —lloriqueo.

—¿Por qué? ¿Por salvar tu salsa para que no quede aguada? Bueno, sí, supongo que eso merece gratitud. Pero no hace falta que te disgustes por eso, cielo.

Vuelvo a sollozar y farfullo, empezando de nuevo:

—Gracias por venir a ayudarme, y por...

—Lucille, a falta de una expresión mejor, vivo aquí y tú eres la que me está ayudando. Por el amor de Dios, mujer, ¿viste una película sobre un paciente con cáncer, pasar las Navidades con los suegros o algo así? ¿Qué te pasa?

—No pude besar a Charlie.

Aunque intenta disimularlo, noto el alivio en su rostro.

—¿Por qué no? Es un chico muy guapo y muy decente.

—Tiene la misma edad que tú.

—Yo nunca fui decente. Ojalá lo hubiera sido.

Decido lanzarme. Después de todo, ¿qué puedo perder?

—No pude besar a Charlie porque, cada vez que mi mano rozaba la suya o él inclinaba la cabeza o me cogía del brazo, deseaba que fueras tú.

—Oh...

—Quiero besarte *a ti*.

Nos miramos el uno al otro durante lo que parece una eternidad. Oh, por favor, di algo, Frankie, dime que tú también quieres besarme. Dime lo que sea.

—Se te va a pasar el filete.

Eso no. Apago el fuego y preparo mi plato. Me siento. Me sirvo otra copa de vino.

Frankie se levanta y coge otra copa.

—Creo que también necesito una.

Se la lleno. Se sienta a oler el vino y, mientras lo mira, murmura:

—Estaría muy bien.

—¿Probar el vino? Sí, está bueno.

—Besarte.

—Oh.

El corazón me palpita con fuerza en el pecho. Frankie acerca sus manos a las mías, casi tocándome. Noto su calor, tengo tantas ganas de besarlo que estoy a punto de explotar. Sostiene sus manos en el aire, sobre las mías, y me dirige una mirada inquisitiva. Asiento. Coloca las manos despacio sobre las mías y, durante una fracción de segundo, nos hundimos el uno en el otro. De algún modo, noto su cuerpo casi completamente dentro del mío, y luego... zas, salimos despedidos a través de la habitación.

El vino se derrama.

—¿Frankie?

Está tendido en el suelo, pero un momento después se recupera y se levanta.

—Vamos a tener que mejorarlo.

—Pero ¿lo sentiste, antes de la descarga?

Él sonríe de oreja a oreja.

—Durante un dulce segundo, sentí cada curva de tu cuerpo.

—¿Podemos repetirlo?

—Querida, creo que vamos a tener que moderarnos... Me siento bastante débil.

La emoción de sentirlo me tiene loca de contenta.

—Ha sido asombroso.

Nuestras miradas se encuentran y, aunque él no habla, le oigo decir:

—Sí.

Más tarde, sola en mi cama, no consigo dormir. Una estampida de pensamientos y posibilidades cruza mi mente. Nos tocamos. Le gusto. Podemos hacerlo otra vez, y otra, y, si practicamos, quizá podamos hacerlo durante más tiempo y... Oh, cómo me gustaría que él estuviera aquí tendido a mi lado, cavilando conmigo. Tiene que haber una forma, tiene que haber una forma.

48

Frankie

¿Y si le arruino la vida? Me he jurado ayudarla y ser un buen padre para Charlie, pero ese momento con ella compensa pasar unas cuantas vidas en este mundo intermedio. Citando a Shakespeare: «Ella más despierta los apetitos cuanto más los satisface».

No quiero irme nunca de su lado, pero ¿qué puedo ofrecerle? Dios mío, quiero besarle todo el cuerpo, tenderla en una cama, saborear cada centímetro de su piel incandescente, sentir su calidez interior, abrazarla, abrazarla... ¿Y si le estoy arruinando la vida? ¿Y si esto nos destruye a ambos? ¿Por eso estoy atrapado aquí..., para ser castigado hasta que me sienta más abrumado que una *girl scout* que se extravía durante una búsqueda del tesoro? Anhelo su sabor. Esto es diferente. Además de por lo evidente, lo que busco es su dicha, su placer más allá del mío. Su piel sedosa, sus labios rosados; sentirla descansando plácidamente a mi lado, verla dormir y abrazarla mientras se despierta. ¿Qué ha sido de mí? Seguramente, mis ex se han reunido para idear este artero plan. La broma, queridas, es a mi costa. No le hagáis daño a ella.

49
Lucy

Al despertar, percibo el olor inconfundible de la loción para después del afeitado de un hombre. Pero no la de cualquier hombre. Entro descalza en la cocina y allí está Serge, preparándole tortitas a mi madre, que, al parecer, sigue en la cama. Serge lleva puesto uno de los delantales de mi abuela y silba mientras cocina.

—¿Te gustan las tortitas, princesa?

—¿Princesa?

—Sí, esta mañana estás radiante. Esta mañana todo radiante. Tú eres una princesa, y tu madre es una reina.

Me gruñe el estómago, pero no de hambre.

—¿Y la reina sigue dormida?

Serge asiente. Veo que ha traído un montón de comestibles y ha abastecido el frigorífico de mamá.

—¿Qué hacemos hoy? —me pregunta Serge, como si esta situación no fuera nada excepcional.

—Pues…, eh…, ya sabes, lo de siempre. En realidad, más vale que vaya al mercado.

—¿Voy contigo?

—¿Sergio? —lo llama mi madre desde el dormitorio con tono seductor—. Ya estoy lista para esas tortitas.

Serge me sonríe, avergonzado.

—Más vale que te quedes a tender a tu «reina». Además, he quedado con Julia allí. Te veo en el trabajo.

Salgo rápidamente y me asomo al cuarto de mi madre. Está sentada en la cama, con una bata estampada, aplicándose crema en las manos con aire indulgente.

—¿Qué tal tu cita? —me pregunta, expectante.

—¿Y la *tuya*?

Mamá se encoge de hombros, bastante satisfecha consigo misma.

—Pues, de hecho, nada mal. Me apetecían unas tortitas, así que Serge se ofreció a venir a preparármelas...

Levanto las manos.

—Por favor, no me des detalles.

—No lo llaman Serge, el semental, por nada.

—¡Mamá! Es mi *sous-chef*. Por favor, no digas ni una palabra más.

—Como quieras. —Deja de frotarse las manos y me observa un momento—. Pareces distinta.

Me quedo atónita, pero intento que no se me note.

—¿En qué sentido?

Mi madre me dedica una mirada de complicidad y luego se encoge de hombros de nuevo.

Me meto en la ducha y después me dirijo al mercado, decidiendo ponerme a buscar piso. Aunque Serge es un sol, la idea de presenciar cómo mi madre y él recrean *9 semanas y media* es más de lo que puedo soportar.

—Necesitas un sitio cerca del trabajo —dice Julia mientras introduce un montón de coles de Bruselas en una bolsa—. Entonces, ¿crees que han...?

—Eso supongo, sí —la interrumpo. No soy capaz de pronunciar ni escuchar esas palabras.

—Es probable que esa sea la imagen menos atractiva que he visualizado en todo el año.

—Y eso que ninguno de los dos es pariente tuyo.

Seguimos caminando. En cuanto percibo el olor de los melocotones, pienso en la receta de Frankie y me lo imagino vagando por el mercado en Francia.

—Bueno, ¿y cómo te fue? Con Charlie, digo.

—Bien.

—¿Bien?

—Bien —repito.

Julia capta mi tono y suspira.

—No te atrae.

—Es complicado.

—¿Es gay?

—No, es encantador. Pero es que yo…

—Lucy, más vale que no sea por Leith.

—Te juro que no.

—Vale. Entonces, ¿qué? ¿Es demasiado perfecto?

—Es encantador —repito de forma poco convincente—. Pero es que me recuerda demasiado a su padre.

Ya está, lo he dicho. Qué alivio.

Julia levanta una ceja.

—¿Su padre? ¿Su padre *muerto* que tendría…, cuánto…, *sesenta y tres años* si no se hubiera suicidado hace unas décadas? ¿*Ese* padre?

—Puede ser.

—¿De qué estás hablando? Sabes que pareces un poco desquiciada otra vez, ¿verdad? Lo entiendo: han pasado muchas cosas este mes y ahora tu madre se está tirando a tu *sous-chef*. Eso sacaría de quicio a cualquiera… Madre mía, asegúrate de que se limpie bien las manos antes de tocar nada en la cocina, ¿quieres?

Decido no dejarme distraer por los hábitos de limpieza de manos de Serge. Ya es hora de que se lo cuente a Julia.

—Frankie fue asesinado. Lo…

—¿Asesinado? ¿Te lo dijo Charlie?

—No, me lo dijo… él mismo.

Julia me quita de las manos el melocotón que estoy oliendo y lo deja en su sitio.

—Pero ¿a ti qué te pasa?

Respira hondo, Lucy, y suéltalo… ya.

—Es un fantasma. Frankie es un fantasma y está en el Fortuna y puedo verlo, y él puede verme a mí, y hablamos, y estoy enamorada de él.

—Vale, ¿por qué no lo habías dicho antes?

Aguardo la diatriba que sé que se avecina.

—¿Jules?

—La próxima vez, simplemente, dime que no es asunto mío —contesta ella con tono agrio, mirándome fijamente.

—Hablo en serio. Frankie está en el restaurante. Ese olor que te gusta… es él.

Julia observa mi cara buscando algún indicio de que se trata de una broma. Comienza siete frases, pero luego se limita a sacudir la cabeza despacio.

—Jules, te estoy diciendo la verdad. Te lo juro.

Julia camina por el pasillo de los melocotones. Luego se detiene.

—¿Desde cuándo?

—Desde el primer día que fuimos a limpiar el restaurante.

—¿Un fantasma?

Asiento con la cabeza.

Ella realiza una exhalación larga y lenta.

—Vale.

—¿Vale, me crees o, vale, vas a internarme en un manicomio?

—Tengo seis palabras para ti: *El fantasma y la señora Muir*. —Hace una breve mueca de desagrado ante mi expresión de desconcierto y luego continúa—: Película clásica de mil novecientos cuarenta y siete, basada en la novela de Josephine Leslie, que la publicó bajo el seudónimo de R. A. Dick porque nunca la habrían tomado en serio como escritora siendo mujer. La película estaba protagonizada por el guapísimo Rex Harrison y Gene Tierney y estaba ambientada en Inglaterra, pero se rodó en la península de Monterey, en California. Tienes que ver esa película. —Julia se queda inmóvil, jadea y luego suelta un grito—. Un momento, ella también se llamaba Lucy... o Lucia. ¡Tú eres la maldita encarnación del fantasma y la señora Muir!

—¿Qué pasó en la película? ¿Acabaron juntos?

Julia se me queda mirando con incredulidad.

—¡Es un fantasma!

—Pero ¿acabaron juntos?

—Él la ayuda, la deja, ella acaba muriendo y luego él regresa para llevarla a dondequiera que vayan los muertos.

—¿Eso es todo?

—No, ella se enamora de un canalla que le rompe el corazón.

—Genial. Qué perspectiva tan alentadora.

Julia me devuelve el melocotón.

—Vamos a volver a casa a relevar a la niñera y luego me vas a contar paso a paso todo lo que ha pasado. Y, sí, estoy enfadada contigo.

—¿Por qué?

—Espero que me mantengas al tanto de tu vida amorosa, vivos o no. Para eso están las mejores amigas; sobre todo las mejores amigas casadas, madres primerizas y con falta de sueño —afirma, rodeándome con el brazo.

—Mamá también lo ha visto.

—Cómo no. ¿Y su novio?

—No, pero puede olerlo, como tú. Frankie quiere que lo ayude a encontrar a su asesino.

—Y ¿por qué te eligió a ti en lugar de a Charlie?

—Supongo que yo estaba en el lugar adecuado en el momento adecuado. Creo que solía ser un mujeriego.

—Un mujeriego muerto que fue asesinado. Cariño, nunca eliges el camino fácil, ¿verdad?

Julia me toma del brazo y me lleva a mi coche. Solo me preocupa un poco que tenga pensado llevarme al psiquiatra, pero su pasión por las pelis antiguas juega a mi favor.

50
Frankie

Comen unos al lado de los otros, los vivos y los muertos. Si tan solo supiéramos cómo se cruzan entre sí, tendría mi respuesta y podría encontrar la forma de estar con Lucille en la plenitud de la vida. Por ahora, lo único que puedo hacer es animarla, estar a su lado. Pero no bastará; con el tiempo, acabará cansándose de estar recluida conmigo entre estas cuatro paredes, anhelará intercambiar experiencias vitales y hacer el amor con alguien que respire.

Pero hoy está contenta, y los pensamientos de encontrar a mi asesino se desvanecen frente al deseo de estar con ella todo el tiempo que permanezca aquí.

51
Lucy

Sé que pasa algo raro en cuanto aparco. Me he pasado los últimos días evitando las travesuras de mamá y Serge en el dormitorio, siendo interrogada por Julia y pasando todo el tiempo que puedo con Frankie. Siento la llama del amor y lo único que quiero es estar con él en la cocina.

La puerta está entreabierta. Lo primero que pienso es: nos han robado. Al entrar, veo que el restaurante está lleno de rosas. Hay rosas impresionantes de todos los colores, por todas partes.

Llamo a Frankie, que contesta:

—¡Cocina! ¡Ya!

Voy hacia allí y descubro que un matón bien vestido retiene al viejo Bill contra la pared mientras Paul Levine hojea el recetario rojo.

Frankie camina de acá para allá.

—¿Puedo ayudarles? —escapa de mis labios.

—Siempre tan educada. Podrías haberle enseñado un par de cosas a Frankie sobre los buenos modales.

Paul agita el libro frente a mí.

—¿Qué quiere? —le pregunto a Frankie—. ¿Y qué hace Bill aquí?

—Bill me estaba haciendo un favor. Se le echaron encima por sorpresa. Creen que contiene un código.

—¿Qué código? —pregunto.

—¿Sabes lo del código? —Paul levanta la vista del libro.

—No podéis estar aquí. Voy a llamar a la policía.

—¿Cómo sabes lo del código, Lucy? —me pregunta Paul, fingiendo un interés superficial.

—Dile que sabes dónde está —me suplica Frankie.

—Sé dónde está —digo con cautela—. ¿Para qué sirve?

Tanto Frankie como Paul vacilan y, durante ese breve silencio, Bill suelta:

—Es para la caja fuerte que contiene los contratos y toda la información sobre el acuerdo inmobiliario ilegal.

—Gracias, Bill —contesto mientras el aludido gruñe y asiente.

—Suéltalo —le ordena Paul al matón, que libera a Bill.

—Apestas, amigo. ¿Te has duchado últimamente?

—Pues no —contesta Bill sonriendo, y le echa el aliento al matón, que se aparta de inmediato, asqueado.

—¿Dónde está el código, Lucy?

—¿Dónde está? —repito.

—Dile que está en la parte posterior de mi retrato.

—Lo llevamos a enmarcar —le recuerdo.

—¿Qué? —pregunta Paul.

—El retrato que Matthias Drewe hizo de Frankie. El código está en la parte posterior.

—¿En qué tienda?

—No estoy segura. Una en algún lugar de Paddington. Tendrás que preguntarle a Matthias. Pero ten en cuenta que van a cambiar la parte de atrás, así que tal vez lo borren.

—Ah, qué lista. —Frankie da una palmada—. ¡Les estás mareando la perdiz!

—¿Es eso lo que estabas buscando cuando mataste a Frankie? —le pregunto a Paul.

El tiempo se detiene.

—Frankie se suicidó, todos lo sabemos.

—No, no es verdad. Lo asesinaron.

Bill comienza a mecerse adelante y atrás.

—¿Lo mataste para conseguir el código, para poder urbanizar tus propiedades, construir ese casino o cualquier otro negocio turbio en el que estuvieras involucrado? ¿O lo mataste porque te tenía calado y su presencia eclipsaba la tuya?

—Lucille, ten cuidado —me insta Frankie, que se ha situado a mi lado.

El matón se acerca mucho a mí.

—Como le pongas un dedo encima, te doy un puñetazo —lo amenaza Bill, enderezándose. Es cierto que huele fatal, pero no podría sentirme más agradecida.

—Y yo otro. —Hugo aparece de la nada.

La tensión es abrumadora. Nadie se mueve.

—Lo siento —se disculpa el matón.

Todos inspiramos, aunque sea de forma superficial.

—¿Quién se va a casar? ¿A qué vienen todas esas flores? —comenta Hugo.

—Ni idea —respondo.

—No son mías —intenta bromear Paul, pero fracasa.

Más silencio.

—Bonito traje, por cierto —le dice Hugo al matón.

Suele hacer eso cuando está muy nervioso, usa halagos para romper el hielo, pero me temo que este podría provocar que le rompieran el brazo. Sin embargo, el matón parece complacido.

—Armani. Un hombre necesita un buen traje.

—Solo hay una persona responsable de la muerte de Francis Summers, y es él mismo —afirma Paul, dirigiéndose a mí.

—No te creo.

—Recupera el libro, Lucille —insiste Frankie—. No pienso permitir que ese imbécil recree mis recetas.

Extiendo la mano.

—Devuélvemelo, Paul.

Paul hojea de nuevo las páginas.

—Ya.

—Voy a llamar a Matthias Drewe —dice mientras me lo entrega.

—¿Alguien quiere té? —Hugo se acerca tan campante a la tetera y luego vuelve la mirada hacia el matón—. ¿Cómo lo tomas?

—Con leche y un terrón, gracias.

Paul se gira hacia su secuaz.

—Mark, nos vamos.

Mark le dirige una sonrisa a Hugo a modo de disculpa y luego a mí.

—Bonito restaurante. Traeré a mi señora.

Y se marchan.

—Yo también me voy —dice Bill, saludándome con un gesto de la cabeza.

—Oye, Bill, ¿por qué no me dejas hacerte un cambio de imagen milagroso? —bromea Hugo.

—Ni hablar —se opone el susodicho con firmeza, aunque se ríe entre dientes.

—¿Qué está pasando aquí? —Hugo me quita la pregunta de la boca.

—Bill me estaba ayudando —explica Frankie—. ¿No es así, Bill?

—¿Qué pinta aquí esa avalancha de rosas? —añade Hugo.

—No lo sé —repito.

—¿Charlie? —sugiere Hugo.

Esto es demasiado para Frankie, que suelta:

—¡Son mías, mujer! Le pedí a Bill que me hiciera un favor. Le pedí que llenara el restaurante de rosas. Se lo tomó demasiado literalmente, pero ahí lo tienes.

—Son de Bill —le anuncio a Hugo, con una sonrisa radiante.

Hugo lo asimila, asintiendo despacio y enarcando las cejas, antes de encaminarse al comedor.

Me giro hacia el anciano.

—Gracias, Bill.

—Soñé que Frankie me decía que necesitabas flores. Rosas, muchas rosas.

—¿Fue un sueño o una conversación? —indago.

Bill suelta un silbido largo y bajo.

—Así que tú también lo ves, y ni siquiera estás pedo.

—¿Puedes verlo aquí ahora?

—¿Y tú?

Asiento con la cabeza. Y él también.

—¿A qué vino todo eso con Paul? —les pregunto a ambos.

Bill contesta:

—Da igual. Cuando encuentren ese código no les servirá de nada.

—¿Por qué?

—Yo llegué allí primero, hace años, y vacié la caja fuerte, la que Frankie tenía en su trastero. Habrían destruido esta ciudad.

—Es cierto —afirma Frankie, mirando a su viejo amigo con cariño—. Paul no me mató: quería el código y no sabía que Bill había vaciado la caja fuerte. El asesino tiene que ser alguien que sabía lo que habíamos hecho.

Paul simplemente se estaba asegurando de que sus huellas siguieran cubiertas, e intentando robarme mis recetas.

—¿Cómo conseguiste los contratos?

—Hubo un largo almuerzo aquí, se emborracharon, los distraje en el momento adecuado... y Bill los cogió.

—Entonces, ¿es alguien que estuvo en ese almuerzo?

—Tardaron varios días en atar cabos, no se dieron cuenta de que se habían dejado olvidados los originales y, sin ellos, estarían... ¿Cómo decirlo con delicadeza? Jodidos.

Paso la mirada de Frankie a Bill.

—Bill, ¿alguien más ha estado husmeando por aquí a lo largo de los años?

—Muchos de ellos. La mayoría de los que vinieron a cenar la noche de tu inauguración, pero no creo que supieran lo del código.

—¿Y Victor? —A Frankie se ilumina el rostro de emoción—. Tenía mal genio.

—Le dio un ataque al corazón en la pista de tenis y cayó muerto hace una década.

—Vaya, qué pena... Es curioso, nunca se ha pasado a cenar.

—Y, Frankie, para entonces todo había terminado ya de todas formas. El gobierno estatal aprobó el proyecto urbanístico, aunque se callaron lo del casino; pero hubo muchas protestas por parte de los residentes y tuvieron que dar marcha atrás.

—Así que, si me mataron por esos contratos, ¿fue inútil?

—Sí y no. Los contratos contenían detalles sobre el casino e implican a un puñado de hombres que no querrían que sus nombres salieran a la luz.

Miro atónita a Bill, un hombre que apenas me ha dedicado algo más que un gruñido durante las últimas semanas.

—¿Serviría de algo filtrárselo ahora a la prensa? —propongo.

Bill niega con la cabeza.

—Será mejor que nos guardemos ese as en la manga.

—¿Habéis pasado mucho tiempo juntos? —pregunto de pronto, pensando en los treinta años aproximadamente que han transcurrido mientras Bill se pasaba la mayor parte del tiempo fuera del restaurante.

Frankie sonríe.

—Esta es la primera vez que consigo que entre. Los primeros diez años, le aterrorizaba verme, pero ya lo estamos superando.

—¿Cómo entraste, Bill?

Me enseña una llave.

—¿Cómo conseguiste eso? —añado mientras Bill y Frankie se miran—. ¿Me la robaste?

Bill levanta las manos en el aire.

—Inocente, señoría.

—No seas ridícula, mujer. ¡Bill es el socio silencioso de este sitio!

Miro a Bill, que asiente.

—¿Tú posees el cincuenta y uno por ciento?

—Era lo menos que podía hacer —dice Frankie—. Además, sabía que él mantendría este lugar a salvo. Me salvó el culo más de una vez. Lo perdió todo porque es uno de los pocos seres humanos con integridad que quedan en este planeta. Sí, puede que parezca un vagabundo que necesita un buen baño, pero es un puñetero santo.

Al fin me sale la voz.

—Bill, ¿por qué no lo vendiste?

—Le prometí a Frankie que no lo haría. Rompí una promesa, hace mucho tiempo, y las cosas no salieron muy bien. No pienso romper otra.

—Pero ¡podrías haber vivido aquí!

—Y eso hago —dice sin rodeos—. A mí me gusta así. Ahora tengo que ir a la casa de apuestas antes de que corra mi chica.

A continuación, inclina la cabeza y se marcha. Miro a Frankie.

—Caray.

—¿Eso es todo lo que puedes decir?

—Teniendo en cuenta que pensé que me iban a matar, creo que no lo estoy haciendo nada mal.

—¿Y las rosas?

Frankie parece un colegial: esperanzado, aterrorizado y completamente vulnerable.

—Me encantan.

—Bien.

—Gracias.

Sonrío de oreja a oreja como una niña de seis años a la que le acaban de regalar un poni.

Hugo regresa a la cocina con una rosa entre los dientes y me la ofrece.

—Estamos completos otra vez. Y Charlie va a traer a su madre. Polly viene a ayudar.

—Madre mía. —Frankie se queda pálido, al igual que yo.

No he vuelto a hablar con Charlie desde nuestra cita. ¿Cómo le digo que estoy saliendo con otro hombre, concretamente, su querido padre? ¿Y qué va a pensar al ver todas esas rosas? ¿Por qué todo tiene que pasar a la vez?

Acaba de ocurrírseme ese pensamiento cuando mi teléfono suena. Es Maia.

—¿Vas a contestar? —me preguntan Hugo y Frankie a la vez.

Con el teléfono en una mano, agarro el pollo que he elegido para el menú de esta noche y me dirijo a la cámara frigorífica.

—Ya es hora de dejar de esconderse, Lucille —dice Frankie—. Para ambos. Enfréntate a tus demonios.

Le cierro la puerta en la cara, vacilo un momento más y luego contesto.

Tortitas

Ingredientes

- 3 huevos, ligeramente batidos
- 1 ½ tazas de leche
- 1 cucharadita de esencia de vainilla
- 2 cucharadas de mantequilla derretida
- 1 ½ - 2 tazas de harina (dependiendo del clima y el tamaño de los huevos)
- Una pizca de sal
- Un poco más de mantequilla para freír, por supuesto

Elaboración

Mezcla en un cuenco los huevos, la leche, la vainilla y la mantequilla derretida. Yo uso un batidor. Tamiza la harina y la sal en otro cuenco. Haz un hueco en el centro y vierte dentro la mezcla de huevos y leche. Usa tu cuchara de madera favorita y que no huela a nada para desplazar la harina poco a poco hacia el centro.

Utilizando el batidor, bate la masa hasta que adquiera una textura sua-
ve y sedosa y déjala reposar durante 1 hora.

Engrasa bien con mantequilla una sartén pequeña, gruesa y plana (de
hierro fundido, preferiblemente) y caliéntala a fuego medio. Yo suelo limpiar
un poco la sartén con papel de cocina para absorber el exceso de grasa. Vier-
te 2 o 3 cucharadas de la mezcla y mueve la sartén para cubrir el fondo de
manera uniforme. Cuando aparezcan burbujitas y la masa comience a asen-
tarse, agita la sartén y luego dale la vuelta a la tortita para cocinar el otro lado.
Puedes ayudarte con una espátula si no se te da bien darle la vuelta en el
aire. Retira la tortita de la sartén y repite le proceso hasta acabar con toda la
masa, formando una pila.

Sírvelas en un plato y añade aderezos tan básicos o tan ridículos como
quieras. Colócalas en una bandeja junto con té, zumo y periódicos, llévalas a
la habitación de tu amante... y cierra la puerta.

52
Frankie

Una rosa nombrada de otra forma..., una mujer nombrada de otra forma..., no. Ella es única; todas las demás parecen una gerbera mustia en comparación. Ella es *Clair de Lune* interpretada por un maestro y cestas de pícnic llenas de esperanza. Nadie más podría haber sido Lucille. Y, quienquiera que sea mi asesino, solo es él... o ella..., pero ¿de quién se trata?

Ojalá hubiera estado prestando atención. Solo vi un borrón antes de darme cuenta de lo que estaba pasando, y luego una soga. ¿Oí pisadas de más de una persona? Unas manos duras, pesadas y rápidas. Si fue una mujer, le encargó el trabajo pesado a un compañero, lo que indicaría un plan. Pasó tan rápido... Seguramente alguien despejó el lugar mientras el otro me ataba, me tapaba los ojos y me amordazaba. Y no soy liviano, precisamente, pero me izaron como si fuera una pluma.

Si buscaban el código de la caja fuerte, habrían probado con un poco de tortura antes de matarme. Si fue algún tipo de advertencia, está claro que salió mal. ¿O una broma que se les fue de las manos? Un golpe muy bajo.

¿Quién sigue cargando con esto en la conciencia? ¿El tiempo ha eclipsado la culpa? Estaba convencido de que reabrir el Fortuna los haría venir. Si alguien hubiera querido mis recetas con tanta desesperación, sin duda me habría robado el libro o me habría sobornado o chantajeado para conseguirlo. Pero me asesinaron. Tuvo que haber algún tipo de sentimiento pasional de por medio. O eso es lo que me gusta pensar al menos.

53
Lucy

Giro hacia Military Road y contemplo la impresionante vista de los acantilados de Vaucluse que se alzan sobre el plácido puerto de Watsons Bay, con sus embarcaciones que se mecen suavemente y su embarcadero que aguarda a los turistas que llegan en ferri para comer pescado con patatas fritas y sacar fotos de sus vacaciones, las ensenadas donde nadadores empedernidos dan una vuelta tras otra y, al otro lado, la joya de la corona, el puente de la bahía de Sídney y un atisbo de la vela más alta de la Opera House. Watsons Bay ofrece un santuario frente al bullicio y el ritmo de la ciudad, unas vacaciones perpetuas junto al mar que invitan a caminar descalzo, hacer castillos de arena y dormir la siesta bajo las enormes higueras de Moreton Bay.

Nos encontramos en Dunbar House, que es el lugar de muchas despedidas de soltera elegantes y reuniones para tomar el té con tías quisquillosas. Ella me está esperando. Parece nerviosa. Cuando éramos amigas, a veces veníamos aquí a almorzar después de pasear y darnos un chapuzón en Camp Cove en nuestro día libre. Ahora está presente la tensión de una primera cita, pero sin la emoción. Deseo que se me ocurra una pulla inteligente, ingeniosa aunque no cruel. Lo único que logro decir es:

—Vaya, qué situación más rara.

Maia asiente. Presenta la típica dicotomía de cara de náuseas y aura radiante que suelen ofrecer las primeras fases de un embarazo. Me siento a su lado y miro hacia una mesa situada enfrente, donde un grupo de mujeres de treinta y pocos años se ríen: una despedida de soltera en pleno apogeo.

—Felicidades por el Fortuna. Toda la ciudad habla de él.

—Gracias. Y felicidades a ti también.

—¿Lo dices en serio?

—Una parte de mí, sí. Leith y yo habíamos terminado hacía mucho tiempo, y tras los acontecimientos recientes… parece que hubiera pasado toda una vida.

Hay una pausa. ¿Quizá debería irme ya? Pero necesito saberlo.

—¿Estás enamorada de él?

Maia asiente y se echa a llorar. Antes de darme cuenta, la rodeo con el brazo.

—¿Por qué no me lo dijiste?

Ella solloza, es evidente que se siente aliviada de poder confesar.

—No fue planeado.

—¿El embarazo o la aventura? —No puedo contener ese comentario.

—Las dos cosas.

—¿Cuánto tiempo?

—Como un año.

Otro puñetazo en el estómago.

—Y ¿cómo…? Da igual.

—Quise decírtelo muchísimas veces, sobre todo porque eras tan desdichada y querías dejarlo.

—Pero ya sabes cómo es Leith, Maia.

—Sí. Pero… somos diferentes, tu y yo. Yo lo quiero, lo quiero de verdad.

—Eso no le impedirá ponerte los cuernos y romperte el corazón.

Maia asiente, pero veo esa mirada. La mirada que todos hemos tenido en un momento u otro. La mirada de arrogancia que se reserva para los primeros arrebatos de amor. La mirada que dice: «Yo soy diferente porque mi amor trascenderá y salvará esta situación y lo hará cambiar». Bien sabe Dios que yo la llevé durante mi primer año con Leith. Ahora creo que con esa mirada voy a traer a Frankie de entre los muertos como en una película de vampiros para adolescentes.

—Mierda. Esto es una mierda —suelta ella.

—Sí, lo que hiciste fue una mierda, Maia. ¿Por qué me dijiste que te irías a trabajar conmigo?

—Yo nunca dije eso, Lucy —protesta—. Se te ocurrió y luego lo diste por hecho…, pero nunca llegaste a preguntármelo.

—Claro que lo hice —contesto. Aunque siento un atisbo de duda…, sé que tenía esa intención.

—No, no lo hiciste. Me encantaba trabajar contigo. Quería apoyarte. Pero no sabía cómo abordar lo que estaba pasando, así que me mantuve callada. Pensé que con el tiempo, cuando Leith y tú por fin hubierais terminado como es debido, podría contártelo todo y…

—¿Y qué? ¿Haríamos barbacoas los domingos y comeríamos juntos jamón asado en Navidad? Te follabas a mi marido a mis espaldas mientras te pasabas los días horneando milhojas conmigo. Por no mencionar que estabais planeando abrir otro restaurante. Eso *no* está bien.

Maia solloza de nuevo. Le paso una servilleta, que ella usa para sonarse la nariz con fuerza.

—Lo siento, son las hormonas.

Nos traen bollitos con mermelada y nata en una bandeja para tartas de tres niveles. A nuestra camarera se le borra la alegre sonrisa al vernos y se marcha rápidamente.

—Entonces, ¿no planeaste el embarazo?

—No lo pensé, pero… tengo treinta y cuatro años, tenía que quedármelo.

—¿Y qué opina Leith?

—Está entusiasmado con la idea de ser padre, me dijo que tú lo habías privado de ello.

—¿Que *yo* lo privé de ello? Oh, por el amor de Dios, *los dos* decidimos centrarnos en el restaurante.

Maia lo asimila; parece algo aturdida. Las chicas de la despedida de soltera se ríen y entrechocan sus copas. Maia me mira fijamente.

—Responde con sinceridad: ¿alguna vez estuviste realmente enamorada de él? Porque a mí me parece que no lo querías. No como lo quiero yo.

Otra puñalada. No cabe duda de que la vida tiene una forma maravillosa de servirte tu mayor miedo en bandeja y preguntarte si te apetecen patatas fritas de guarnición. Siempre he tenido dudas respecto a Leith, no solo sobre sus sentimientos sino también sobre los míos. Y lo que he sentido en el escaso tiempo que hace que conozco a Frankie es muy diferente y más profundo, y eso que ni siquiera es físico. Con Leith se trataba de hormonas revueltas y la seducción de las posibilidades. Con Frankie hay afinidad. Él está de mi lado. Leith siempre fue mi competencia, lo cual era sexi a su manera, pero parte de la emoción se debía a no saber si me apoyaba de verdad. No me cabe duda de que Frankie sí lo hace. Confío en él.

—Lo siento, no tengo derecho a preguntarte eso. —Maia reanuda su llanto.

—Ya sabes dónde te has metido —contesto. Ella asiente con aire solemne—. ¿Y aun así quieres seguir adelante?

—Creo en él.

Ah, ahí está, el verdadero problema. Ella cree en él. Yo nunca lo hice.

—Bueno, pues te deseo suerte. He datado la separación a cuando dejamos de dormir juntos, así que estaremos divorciados dentro seis meses.

Maia parece confundida.

—Me dijo que no os habías acostado desde hacía doce meses.

Y ahí está otra vez.

—Bienvenida al mundo de Leith.

Comemos bollitos en silencio durante un minuto.

—¿Leith sabe que has venido a verme?

Ella niega con la cabeza.

—Sabe que te has enterado de lo del embarazo. Creo que está avergonzado.

Afrontar sus responsabilidades nunca fue el fuerte de Leith. A esta pobre mujer le espera mucho sufrimiento.

Qué rápido avanza la vida; en cuanto pones las cosas en movimiento, ya no hay vuelta atrás. Yo también soy responsable en parte del fracaso de mi matrimonio; seguí aguantando porque me daba demasiado miedo irme, aunque sabía perfectamente que nunca podríamos hacernos realmente felices el uno al otro. Ahora supongo que somos competidores. Que comience el juego.

Aunque tanto Maia como yo estamos deseando largarnos, nos esforzamos por tragarnos los bollitos calientes y recién horneados, rellenos de nata montada y mermelada de fresa, sin que parezca que tenemos prisa por irnos. Por fin, entre el tintineo de las tazas de porcelana y las frecuentes visitas al baño de Maia, le digo que tengo que prepararme para esta noche.

Ponerle fin a una amistad, sin importar las circunstancias, nunca es divertido.

Me subo a mi coche y me dirijo directamente a Elizabeth Bay. Sé que él estará en casa, probablemente escuchando a Lenny Kravitz y cortándose las uñas de los pies o aplicándose mousse bronceadora St. Tropez en su rostro cincelado. Maia me había dicho que iba a ir a visitar a su madre en Rose Bay, así que sé que dispondré de una audiencia privada.

Cruzo la puerta de seguridad con mi llave y luego subo las escaleras y llamo. Puedo escuchar los acordes de una canción de Lenny Kravitz cuando Leith abre la puerta.

—*Stand By My Woman*. Un poco irónico, ¿no crees?

—Tú eres la que se fue. —Le falta calentamiento.

—¿Y si me hubiera quedado? ¿Habrías esperado que te ayudara a criar a tu bebé? Tal vez podríamos haber vivido todos juntos.

—Tú eres la que creció en una comuna —bromea.

—Ella te quiere.

—Sí, yo también la quiero. —Se produce una pausa cargada de peligro mientras él me observa—. Os quiero a las dos.

—Basta.

—Luce...

—Cierra el pico y ve a buscar la Eames de mi abuelo y tu chequera.

Se le crispa el rostro como a un cazador de gangas descontento.

—Puedes quedarte la silla, está debajo de la ropa para planchar, pero no pienso...

—Si no lo haces, publicaré un artículo en el periódico del fin de semana sobre el lado oscuro de las parejas de chefs famosos..., básicamente sobre cuánto me has hecho sufrir con tus devaneos y que eres un gilipollas y un falso. Lana ya lo tiene listo.

—¿Cuánto?

—Diez.

—¿Diez mil? Ni hablar.

—Como quieras. Los dos sabemos que te está saliendo barato: deberían corresponderme cien mil. Y no me vengas con que no tienes esa cantidad, porque sé a ciencia cierta que sí.

Leith se resiste, pero, después de un momento, su vanidad se impone (otra vez) y rellena el cheque. No le he mencionado la idea de un artículo a Lana, pero sé que ella me apoyaría, y también sé que eso le daría a Leith donde más le duele.

—Pareces diferente, LiLi. —Me observa mientras me entrega el cheque—. Más fuerte, más sexi.

—Eso es lo que pasa cuando tienes una vida y una relación decente. Intenta mantener la polla dentro de los pantalones el tiempo suficiente para descubrir qué se siente al ser padre, Leith.

Empieza a sonar *It Ain't Over Till It's Over*. Solía ser nuestra canción. Entro con paso decidido y cojo la silla.

—LiLi, es nuestra canción.

—Era. Hemos terminado oficialmente. Buena suerte, Leith.

Y, con tanta chulería como puede permitirse una mujer cargando una silla, levanto la cabeza y bajo las escaleras.

Me siento viva.

Bollitos con mermelada de fresa y nata espesa

Ingredientes

Para los bollitos:

- Harina, para espolvorear
- 3 tazas de harina con levadura
- 80 gramos de mantequilla, en dados
- 1 o 1 y ¼ tazas de leche

Para la mermelada de fresa:

- 800 gramos de fresas, lavadas y cortadas en cuartos
- 2 tazas de azúcar
- 3 cucharadas de zumo de limón

Para la nata espesa:

- 600 mililitros de nata (contenido de grasa del 45 por ciento)
- 1 cucharada de azúcar blanca

Elaboración

Para los bollitos:

Precalienta el horno a 200 °C. Espolvorea una bandeja plana para hornear con un poco de harina.

Tamiza la harina con levadura en un cuenco grande.

Empleando las yemas de los dedos, mezcla la mantequilla con la harina hasta que adquiera la consistencia de migas de pan.

Haz un hueco en el centro y vierte dentro 1 taza de leche. Mezcla hasta que se forme una masa suave, añadiendo más leche si es necesario. Esto suele depender del clima, la humedad y el estado de ánimo. Deposita la masa sobre una superficie limpia y ligeramente enharinada.

Amásala con cuidado, pero con firmeza, hasta que esté suave (no la amases demasiado o los bollitos quedarán duros).

Dale forma a la masa o enróllala formando un círculo de 2 centímetros de grosor. Con un cortapastas redondo de 5 centímetros de diámetro, corta 12 porciones. Junta el resto de la masa, espolvorea un poco más de harina y corta las cuatro porciones restantes. Coloca los bollitos en la bandeja para hornear, dejando 1 centímetro de separación entre ellos. Los bollitos no deben tocarse. Espolvoréales por encima un poco de harina normal. Hornéalos de 20 a 25 minutos o hasta que estén dorados y hayan crecido. Pásalos a una rejilla para que se enfríen.

Para la mermelada de fresa:

En una cacerola gruesa (de hierro fundido a ser posible), machaca suavemente las fresas con un tenedor o un pasapurés, y luego añade el azúcar y el zumo de limón. Calienta la cacerola a fuego lento y remueve, remueve y remueve hasta que se hayan disuelto todos los granos de azúcar y haya líquido en la cacerola. Ahora, sube un poco el fuego y continúa cociendo durante otros 45 minutos, removiendo de vez en cuando. No pierdas de vista la cacerola: puede ser un poco imprevisible. La mermelada adquirirá un color más oscuro y estará lista cuando se adhiera a una cuchara de madera o una gota se asiente en un platillo. Déjala enfriar.

Para la nata espesa:

Coloca la crema en una cacerola. Añade el azúcar y déjala hervir bien, luego baja el fuego y cocínala a fuego lento durante 10 minutos.

Vierte la nata en un plato de modo que cubra 2,5 centímetros por los lados. Guárdala en el frigorífico para que se asiente; se formará una capa gruesa por encima.

A la hora de servir, retira la capa y deséchala o dásela a un amigo peludo y extiende la crema sobre los bollitos y la mermelada.

Coloca los bollitos en un plato y sírvelos con té y comprensión.

54
Frankie

Joder, mierda, maldita sea. Mi ex, mi hijo y el amor de mi vida están aquí juntos esta noche.

La última vez que vi a Helen…, bueno, más bien la última vez que ella me vio, fue en la puerta de su casa en 1982 mientras me gritaba por traer a «su hijo» un poco tarde. Vale, me retrasé cinco horas y puede que estuviéramos en el hipódromo en compañía de una señorita bastante joven que le dio a Charlie tal cantidad de refresco que, para cuando lo llevé a casa, el huracán de hiperactividad provocado por el azúcar estaba a punto de estallar… y lo hizo, en forma de una enorme vomitona en las azaleas. Se estaba poniendo verde ante nuestros ojos y ambos sabíamos que Helen pasaría una velada muy poco placentera atendiéndolo hasta que se recuperara. Claro que, a esas alturas, ella ya había perdido por completo el sentido del humor. No le vio la gracia por ningún lado.

Y estoy seguro de que para entonces ya había empezado a salir con ese contable: todo indicio de vida se había borrado de su personalidad y no dejaba de mencionar la «paz» que sentía al no estar conmigo y cuánto la atraía una «vida segura». Por supuesto que Helen quería vender el restaurante (le rompí el corazón); pero yo sabía que, a largo plazo, sería mejor para Charlie y para ella mantenerlo… o eso es lo que me digo a mí mismo. En realidad, solo fue una forma de intentar demostrarles que los quería y que deseaba darles algo a lo que aferrarse. Tal vez no debería haber incluido esas condiciones; no habría estado aquí abandonado todos estos años si no lo hubiera hecho. Pero ahora Lucille sabrá de una vez por todas el cabrón egoísta que fui. Así es la vida. Lo único que quiero es disfrutar de la puñetera vida doméstica, de los guisos a fuego lento y los domingos leyendo el periódico con ella…, justo lo que Helen quería de mí. Pobrecita, no hay nada peor que estar enamorado de alguien que no te ama… salvo que te ame alguien a cuyo amor no puedes corresponder.

El menú para esta noche suena perfecto. Lucille se ha superado otra vez: terrina campestre de ternera y pollo, que le dije que era la favorita de Helen; luego, pato a la naranja acompañado de una guarnición de estilo asiático a base de arroz negro con mantequilla morena y bok choy salteada con semillas de sésamo, que al parecer le gusta mucho a Charlie; y tarta Selva Negra de postre. Joder, esta mujer es espectacular. Parece un menú que te haría pedir un antiácido; pero, gracias al suave toque de Lucille y su capacidad para infundirles nueva vida a mis recetas, será magnífico.

Hoy regresó muy animada, aunque con los ojos hinchados. Su ex dejó preñada a una amiga suya. Menudo cretino. Pero ella fue a reclamar sus cosas: bien hecho.

¿Por qué no pude ver el dolor que causé mientras estaba aquí causándolo? Porque, como diría el bueno de Bill, tenía la cabeza metida en el culo hasta el fondo.

Esa amiga de Lucille, la doctora Polly, no deja de mirarme con curiosidad; no estoy seguro de si puede verme o, simplemente, percibe mi caos.

Y luego está Julia. Madre mía, qué portento de mujer. Entró en la cocina y me leyó la cartilla. No dejaba de olfatear y se guiaba por la nariz, siguiéndome cada vez que yo me movía intentando huir del sermón. Se detuvo en seco cuando entró el joven Hugo, pero tenía toda la razón en lo que me dijo. Que Lucille se merece algo mejor que yo —alguien vivo, para empezar— y más me valía tratarla bien y ser franco con ella. No estoy seguro de qué tipo de problemas para comprometerme cree Julia que tengo, pero me dejó su opinión muy clara. Esa mujer es aterradora. Me cae bien.

Y luego está Charlie. Lo último que quiero hacer es romperle el corazón. Lucille está segura de que no se siente atraída por él. Anhelo conocerlo, y que me vea y me oiga. No tengo ni idea de cómo saldrán las cosas. Volverte decente después de muerto no te da muchas opciones.

Madre mía, para rematar la animada velada, Sara llega acompañada de Serge. Este nuevo romance tiene a Serge flotando en una nube. Lucille no exageraba: el ruido de sus intercambios de saliva resuena por el comedor. Serge sigue a Sara como un cachorrito en busca de su siguiente golosina. Bien por él, nunca ha tenido suerte en el amor, no de verdad (sus locos enamoramientos casi nunca eran correspondidos). Espero que Sara no se ensañe cuando le rompa el corazón. Aun así, como nos ocurre a la mayoría de nosotros, el aliciente de estar en brazos de alguien y ser amado basta para arriesgarlo todo. Los vivos subestiman cuánto hace falta para que el mundo siga girando. Qué no daría yo por poder sentir la piel de Lucille…

En cuanto Serge entra en la cámara frigorífica, Sara se me acerca y se vuelve a presentar. Me dice que siempre ha podido verme y que Lucille ha heredado sus habilidades psíquicas, y todos los demás atributos favorables, de ella. Luego también me echa un sermón. Intento corresponder indagando sobre sus intenciones con Serge, pero ella no quiere oír hablar del tema. Está claro que Lucille heredó su belleza de su madre.

—Está enamorada de ti —afirma Sara.

—Es mutuo.

—Bueno, ¿y qué tienes planeado? ¿Vas a intentar regresar como un verdadero contendiente o te vas limitar a flotar por ahí para siempre?

—No creo que tenga muchas opciones al respecto.

—¡Bah, pamplinas! Simplemente, te da miedo avanzar.

—Estoy intentando resolver mi asesinato —me justifico.

—¿Y luego qué? ¿Te irás?

—No lo sé. Nada de esto fue planeado…

—¡Oh, qué típico de un hombre! Me recuerdas a Malcolm, de la comuna. Dejó embarazadas a tres mujeres y se rascaba la cabeza constantemente, diciendo: «Nada de esto fue planeado». Frankie, no tener plan *es* un plan; reclama tu destino.

—¿Tienes esa frase en un imán de nevera?

—¿Y qué? A mí me funciona. Y tienes mucho que aprender sobre la otra vida.

—¿Has estado allí últimamente, Sara?

—¿Por qué nunca saliste conmigo cuando venía aquí? —me pregunta de repente.

—Ya tenías pareja. Incluso yo tengo mis límites.

—Eso no es lo que decían las otras chicas. Es porque pensabas que era rara.

—Eras muy joven, estabas con mi amigo… y, sí, eras un poco rara.

—Ya lo sé. Pero Lucy no lo es. No le hagas daño, es una buena chica.

—¿Qué me estás sugiriendo, que desaparezca?

—Te sugiero que encuentres la manera de quedarte aquí, pero como humano. Hay formas —me asegura, dedicándome una mirada misteriosa.

—¿Le has hablado a Serge de mí?

—No estoy segura de que pudiera asimilarlo. Tu muerte le rompió el corazón.

—¿*Tú* tienes planeando quedarte con él?

Sara lo medita.

—¿Quién sabe? Pero búscate un plan, Frankie. Deja de perder el tiempo en la otra vida.

A continuación, se dirige a la cámara frigorífica y cierra la puerta tras ella. Por los sonidos que salen de allí, sé que no es seguro entrar. A Sara le va la marcha. No me puedo creer que esté celoso de la vida amorosa de Serge… Sin duda, se han vuelto las tornas.

55
Lucy

Mamá sigue por aquí. Entre Frankie y ella, me siento como si estuviera cocinando ante una multitud. Y luego entra Charlie con su madre. Es una mujer tan elegante que me deja sin aliento. Es alta, con el cabello plateado cortado a la altura de los hombros, y viste una chaqueta de lino de Chanel junto con vaqueros y una impoluta camisa blanca sobre la que estoy segura de que nunca se derrama nada. Gemelos de oro rosa, pendientes de diamantes, sonrisa amable. Charlie parece tan guapo, dulce y afable como siempre. Polly lo mira de arriba abajo y su voz se vuelve un poco más ronca mientras recita el menú con un ronroneo.

—Espectacular. —Es lo único que Polly me susurra mientras recoge la terrina de la barra.

—Es muy mono —contesto mientras Frankie pone los ojos en blanco y asiente a regañadientes.

—¿Mono?, y una mierda. Ese tío es pura dinamita —repone ella antes de marcharse.

Frankie parece orgulloso.

Me armo de valor para ir a conocer a Helen. Frankie, que está igual de nervioso, me acompaña.

—Charlie me ha hablado mucho de ti —dice ella.

Mi risa nerviosa es el polo opuesto a la sofisticación de esta mujer.

—¿La receta de la terrina…?

—Es de Frankie. Bueno, de su recetario.

—Era mi plato favorito. Pero creo que tu versión es incluso mejor que la suya.

Oigo que Frankie suelta un gruñido.

—Gracias por darme la oportunidad de volver a abrir el Fortuna.

—Gracias a *ti* por tener el coraje necesario para sacarlo adelante. Me temo que está en muy mal estado.

Otro gemido de Frankie.

—El propietario silencioso que posee la mayor parte del local no cede ni un ápice.

Asiento con la cabeza.

Charlie asiente.

Helen asiente.

Miramos la terrina en busca de una respuesta.

Helen me mira fijamente.

—Me ha encantado conocerte.

—Igualmente. Buen provecho.

—Lucy, ven a sentarte conmigo cuando termines, ¿quieres? —dice Helen. La petición huele a orden.

—Con mucho gusto.

Charlie me acompaña de regreso a la cocina, al igual que Frankie.

—Bueno, ¿cómo te ha ido la semana? —me pregunta Charlie.

Ay, es encantador. ¿Cómo voy a...?

—Bien. Ocupada.

Charlie se detiene delante de mí y se ríe.

—Luce, no pasa nada, lo entiendo.

—¿El qué?

—El hecho de que preferirías darme una palmadita en la cabeza antes que besarme el cuello.

—Bien dicho, hijo —comenta Frankie.

Estoy hecha un manojo de nervios, pero Charlie parece estar bien.

—Cuando te conocí, sentí algo, una atracción. Pensé que tú también lo habías sentido; pero luego, después de la cena de la otra noche, ya no estaba seguro. Luego, en el coche, me...

—Charlie, lo siento. Ahora mismo mi vida es muy complicada.

Frankie da una patada en el suelo.

—Sé sincera, dentro de lo razonable. No le des falsas esperanzas.

Charlie levanta las manos.

—Déjame terminar. Siento algo cuando estoy contigo. Es raro, y no te tomes esto a mal, por favor, pero hay algo en ti que me recuerda a mi padre.

Las partes buenas, como su comida. Y, tal vez sea porque te obsesiona hablar de él, pero tienes algo que me parece más familiar que erótico.

—Oh. —Caray.

—Y luego estuve en el mercado de Glebe el fin de semana y vi que Sara había montado un puesto de tarot. Serge estaba a su lado, así que me acerqué a saludar... y me leyó las cartas.

—Ajá...

—Resulta que es bastante buena... aunque no es que yo crea en ese tipo de cosas, pero ¿sabes qué me dijo?

—Ni idea.

—Me dijo que, de donde no hay, no puedes sacar.

—Sí, es uno de sus dichos favoritos. Ese y «el mundo es demasiado pequeño para ser puta».

Charlie se ríe entre dientes.

—Es estupenda.

—Eh... sí.

—Y está muy orgullosa de ti.

Eso me deja atónita. Mamá y yo nunca hemos mantenido una relación muy estrecha precisamente. No era consciente de que escuchar que contaba con su aprobación me afectaría tanto.

Charlie me dedica su deslumbrante sonrisa. La sonrisa de Frankie.

—Entonces, ¿podemos ser amigos?

El alivio me invade como un tsunami.

—Me encantaría.

—Porque siento que estamos en el mismo bando y noto que le gustas a mamá. Quiere hablar contigo de algo.

—¿De Frankie?

—No..., del futuro.

Eso me deja helada. Y a Frankie también. Nos miramos: ¿qué nos depara el futuro?

—¿Luce? —Charlie me hace regresar al presente.

—Lo siento, me...

—Solo una cosa más. ¿Polly tiene novio?

Más tarde, la noche sufre un ligero contratiempo cuando Serge, que ha desaparecido del mapa con mi madre, deja la reducción de cerezas al fuego, lo que provoca un pequeño incendio. Frankie intenta agarrar la sartén, algo de lo que no me doy cuenta porque estoy colocando el pato en los platos, y el mango de metal hace que tanto él como la sartén salgan despedidos hasta el otro extremo de la cocina. Frankie grita tan fuerte que mamá entra corriendo, acompañada de Serge, al que empiezo a gritar. Polly y Hugo se asoman a ver qué ha pasado. Serge se disculpa y me asegura que tenemos suficientes cerezas para repetirlo.

Polly examina el desastre y dice con una sonrisa:

—¿Sabes cuáles fueron los ingredientes principales del Big Bang? Calor, caos y movimiento.

—¿Es esa tu forma de preguntar por Charlie? —contesto, intentando concentrarme en el pato.

—No, se trata de la congregación de partículas en movimiento que no dejo de percibir en este restaurante…, aunque podría deberse simplemente a las sustancias químicas que todavía tengo en mi sistema desde noche. Pero, ya que estoy aquí, ¿cómo está el tema? Ya sabes que yo no robo novios.

—Hemos decidido ser solo amigos, y me gustaría que lo invitaras a salir… de un modo caótico, ardiente y movido.

Polly me observa mientras agarra unos cuantos platos más para servirlos.

—Entendido.

Frankie me guiña un ojo. Oh, Dios, ¿podré besarlo algún día? ¿Y por qué estoy pensando en eso cuando su exmujer está aquí comiéndose mi pato a la naranja?

La cocina sigue pegajosa. Serge se deshace en disculpas y mamá se va a casa a descansar un poco…, lo cual quiere decir que se va a ver *Los asesinatos de Midsomer*. Y el orden, con su frágil disfraz, se restaura temporalmente.

—¿Qué crees que quiere Helen? —le pregunto a Frankie.

—Es una mujer práctica, quizá te considera la clave para vender este sitio.

—Pero yo no…

—¿Nos imaginas juntos, Lucille?

—Es muy guapa, y muy elegante.

—Me refería a ti y a mí. Pero sí, Helen es preciosa y una buena mujer, y siento no haberla querido de verdad.

Me mira fijamente, exigiendo una respuesta.

—Tu y yo… sí, sí. Bueno, aparte de por lo evidente.

—¿Tienes idea de cuánto deseo besarte ahora mismo?

—¿Eso no es un poco perverso, teniendo en cuenta quién está sentada en el comedor?

—Un poco de perversidad puede ser divertido.

Frankie me mira meneando las cejas; a veces todavía sigue en 1982.

—Eres un sinvergüenza.

—Cariño, no tienes ni idea.

—¿Estás coqueteando conmigo, chef Summers?

—¿Me está funcionando, chef Muir?

Por mi sonrojo, es evidente que sí. Quiero tocarlo. Desesperadamente.

Intento redirigir mi pasión a la ganache de chocolate, lo cual parece funcionar, porque la tarta Selva Negra es el éxito de la noche. Personalmente, creo que el truco está en el chorrito extra de kirsch que añado al esponjoso bizcocho de chocolate.

Más tarde, después de saludar personalmente a los clientes tras la cena, me siento con Charlie y Helen. Igual que Frankie. Hugo aparece con una botella de Bollinger y las copas para champán buenas.

—¿De dónde ha salido eso? —pregunto.

—La traje yo. —Helen extiende la mano con la copa—. Quería felicitarte como es debido. Frankie dejó este sitio hecho un completo desastre, nadie ha podido tocarlo, pero parece que tú tienes la clave para que se convierta en un éxito.

—Por la receta secreta de las segundas oportunidades —añade Charlie.

Brindamos.

—Yo no diría que estaba hecho un desastre —protesto—. Aunque tal vez no estaba en su mejor momento.

—Frankie tenía muchas deudas cuando murió, y un problema con la bebida. Había mujeres por toda la ciudad que querían vengarse de él por romperles el corazón, por no mencionar cómo pulverizó el mío.

Frankie parece contrito.

—Debe haber sido terriblemente duro —digo—. Lo siento.

—No sé cuánto te habrá contado Charlie, pero su padre no era un buen hombre. En cierto modo, nos hizo un favor a todos al quitarse de en medio. El rumbo que seguía estaba abocado al desastre.

La idea se forma en mi mente antes de que me dé tiempo a censurarla y se me revuelve el estómago: ¿Helen mató a Frankie?

—Aunque, según tengo entendido, tenía buen corazón —apunto, viendo cómo Frankie se ahoga en su propio mar de vergüenza.

Helen lo medita.

—Sí, pero era egoísta y eso no le permitía crecer como persona.

—¡Maldita sea, mujer, *lo siento*! —ruge Frankie, contrayendo el rostro en una mueca de remordimiento y rabia—. Dile que lo siento, por el amor de Dios.

—Dice que lo siente —suelto.

—¿Cómo? —Helen parece confundida, al igual que Charlie. Hugo se acerca rápidamente y nos rellena las copas sin mediar palabra.

—Quiero decir que —farfullo, improvisando sobre la marcha—, por lo que sé, que es muy poco, y probablemente solo sea la mejor parte porque proviene de sus recetas, tenía mucho amor que ofrecer y... debió de haberse sentido fatal por tratarla mal, y también a Charlie. Debió de haberse sentido avergonzado.

Helen asiente.

—Creo que tal vez tengas una idea demasiado romántica de él, pero gracias. No es fácil estar aquí, y de eso quería hablar contigo.

Oh, no.

—Por favor, no me echen.

—Por supuesto que no. Pero me gustaría saber qué planes tienes, para el futuro.

Ahí está de nuevo. Frankie y yo nos miramos. El futuro, nuestro mutuo talón de Aquiles.

—Pues... bueno, me estoy divorciando y no había pensado mucho más allá de los próximos meses, pero...

—Dile que debes quedarte aquí —me implora Frankie—. Tienes que conservar el restaurante. Da igual lo que me pase a mí, el Fortuna debería ser tuyo.

—¿Pero? —insiste Helen—. ¿Y después?

—Me gustaría quedarme aquí, me gustaría mantener abierto el Fortuna.

—Eso es justamente lo que esperábamos que dijeras —interviene Charlie.

—Si conseguimos el visto bueno del otro socio, nos gustaría que te quedaras aquí de forma permanente —me explica Helen—. Pero, lo que es más importante, nos gustaría ser tus socios.

—Di que sí, mujer —me ordena Frankie—. Yo hablaré con Bill. ¡Di que sí de inmediato!

—¡Sí!

¿Cómo es posible que todo esté encajando a la perfección?

—Y vamos a reparar este sitio como se merece —continúa Helen, pero yo siento que todo comienza a moverse a cámara lenta.

—¿Qué quiere decir?

—Eres una mujer muy valiente y lo que has logrado sin apenas recursos es asombroso. Pero la instalación eléctrica está hecha polvo, hay que cambiar los tablones del suelo, las cañerías necesitan una revisión… Por no hablar de remozar el exterior. Me gustaría invertir en todo eso…, a ambos nos gustaría. Quisiera que te encargaras del diseño. Con suerte, nos pondremos todos de acuerdo.

—Pero podemos seguir abiertos, ¿verdad?

—Lo que te proponemos es que sigas los próximos dos meses como acordamos, aumentado la fama que te estás ganado ya y creando una clientela fiel. Y luego cerramos para realizar la reforma y reabrimos por todo lo alto antes de que comiencen a preparar las reseñas de restaurantes para las guías gastronómicas del próximo año.

Miro a Frankie con desesperación. La idea de pasar aunque sea un solo día sin verlo me resulta espantosa, pero esto implicaría semanas. Además, ¿y si la atmósfera cambia de forma tan radical por culpa del cableado, o lo que sea, que Frankie desaparece junto con los viejos tablones del suelo?

—¿Cuánto tiempo llevaría?

—Unas seis semanas.

—Acepta, Lucille —me insta Frankie con dulzura, pero con firmeza—. Seguiré aquí.

—Eso es imposible saberlo —contesto.

Helen y Charlie intercambian una mirada. Charlie apunta con delicadeza:

—No creas. He estado revisando algunos presupuestos y Ewan, del ayuntamiento, nos ha estado ayudando. Si no hacemos estos cambios, no podrá darte un permiso de apertura permanente.

—Di que sí, Lucille —insiste Frankie, mirándome fijamente.

—La otra opción es ayudarte a abrir en otro local —dice Helen.

—No, no, tiene que ser aquí.

—Sí, Charlie me comentó que le tienes mucho apego a este sitio. Me gustaría ayudarte a hacer que este restaurante prospere como Frankie nunca me lo permitió cuando era suyo.

—Es cierto, la mantuve al margen porque no quería exponerla a mis devaneos, pero tiene muy buena cabeza para los negocios. Se lo debo.

—Pero ¿y si no volvemos a vernos?

—¿A qué viene eso? —se ríe Charlie.

—Firmaremos contratos —añade Helen—. Quiero acordar que seas la socia principal. ¿Tienes un buen abogado?

—Sí —responde Hugo, vaciando la botella de Bollie en nuestras copas. Emocionado como un niño en un campamento, pide la atención del resto del restaurante—. Damas y caballeros, ¡un brindis por la recuperación de la buena Fortuna de Lucy!

Todo el mundo estalla en aplausos y brindis, aunque no estoy segura de que mis comensales sepan de qué está hablando.

Más tarde, Frankie me acompaña mientras apago las últimas luces.

—Espera —me dice.

Agarra el palo de una escoba y lo usa para activar el iPod.

—¡Frankie, lo vas a romper!

—He estado practicando… Ya está… —Se vuelve hacia mí con una sonrisa de satisfacción y luego toca unas cuantas velas, que se encienden de inmediato—. Baila conmigo.

Me ofrece la escoba. Empieza a sonar una canción de Air Supply.

—Mierda, eso no es lo que había planeado. El maldito Serge lo ha estado toqueteando otra vez.

—¿Quieres decir que no querías ponerme *Lost in Love*?

Nos reímos. Sujeto un extremo de la escoba, él el otro y nos acercamos todo lo posible sin tocarnos. Él comienza a hacerme girar despacio.

—Frankie, las reparaciones… Me preocupa que te hagan daño.

—Querida, la muerte apenas me hizo daño, ¿qué son unas cuantas reparaciones? No te voy a abandonar.

—¿Nunca?

—Me quedaré aquí todo el tiempo que pueda. No quiero estar en ningún otro sitio, ni ahora, ni nunca.

—¿Crees que hay alguna posibilidad de que Helen estuviera involucrada en tu asesinato?

Frankie se ríe con ganas al oír esto.

—De ser así, no la habría culpado; pero no, no fue Helen. Es buena persona. Va a ser de gran ayuda para tu restaurante.

—*Nuestro* restaurante.

—Será de gran ayuda para el Fortuna. Ahora, cállate y déjame bailar contigo mientras esta canción empalagosa nos manipula.

Obedezco y me hace mecerme de nuevo.

Es evidente que ambos estamos imaginando lo mismo, porque enseguida nos encontramos a milímetros de distancia el uno del otro. Mi respiración es tan fuerte que parece provenir de los dos, nuestras miradas se funden, nuestras manos casi se tocan. Cerramos los ojos, unimos nuestros labios y nos sumergimos en la esencia del otro. Puedo sentir todas sus esperanzas y anhelos, heridas y sueños, veo destellos de su vida, saboreo las comidas que ha preparado, siento su risa vibrar a través de mí, toco a través de sus dedos a las amantes de su pasado, alzo al pequeño Charlie en el aire, experimento la oscuridad de una bolsa cubriéndole la cabeza, unas manos lo agarran del cuello y luego...

¡Pum!

Me encuentro en el suelo, él está en el techo, las velas se han apagado y el iPod ha explotado.

—Te sentí.

—Yo también.

—Esta vez fue más intenso —le explico—. Sentí lo que es *ser* tú.

Frankie desciende y yo me levanto.

—Crecer en esa comuna fue una locura —dice, mirándome con el mismo asombro que siento yo—. Y tus abuelos..., tu abuela cocinaba muy bien. Y el maldito Leith..., también lo vi. Lucille, el labio, te está sangrando. ¿Estás bien?

—Vi la bolsa cubriéndome..., cubriéndote la cabeza.

—Toma. —Me pasa una servilleta—. Me da miedo que acabes herida.

—Estoy bien —le aseguro mientras presiono la tela contra mi labio—. Te quiero.

Él se endereza. Continúo limpiándome el labio, temiendo haber ido demasiado lejos.

—Yo también te quiero. Nunca le había dicho eso a nadie…, estando sobrio, al menos.

¡Me quiere! ¡Me quiere, me quiere, *me quiere*!

—¿Lucille?

—¿Te parece raro?

Frankie niega con la cabeza.

—Me parece perfecto.

Nos quedamos allí sentamos un rato, en medio de la silenciosa santidad de nuestro amor. Al final, no damos las buenas noches y él me acompaña a la puerta, observándome como siempre. Cuando me encuentro al otro lado de la ventana delantera, me detengo, me giro y miro hacia dentro. Él sigue mirándome, sonriendo. Nos despedimos con la mano y me alejo. De pronto, me encuentro con la inesperada imagen de mi madre sentada con el viejo Bill en una alcantarilla, al otro lado de la calle. Bill rodea su botella con una mano y sostiene con la otra la mano de mi madre mientras llora a moco tendido. Mamá parece arrepentida.

Los saludo con la mano. Mamá se pone en pie y ayuda a Bill a levantarse.

—¿Qué pasó con *Los asesinatos de Midsomer*? —le pregunto.

—Ya iba siendo hora que Bill y yo nos pusiéramos al día.

—¿Estás bien, Bill? No te habrá hecho llorar leyéndote el tarot, ¿verdad?

Bill se suena la nariz, luego toma un trago de su botella y niega con la cabeza.

—Nos vemos pronto —dice mamá con sinceridad. Así es mi madre, no le falta compasión cuando se trata de personas necesitadas.

Se despiden y, mientras mamá y yo nos alejamos, sé que no debo preguntar. Está de un humor sombrío, por decirlo suavemente.

—Hoy estuve hablando con Frankie —me cuenta.

—Ay, Dios.

—Creo que por fin está madurando.

—¿Cómo lo sabes?

—Simplemente, parecía más centrado, más abierto.

Típico de mi madre decir algo así de un fantasma.

—¿Te dijo…, estaba…, bueno, te…? —farfullo.

—Escúpelo, Lucille.

—¿Dijo algo… sobre mí?

—Sí, te tiene cariño. Creo que quiere quedarse aquí por ti; pero, en cuanto aprenda la lección, tendrá que reencarnarse o saltar al éter o…

—¿Cuántas opciones hay?

—¿Cuántos granos de arena hay en el fondo del mar?

Tenemos esta conversación como si estuviéramos hablando de las universidades a las que podría ir al terminar el instituto…, algo que nunca hicimos.

—Lo quiero, mamá.

—Lo sé.

—Pero nunca había sentido nada igual.

—Bien.

—Creo que es el hombre de mi vida.

—¡Por supuesto que es el hombre de tu vida! Habéis desafiado a la muerte y la realidad para encontrarnos, así que debéis estar destinados a hacer un gran viaje kármico juntos.

—¿Alguna vez has amado a alguien así? ¿A George, tal vez?

—No pasé el tiempo suficiente con él. Pero, sí, una vez experimenté esa sensación de haber encontrado a mi verdadera alma gemela y me acojoné. ¿Qué te ha pasado en el labio?

—Intenté besar a Frankie.

Mamá sonríe al oír eso.

—Deberías hablar con Polly sobre física cuántica un poco más. Podría ayudaros a tu fantasma y a ti.

Las dos estamos agotadas, así que recorremos la corta distancia en coche hasta casa en silencio, escuchando las preguntas infinitas que la noche nos plantea a cada una. Me desplomo sobre la cama y me quedo dormida. Sueño que doy tumbos por el espacio y el tiempo con Frankie, y luego estamos caminando por un viñedo y él se vuelve hacia mí y me acerca a los labios una crêpe Suzette.

Pato a la naranja

Ingredientes

- 2 patos de granja felices, de 2,5 kilogramos cada uno (recórtales el exceso de grasa por dentro y por fuera y extráeles el pescuezo y las mollejas y resérvalos cortados en trozos pequeños)
- 1 naranja, cortada en cuñas
- 2 ramitas de tomillo
- Sal y pimienta negra recién molida
- 2 zanahorias medianas, peladas y picadas en trozos grandes
- 2 palitos de apio, picados en trozos grandes
- 1 cebolla pequeña, pelada y picada en trozos grandes
- 1 cucharada de coñac
- 2 cucharadas de Grand Marnier
- 1 ½ tazas de caldo de pollo
- Zumo de 4 naranjas
- 1 cucharada rasa de mermelada
- 1 cucharadita colmada de arruruz, mezclado con un poco de agua
- Ralladura de 1 naranja
- 2 cucharadas de mantequilla fría sin sal

Elaboración

Precalienta el horno a 220 °C. Inserta las cuñas de naranja y el tomillo en las cavidades de los patos. Añade un poco de sal y pimienta por dentro y por fuera. Ata los patos y después frótalos por todas partes con suavidad con papel de cocina.

Coloca los patos en la rejilla de una asadera, con la pechuga hacia arriba. Hornéalos durante 20 minutos hasta que empiecen a dorarse y exuden su deliciosa grasa. Retíralos del horno y escurre la grasa en un recipiente separado. Baja la temperatura a 190 °C y cocina los patos durante otra hora.

Mientras los patos se asan, es hora de preparar la salsa. Calienta la grasa de pato escurrida en una cacerola de hierro fundido en buen estado. Añade los pescuezos y las mollejas troceados y dóralos. Ahora incorpora las verduras hasta que también adquieran color.

Agrega el coñac y el *Grand Marnier* (y no dudes en tomar un sorbo de cualquiera de ellos..., de los dos si es Navidad). Hiérvelo y déjalo bullir hasta que la salsa se reduzca a una pasta espesa y viscosa. Añade el caldo de pollo, el zumo de naranja y la mermelada. Deja que la mezcla hierva a fuego lento durante 30 minutos y luego cuélala en una cacerola limpia. Desecha los fragmentos sólidos. Déjalo reposar de 15 a 20 minutos y luego retira cualquier exceso de grasa.

Cuécelo y redúcelo (hasta aproximadamente ⅓ de la cantidad original debería valer) hasta que la salsa esté espesa y sabrosa. Ahora es el momento de añadir el arruruz, que espesará aún más la salsa. Luego agrega la ralladura de naranja y la mantequilla y cuece a fuego lento.

Cuando los patos estén listos, déjalos reposar durante unos 10 o 15 minutos. Libéralos de sus ataduras. Si te animas, trínchalos en la mesa de la forma más teatral posible. Sirve la salsa caliente por separado en una salsera y viértela sobre la ración de pato con mucho estilo.

56
Frankie

Espero que su labio esté bien.

Madre mía, besa de fábula.

Aquí no percibimos el paso del tiempo, pero me parece que ya ha transcurrido una eternidad mientras aguardo a oír abrirse la puerta, esperando a que amanezca, anhelando que ella regrese.

57
Lucy

Los días transcurren en medio de un flujo constante de trabajo, amor, inspiración y comidas. Los clientes se reúnen y disfrutan. Frankie repasa conmigo su libro rojo y comparte anécdotas sobre las diferentes recetas. Todas tienen un significado. Muchas de ellas las reunió durante sus viajes de joven y las perfeccionó durante el tiempo que pasó en el Fortuna.

Mis días cobran un impulso rítmico. Encuentro un diminuto estudio a solo unas calles del restaurante y traslado mi ropa, mi silla y la cama extra de mi madre a mi nueva dirección. Aunque, en realidad, solo es un refugio para dormir, porque mi verdadero hogar está en el Fortuna. Las horas que paso con Frankie después de que el restaurante cierre se expanden y las horas que tardo en regresar al día siguiente disminuyen.

Serge continúa su romance con mamá, que lo está disfrutando. Bill comienza a entrar y se une a nosotros durante las cenas del personal. Le regalo unos pañuelos, que usa, aunque rechaza todas nuestras ofertas de ayuda o lugares para quedarse. Está decidido a vivir así, por la razón que sea. Bill aprueba los planes para las reparaciones, aunque, como yo, tiene sus dudas a pesar de la emoción de todos los demás (incluido Frankie). Cuando Helen y Charlie se enteran de quién es el socio silencioso, ambos parecen aliviados, aunque sienten curiosidad por saber por qué mantuvo el misterio todos estos años. Él responde que no le apetecía involucrarse.

Charlie y Polly tuvieron una cita y, a diferencia del casto tiempo que yo pasé con él, ellos congeniaron de inmediato y prácticamente han pasado todas las noches juntos desde entonces. Charlie pasa cada vez más tiempo en la cocina con Serge, Frankie y conmigo. Creo que se debe a que puede sentir a su padre, pero él asegura que es porque al fin está aprendiendo a cocinar como es debido. Y a Serge le encanta enseñar. Julia continúa sermoneándome acerca de los peligros de los fantasmas e insiste en que veamos una y otra vez *El fantasma y la señora Muir*, que a mí me resulta deprimente y ella considera una historia con moraleja. Polly intenta enseñarme los entresijos de la física cuántica, aunque no me entero de la mayor parte y lo olvido rápidamente porque lo único que quiero es estar con Frankie en la cocina. Me quedo dormida casi todas las noches abrazada a mi almohada, deseando que fuera él. Todo va sobre ruedas y entonces, como suele pasar, se va a la mierda.

Comienza la mañana de la inauguración de la exposición de Matthias Drewe. El catering está listo. He llegado supertemprano al Fortuna, pero no veo por ninguna parte al viejo Bill, que suele aparecer justo a tiempo para su café matutino. No le doy mucha importancia, porque hay mucho que hacer, y el resto del día pasa volando ente las entregas de flores e ingredientes especiales y las consultas de Vivianne Drewe y su séquito encargado de las relaciones públicas. Hemos cerrado el restaurante para la recepción, por lo que todo marcha un poco desacompasado; además, Frankie está inquieto y quiere recorrer las pocas calles que nos separan del lugar de la exposición. Lo dejo despotricando sobre la calidad del beicon y me dirijo a la resplandeciente galería con su iluminación de vanguardia, su clientela con ingresos masivos y gustos impecables y las obras maestras de Matthias Drewe.

Es innegable que es un artista de gran talento. Las obras del restaurante, ahora bellamente enmarcadas, muestran la incipiente genialidad que se iría desarrollando con el paso de los años. La pieza central de la exposición, el retrato de Frankie, preside el evento y los besos de autofelicitación, pero sin contacto, de la élite del este de Sídney.

Por desgracia, el horrible Paul Levine está allí y no parece inmutarse al verme. Hace semanas que no hablamos de la funesta historia de corrupción en la que se vio implicado Frankie. Tanto él como yo lo hemos estado ignorando por temor a que resolverlo lo aleje de mí.

Paul se me acerca con paso decidido.

—Tu amigo nos engañó. Conseguimos el código, pero ya habían vaciado la caja fuerte.

—Paul —contesto—, no tengo ni idea de qué hablas ni qué es lo que buscas. Pero, si sigue habiendo algún problema, recomendaría que habláramos con la policía.

A él no le gusta mi respuesta y se marcha.

Los dioses y las diosas, después de asegurarse de que todas las obras a la venta consigan un punto rojo, abandonan la galería y se dirigen al Fortuna.

El restaurante está abarrotado mientras se reparten canapés. Frankie, que parece estar de mejor humor, da una palmada y se pasea entre los invitados, ofreciendo consejos y reinando sobre su multitud sorda. Matthias está completamente borracho, lo que parece ser su estado favorito. Se tambalea sobre los escotes de las mujeres, que se ríen con incomodidad y retroceden un paso.

Frankie se sitúa a mi lado, observando.

—A veces el talento traspasa los límites de lo tolerable, pero no te creas nada, con él todo es puro teatro.

Me dirijo al cuarto de baño cuando Matthias me lleva a un lado. Por suerte, Frankie sigue por aquí.

—Buen trabajo con el picoteo: las ciruelas envueltas con beicon fue una de las primeras cosas que Frankie me enseñó a preparar.

Su aliento ebrio y caliente me golpea en la cara mientras Matthias me sujeta contra la pared, agarrándome por los hombros.

—Su retrato, me gustaría quedármelo.

—¡Apártate de ella, pedazo de mierda! —grita Frankie.

—Lo necesitamos aquí. —Intento apartarlo, pero no lo consigo.

—Te lo compro.

—No está a la venta, Matthias, hicimos un trato.

—Lo quiero.

—¿Se trata del código, del contrato?

—A la mierda el contrato. Ese retrato es uno de mis mejores trabajos. Te haré otro.

—Eso no es lo que acordamos.

—Ni siquiera lo conocías, ¿qué más te da?

Me empuja contra la pared. Me retuerzo intentando soltarme, pero él me sujeta con fuerza y me da un lengüetazo desde la clavícula hasta la frente.

Frankie levanta una jarra de agua que hay cerca y la estrella contra la cabeza de Matthias, que retrocede asustado. Me libero de sus garras.

—¡Dile que conoces su secreto! —me indica Frankie.

—Lo sé... —Eso es lo único que consigo decir.

—¿Qué sabes? —El pánico se apodera de la voz de Matthias.

Miro a Frankie y luego decido improvisar. Dirigiéndome a Matthias, digo:

—Todo. Y Frankie también lo sabía.

El alivio y la vergüenza se reflejan en el rostro de Matthias, que comienza a tambalearse y luego se desploma.

—Di: «de lo que escapaste» —me ordena Frankie.

—De lo que escapaste, por ejemplo.

No tengo ni idea de qué estoy hablando, pero Matthias se echa a llorar.

—¡Y con lo que escapaste! —grita Frankie, y yo lo repito.

Matthias se estremece.

Después de pasarse un momento fulminando con la mirada a la figura acurrucada en el suelo, Frankie se apiada de él.

—Vamos, muchacho, deja de lloriquear. Solo eras un chico tonto que se metió en un lío.

—¿Qué pasó? —pregunto.

58
Frankie, 1982

Es tan temprano y, sin embargo, todavía no ha amanecido.

Salgo del restaurante. Varias fiestas de cumpleaños después acabamos en el Fortuna. Una enorme limusina negra aguarda un poco más adelante.

El joven Matthias, ese cabroncete ladrón y con talento, merodea por allí cerca.

—Frankie.

—¿Qué haces aquí? No empiezas hasta las nueve…, vuelve dentro de cuatro horas.

—Estoy en apuros.

Presto atención. Él no es el único que está en apuros: estoy a punto de perder el Fortuna. He empezado a ponerme vodka en el café matutino.

—¿Ese problema tiene que ver con una gran limusina negra, chico?

Él asiente y sofoca un gimoteo.

—¿Qué pasa?

—Hay un tipo que viene mucho por aquí —me explica Matthias—. Es muy rico y le gusta mi arte.

—¿Y dónde está el problema?

—Me dijo que si yo…, ya sabes…

—Ilumíname.

—Si yo… se la chupaba y le dejaba follarme, me daría dinero para ir a la escuela de arte en Londres.

—Para eso están las becas.

—Necesito el billete. Él me dijo que me lo compraría en primera clase.

—Así que te estás prostituyendo. ¿Acaso eres gay?

—No. Y él tampoco.

—Evidentemente.

—Me va a matar si no lo hago, Frankie.

—Chorradas.

—No, habla en serio. Es socio de un club nocturno y es poderoso.

—Es un pedófilo.

Al chico le bajan lágrimas por la cara. Es un cabrón, pero ningún niño se merece esto, ni siquiera los codiciosos y maquinadores como Matthias Drewe.

—Lárgate. Yo me encargo de esto —le indico.

—No, te matará, y luego me matará a mí.

—Lo dudo. —Miro hacia la limusina negra—. Si no he vuelto al Fortuna a las nueve, llama a la policía.

—No tienes que hacer esto por mí, he sido un capullo.

—Es cierto, pero eres uno de mis capullos. Ahora, ve a casa y prepara las maletas. Me encargaré de que Tiffany te reserve un billete y te irás a Heathrow esta noche. No cargaré en mi conciencia que vendas tu miserable cuerpo. Pero, Matthias, espero que te esfuerces, trabajes duro, pintes bien y ganes mucha pasta. Vuelve a casa hecho un hombre. ¿Me oyes? Ahora largo. ¡Ya!

Sale corriendo en medio de la penumbra previa al amanecer. Me termino el pitillo y me dirijo al vehículo. Abro la puerta trasera y entro.

—Sorpresa —digo.

Los dos nos quedamos sorprendidos. Se trata de John, mi antiguo compañero de rugby. Un buen padre de familia con muchos contactos. Participa en varias juntas, es miembro del Rotary y se considera el rey de las barbacoas.

—Mierda, eres tú.

Los segundos pasan despacio, en medio de un silencio incómodo, mientras a uno de los dos se le ocurre algo que decir.

—Has alquilado un bonito coche para la ocasión, John.

—¿Qué coño haces aquí?

—El chico pasa. Espero valerte yo —digo, batiendo las pestañas.

—Sal.

—Menores de edad, John…, eso no es jugar limpio.

—Ese chico es maricón, sabe de qué va el tema.

—No lo creo.

John le ordena al conductor que arranque.

—¿Por qué no te limitas a ir a Darlinghurst Road, John? Esa gente está dispuesta a hacerlo. ¿Adónde vamos? ¿A tu casa a tomar una copa de vino rosado con Pippa?

—Como se lo cuentes a alguien, te mato.

—Ponte a la cola. Mientras tanto, tal vez te interese retirarle tu apoyo a la propuesta del casino.

—¿Y eso qué tiene que ver?

—Sería una pena que Pippa se enterase de esto por los periódicos. Mejor se lo cuento yo mismo… después de darle un buen meneo, claro.

John se lanza hacia mí. Abro la puerta y me tiro. Pero sé que me espera un castigo.

Subimos a Matthias al avión. Cuando regreso al restaurante, descubro que alguien se ha llevado mis últimas reservas de dinero de mi escondite. Cabronazo. Se lo habría dado si me lo hubiera pedido.

59
Lucy

Matthias termina su historia con un fuerte sollozo. Huyó en un vuelo que Frankie le reservó a Londres y se quedó en el extranjero una década. Frankie, Serge y Charlie están ahora a mi lado, escuchando.

—Él me salvó la vida.

Sí, estoy de acuerdo.

—Entonces, ¿por qué lo odias?

—Porque me salvó y estaba en deuda con él. Ya había muerto cuando regresé, así que no pude saldar mi deuda. Le robé un dinero que probablemente necesitaba.

—Eres un imbécil —le espeto.

Matthias solloza y asiente.

—Murió tres meses después de que te fueras. Seguramente te enteraste, ¿no?

Matthias, abrumado por el miedo y el arrepentimiento, sigue llorando.

—Tiffany me envió un aerograma. Creo que fue culpa mía.

—¡Te mato! —De pronto, Serge se lanza sobre Matthias. Y creo que lo habría matado si Charlie no llega a detenerlo.

—¿Fue culpa mía? —vocifera Matthias.

Miro a Frankie.

—Me había olvidado de todo eso. ¿Quién sabe?

—¿Quién podría saber algo más? —pregunto, orgullosa del acto heroico de Frankie, aunque el pánico empieza a hacer acto de presencia.

¿Ya está? ¿Estamos a punto de resolver el asesinato de Frankie? Y, si es así, ¿eso significa...? ¿*Qué* significa?

Nadie tiene una respuesta. Entonces, Serge sugiere:

—Hay que preguntar a Bill.

—O a John... John sabría más, si fue él. ¿Sigue vivo? —pregunta Charlie.

La conmoción nos lleva a beber más y seguir analizando el asunto hasta que todos los invitados se marchan por fin, incluido Matthias, al que tienen que sacar a cuestas, completamente borracho. Mientras Frankie y yo recorremos el comedor terminando de recoger las copas, Serge, Charlie, Polly y Julia charlan en la parte de atrás, bebiendo una copa. Se les une mi madre, que afirma que ha venido a verme, pero se dirige de inmediato hacia Serge. Cuando voy a reunirme con ellos, alguien aporrea la puerta.

—¡Está cerrado! —grito.

Otro golpetazo. Me acerco a la puerta, con Frankie siguiéndome. Cuando la abro, el cuerpo encorvado y brutalmente apaleado del viejo Bill se desploma sobre el umbral.

A partir de ahí, la sensación de que todo se está descontrolando se intensifica. En lugar de esperar a una ambulancia, Serge, Charlie y mamá me ayudan a meter a Bill en mi utilitario. Todavía respira, pero está inconsciente.

En urgencias, mientras lo colocan en una camilla, yo me dirijo al mostrador de ingresos e intento proporcionar sus datos de contacto. Uso la dirección del Fortuna.

—¿Algún pariente cercano? —pregunta la enfermera.

Estoy tratando de recordar si Bill me ha dicho si su exmujer sigue viva cuando mi madre interviene.

—Ella —suelta, señalándome con la cabeza.

—¿Cómo?

—Bill es tu padre.

Espero a que me guiñe un ojo y me diga que solo es una artimaña para que lo atiendan más rápido, pero mamá mantiene el rostro impasible.

—Tuve una aventura con él. Estaba casado y yo era demasiado joven. Estaba enamorada de él, pero me asusté y me largué cuando supe que te iba a tener.

—¿Bill... Bill... Bill, el sin techo, es mi padre?

La enfermera ha dejado de escribir y nos está mirando.

—Le dije que no quería ser una rompehogares. Perdí la pista de su paradero. No sabía que había acabado tan mal.

—¿Él te quería?

Mamá asiente y se sorbe la nariz. Visualizo al instante una avalancha de realidades alternativas: cumpleaños con Bill, mi madre con alguien que la quisiera, yo llamando a Frankie «tío»...

—Le dije que en el amor es esencial encontrar el momento oportuno; pero, en realidad, simplemente, estaba acojonada.

—¿Bill lo sabe?

Ella asiente.

—Dice que lo supo en cuanto te vio: tienes mis ojos... Son tu mejor baza.

—Madre mía.

Nos interrumpe un médico que nos hace pasar. Un equipo comienza a realizar pruebas y poco después dictaminan que Bill ha sufrido un infarto grave. Los años de bebida también le han provocado abundantes daños en el hígado, que la paliza que recibió ha empeorado. Sus posibilidades de sobrevivir son escasas, en el mejor de los casos.

Agarro su mano y intento imaginarme qué aspecto tendría en otra época, antes de que la vida lo derrotara. Bill, que salvó a Frankie, que perdió a su mujer, a su amante y su carrera y, aun así, siguió montando guardia. Bill, que le ha sido más fiel a Frankie que nadie. Bill, que es mi padre. No puede morir todavía.

Las horas pasan acompañadas de vasos desechables de té tibio que nos turnamos para preparar en la diminuta y anodina cocina. En las salas de cuidados intensivos se pierde la noción del tiempo. Nada de lo que ponen en los televisores de las salas de espera se puede oír ni comprender. Todas las revistas son viejas y el corazón se te acelera cada vez que alguien con pinta de médico cruza las blancas puertas metálicas, que se vuelven a cerrar antes de que puedas ver con claridad lo que hay detrás de ellas.

Bill supera la cirugía. Su estado se estabiliza. Mamá dice que es un tipo duro.

La siguiente vez que lo veo, está conectado a una multitud de máquinas con pantallas que hacen ruiditos. Esperamos hasta que despierta. Para ser sincera, aparte de los moretones, nunca lo había visto con tan buen aspecto. Lo han lavado para la cirugía y le está suministrando fluidos y nutrientes por vía intravenosa. Este es mi padre. El hombre sobre el que he fantaseado todos esos años.

Contar con mi abuelo como padre sustituto me ayudó a no pensar tanto en él; pero, cuando era pequeña y estaba asustada en la comuna, hice lo mismo que suelen hacer tantas otras niñas pequeñas y me imaginé al padre perfecto: era alto, guapo, con dientes perfectos, y llegaba en un caballo, en un unicornio o, a medida que me hice mayor, en un Jaguar, para llevarme lejos de aquel olor a sándalo. Naturalmente, sería un cirujano que salvaba vidas y había estado en una misión especial en un país del Tercer Mundo o un miembro del servicio secreto que había mantenido a nuestro país a salvo, y por eso no había estado conmigo en todos esos cumpleaños y días de Navidad. Pero, ahora que había vuelto, me llevaría al Pancakes on The Rocks o cualquier restaurante que por ese entonces me pareciera el *summum* del glamur. Cuando tenía ocho años, ese lugar era un restaurante francés llamado Pig Alley que había visto en fotos; a los trece, el restaurante giratorio en la cima de la Centrepoint Tower; a los dieciocho, el Rockpool; a los veintiuno, el Jean-Georges, en Nueva York. Me imaginaba las conversaciones, las horas felices hablando de mis planes de futuro, y él me apoyaría, se ofrecería a ayudarme a abrir mis restaurantes, me animaría a ir más allá, a pensar a lo grande.

Y aquí estaba ahora mi padre. El viejo vagabundo que me insultó y me pidió un pitillo la primera vez que visité el Fortuna. De un modo sumamente extraño, ha estado cuidando el Fortuna para Frankie, pero también para mí.

Por favor, déjame pasar algo de tiempo con él antes de que se vaya otra vez. Quiero conocer a la persona que hay bajo el hedor y la botella de licor.

Le aprieto la mano con fuerza.

Ciruelas envueltas con beicon

Ingredientes

- 12 ciruelas pasas, sin hueso (como alternativa, para darle un toque más dulce, puedes usar dátiles)
- ½ taza de brandy
- 12 almendras enteras escaldadas
- 1 cucharadita de romero picado

- 2 hojas de salvia (fríelas en mantequilla hasta que estén doradas, déjalas enfriar y luego pícalas muy finas)
- 1 cucharadita de ralladura de naranja
- 200 gramos de beicon, sin piel
- 1 cucharada de aceite de oliva virgen extra

Elaboración

Deja las ciruelas en remojo en el brandy durante una hora para que se hinchen. Cuando estén listas, escurre el líquido y déjalo a un lado. Si lo necesitas, toma unos sorbos de brandy y guarda el resto para más tarde.

Inserta una almendra en el centro de cada ciruela.

Añade el romero, la salvia y la ralladura de naranja a las ciruelas y remueve para combinarlo.

Corta el beicon de modo que tengas un trozo de 6 o 7 centímetros por cada ciruela. Envuelve cada ciruela en un trozo de beicon y asegúralo con un palillo.

Calienta una plancha, rocía con aceite las ciruelas envueltas con beicon y ásalas hasta que el beicon esté crujiente.

Colócalas en un plato y sírvelas. O, para un darle un toque más sofisticado, sustituye las ciruelas por ostras.

60
Frankie

¿Cómo es que, con tanta frecuencia, pasamos por alto lo que tenemos justo delante de las narices? John. Por supuesto que fue John: era un pez gordo en la ciudad; si yo hubiera cantado como un canario acerca de sus horribles apetitos, lo habría perdido todo. Un hombre tan orgulloso como él no podía consentirlo. Por no mencionar el posterior desmoronamiento de su imperio inmobiliario.

Por supuesto que fue John.

Conseguimos meter a Matthias en el avión; gracias a Dios, todavía no me habían cancelado las tarjetas de crédito.

Pero entonces me quedé sin blanca.

John se mantuvo alejado del restaurante. Supuse que sentía vergüenza, y yo tenía tantas otras mierdas con las que lidiar, que me olvidé enseguida de ese asunto.

Es evidente que él no lo olvidó.

61
Lucy

La luz del amanecer se abre paso entre las ramas de los jacarandás mientras regreso al Fortuna. Quiero decirle a Frankie que Bill está estable, que pasará un mes como mínimo en el hospital y luego tendrá que ir a rehabilitación. También quiero decirle que Bill es mi padre.

Escucho a Frankie antes de verlo.

—Creo que tal vez me haya equivocado con las cantidades.

Está en la cocina, estudiado su receta de esturión con huevos de pato. Está sentado tranquilamente en la mesa de trabajo, pero tiene un aspecto vago…, como una fotografía descolorida de un álbum de la infancia. Incluso su voz suena como si proviniera de una colina lejana.

—Sí, lo sé. —Me sonríe con tristeza mientras levanta las manos, que se están volviendo translúcidas rápidamente.

Le grito que lo detenga.

—Lo estoy intentando, querida. Me pregunto si hay alguna receta que arregle esto, algún detalle que se nos haya pasado.

—Bill es mi padre —suelto.

—Ya lo sé. —Frankie asiente, satisfecho.

—¿Te lo contó?

—No hizo falta. Tienes su coraje, su mandíbula y su intelecto.

—¿Eso hace que lo nuestro sea raro? —pregunto.

Su risa sonora se aleja rápidamente con rumbo desconocido.

—Eso tiene gracia, dadas las circunstancias, ¿no crees? ¿Se va a poner bien?

—Sí. ¿Qué está pasando, Frankie?

Mi agotado corazón se acelera debido a una nueva oleada de adrenalina.

—El gran misterio está resuelto. Fue John.

—¿El tipo que intentó meter a Matthias en el coche, tu compañero de rugby?

—Compañero de rugby, asesino… Un poco decepcionante, la verdad. Apuesto a que Bill sabrá más cuando despierte. John está detrás de la paliza que sufrió: es demasiada coincidencia. La exposición de Matthias debe haberlo puesto nervioso. También estaba compinchado con Paul, aunque no caí en la cuenta en ese momento. Quería esto —levanta su librito rojo, la causa de tanta angustia—, para asegurarse de que mis recetas no estuvieran acompañadas de mis memorias.

—Pero ¿y ahora? ¿Qué pasa ahora?

—Se ha aprendido la lección, todo está resuelto.

—Pero ¿dónde está John?

—Bill ayudará a localizarlo. Acude a la policía, cuéntales todo lo que sabes. Seguramente se sentirá aliviado.

Me acerco a él.

—Pero ¿y qué pasa contigo? No puedes irte.

—No quiero dejarte. Estoy luchando por quedarme, pero parece que no estoy ganando, maldita sea.

Se está volviendo cada vez más tenue.

—Frankie, me lo prometiste, por favor, no puedes, no puedes… Tiene que haber una forma. Te he estado esperando toda mi vida.

—Y yo te he estado esperando más allá de la mía, Lucille.

Tiene que haber una respuesta, una solución, una manera de detener esto. No puedo perderlo.

—¿Y qué hay de Polly? ¿De los portales temporales? ¿Y de mi madre y sus rollos espirituales?

—Nos estamos aferrando a un clavo ardiendo. Preferiría pasar el poco tiempo que me queda solo contigo, aquí en el restaurante…, cocinando.

—Frankie, tenemos que intentarlo.

Mamá llega en menos de una hora, acompañada de Sandy y Serge, que parece confundido.

—¿Frankie está aquí? —Intenta asimilar lo que le han contado.

—¡Sí, estoy aquí! —grita Frankie, frustrado, aunque ahora su voz es poco más que un susurro—. Siempre he estado aquí.

—Frankie, ahora estás aquí conmigo. Te soy leal, Frankie. Y por fin encontré un gran amor. Y también tiene buena amiga.

—Gracias, Serge —lo interrumpo antes de que divulgue más información no deseada sobre Sandy, que esboza una tímida sonrisa coqueta.

Mamá y Frankie se saludan con un gesto.

—Prácticamente deslumbras, Frank.

—No es la primera vez que me lo dicen, Sara.

Llega Julia y luego, para rematar, Charlie, que tiene pinta de acabar de despertarse, aparece al lado de Polly. Polly tiene en las manos un grueso libro de ciencias de aspecto medieval que parece sacado de una película de Harry Potter. Y ha cargado en su iPad una página de fórmulas.

—¿Falta alguien más? —Frankie alza las manos en un gesto de frustración.

—¿Qué estamos haciendo aquí? —pregunta Charlie, y luego me da un beso en la mejilla.

—Ya te lo dije —contesta Polly con naturalidad—. Vamos a ayudar a Lucy con su ente, que era tu padre.

—*Es* su padre —la corregimos Frankie y yo a la vez.

—¿Esto es un exorcismo o algo así? —La inquietud de Charlie se ve eclipsada momentáneamente por su curiosidad.

—Ese aroma que hay aquí y que tanto te gusta —le explica Polly—. Ese olor a asado… es tu padre. Lucy está enamorada de él.

—Ah, ¿eso es todo? —se ríe Charlie. Pero luego se detiene cuando nadie más hace lo mismo. Se me queda mirando un momento y luego vuelve a examinar la sala con nuevos ojos, inhalando profundamente mientras lo hace—. ¿Papá?

—Dile que es buena persona, y que siga cocinando.

Obedezco. Charlie está desconcertado y tiene un montón de preguntas que Polly y Sara responden, mientras yo intento mantener a Frankie aquí a base de fuerza de voluntad.

Julia, que siempre le ha tenido aversión a todo lo relacionado con el ocultismo, dobla servilletas en silencio.

Poco después, aunque tras comer tortillas a las finas hierbas a petición de Frankie, nos colocamos en círculo en el comedor. Charlie y Serge han sido puestos al corriente de la situación. Sandy, Polly y mamá, las brujas de Woolloomooloo, han consultado al oráculo y han decidido cómo proceder.

—Solo nos falta una güija. —Charlie intenta bromear de nuevo. Y fracasa.

A Frankie y a mí nos ordenan que nos coloquemos frente a frente, lo más cerca posible, sin tocarnos. Intento inhalar cada una de sus moléculas. Ahora es tan tenue que se parece al rastro que deja uno de esos aviones que escriben proposiciones de matrimonio en el cielo los días despejados.

Mamá y Sandy flanquean a Polly, que nos indica a todos que pensemos en nuestro recuerdo favorito de Frankie. Y, a Frankie, que repase sus recuerdos favoritos.

—Pasan a toda velocidad —susurra Frankie.

—Y ahora proyecta una visión de lo que quieres, de dónde quieres estar —dice Polly.

—¿Qué? No te oigo. —Frankie no es más que un eco.

No puedo perderlo. Quiero ir con él. Estiro las manos hacia él, dentro de él, a través de él. Oigo chillidos y gritos y olas furiosas rompiendo. Siento que Frankie me toca, y entonces…

62
Frankie

La tarta Tatin de manzanas del bar del Balthazar Restaurant en Nueva York. El solomillo que preparé la noche que Charlie me dijo que iba a ser astronauta. El pudín con sirope dorado de mi madre. Lucille. El suflé de Lucille, el merengue que cocinó y denominó «deconstruido», su cabello y su…

Las visiones pasan demasiado rápido. La primera vez que me fui no pude disfrutarlo, ni verlas, me invadió el pánico, sentí dolor y luego todo se quedó negro. Pero ahora las imágenes se suceden una tras otra y siento que mis extremidades se deslizan a través del mercurio del tiempo, buscando, extendiéndose hacia Lucille, para aferrarme a ella, para detener la caída y aterrizar. Océanos de alegría y besos y mousse de chocolate, suculentas salsas de éxtasis sexual y mañanas solitarias, hojaldres de risas en la cocina, y sigo cayendo, cayendo a través de sedosas claras de huevo. Noto su mano intentando alcanzarme, tocando la mía, atravesándome momentáneamente. De nuevo, lo sentimos todo el uno del otro: percibo sus pesares, sus suspiros, cada sublime rincón, y su calidez, la firme calidez de su fuerza vital palpitando dentro de la mía, buscando, y luego una luz brillante, y desaparezco.

63

Lucy

Se inclinan sobre mí, mirándome con preocupación. Polly y Charlie se agachan y me sostienen. Oigo que mamá le dice a Serge que se calme, que estoy bien.

—¿Y Frankie? —pregunto.

—Se ha ido, cariño.

Serge intenta asimilar todo esto de nuevo.

—Entonces, ¿estaba *aquí*?

—Su olor se ha ido —se lamenta Charlie.

Es cierto; bajo los aromas a tortilla y café, no hay rastro de Frankie.

—¿Dónde está? —exijo saber.

Las tres brujas me miran con rostro inexpresivo. Polly me explica:

—En teoría, basándonos en la física cuántica y el Tiempo de Sueño de los aborígenes, existen portales espirituales en los que puedes aparecer o desaparecer en cualquier momento a lo largo de tu vida.

—Pero Frankie ya estaba muerto —repongo.

—Exactamente, eso complicó las cosas. Aunque haya funcionado, podría haber un cruce: Frankie podría reaparecer en el portal de otra persona, o en el suyo de otra encarnación, o...

—O, si realmente pagó su karma, no reaparecerá nunca —contribuye mi madre.

—Pero ¿dónde estará entonces? —pregunto, presa del pánico.

—Esa la pregunta del millón —cavila mamá.

—Él está en tu comida —responde Serge—. En cada receta que cocinas, él está ahí, siempre ha estado ahí.

Eso me ofrece poco consuelo, y el hecho de que todo este episodio se esté convirtiendo en algo parecido al final de *El mago de Oz* no ayuda. Opto por acurrucarme y ponerme a llorar. Julia despeja la sala y me acuna.

Lo único que quiero es estar con él, aunque sea en la nada.

¿Cómo puede el destino ser tan cruel?

Tortilla a las finas hierbas

Ingredientes

- 3 huevos de granja muy frescos, a temperatura ambiente
- Sal marina Murray River (o sal común) y pimienta negra recién molida
- 3 cucharaditas de mantequilla
- 1 cucharada de agua
- 2 cucharadas de hierbas frescas picadas (perifollo, perejil y cebolletas o estragón)
- 1 cucharadita de queso parmesano (opcional)

Elaboración

Casca los huevos en un cuenco y bátelos ligeramente, añade agua y luego sazona con sal, pimienta y parmesano, si te atreves.

Coloca la mitad de la mantequilla y el aceite en una sartén para tortillas o en una sartén pequeña a fuego medio-alto. Cuando la mantequilla empiece a forma espuma y a burbujear, pero todavía no se haya dorado, añade la mezcla de huevo. A medida que la base empiece a cocinarse, usa una espátula para empujar el huevo de los bordes de la sartén hacia el centro para que el huevo crudo se filtre debajo.

Continúa haciendo esto hasta que la tortilla esté cuajada, pero aún blanda.

Esparce las hierbas por encima. Agita la sartén para que las hierbas y la tortilla se asienten. Con ayuda de una espátula, dobla un tercio de la tortilla hacia el centro y gírala de nuevo; luego colócala con cuidado en un plato. Calienta la mantequilla restante en la sartén y viértela sobre la tortilla.

Sírvela con un poco de pan recién horneado, una caja de pañuelos y una larga despedida.

64
Frankie

¿Dónde estoy?

65
Lucy

Cuando mi abuela murió, mi abuelo quiso morirse también. De hecho, intentó tumbarse a su lado en el ataúd durante el velatorio. Según las estadísticas, los hombres suelen morir rápido si su pareja fallece antes que ellos, y todo el mundo, desde el organista que tocó en el funeral hasta nuestro vecino, el señor Jones, parecía pensar que eso es lo que ocurriría también en este caso.

Mi abuelo apenas había hervido un huevo por su cuenta antes de que muriera mi abuela. Lo eran todo el uno para el otro todo. Un mes después aceptó, a regañadientes, acompañarme en un viaje por carretera, deteniéndonos en los mejores lugares para pescar que pudimos encontrar entre Manyana y Tweed Heads, haciéndole una visita de camino a mamá.

Los primeros días fueron espantosos. Era la primera vez que veía llorar a mi abuelo. Lo peor era el silencio, la pena que venía después. Por suerte, pescar es una de las mejores actividades para aquellos a los que no nos gusta hablar mucho. Él se fue relajando poco a poco.

En algún lugar entre Port Macquarie y Coffs Harbour, decidió volver a vivir. Capturó peces y recuperó el apetito. Me dijo que no se arrepentía de nada. Había pasado sesenta años con la abuela…, ¿quién más podía decir eso?

Menos de un año después, iba a conciertos de la orquesta sinfónica, llamaba al programa de jardinería de la radio local para hablar de rosas y, los fines de semana, me llamaba para invitarme a comer y me quedaba con él en la casita de estilo victoriano que mi abuela y él tenían en la costa. Después de uno de sus viajes a Sídney para ir a la Opera House, nos sentamos a comer una bullabesa en un diminuto restaurante de pescado en Surry Hills, donde mi abuelo proclamó que la comida estaba de rechupete y luego me informó que era un privilegio estar vivo. Nunca lo he olvidado.

Durante las semanas posteriores a la partida de Frankie me planteo saltar del acantilado The Gap, pero sobre todo me quedo acostada en la cama viendo películas antiguas. Julia viene a visitarme con frecuencia y se acurruca a mi lado. Todos intentan consolarme a su manera, pero es difícil superarlo cuando pierdes a alguien que ni siquiera estás segura de que existiera. O que solo existía para ti.

Luego viene la rabia. Me parece particularmente cruel que el universo se lo llevara tan rápido: acabábamos de encontrarnos. A diferencia de mis abuelos, en mi caso no hay décadas de recuerdos compartidos ni familiares para consolarme. Serge insiste en que continúe preparando las recetas de Frankie y Hugo se asegura de que siga desarrollando las mías. Le conté a Hugo lo ocurrido y él, con su donaire habitual, lo comparó con mantener una relación sin salir del armario, como han hecho muchos de sus amigos homosexuales de más edad. Cuando perdían a sus parejas, tenían que mantener oculto su dolor. Eso debía ser casi intolerable.

Antes de darme cuenta, el Fortuna cierra para renovarlo. Mientras tanto, centro toda mi energía en Bill. Lo visito casi todos los días, jugamos al ajedrez y, de vez en cuando, me cuenta una historia sobre Frankie o sobre su propia vida. Su exmujer, Sheila, viene a verlo un día y él mejora de manera exponencial después de eso. Mamá y Serge también vienen con frecuencia. Cuando Bill sale de rehabilitación, alquilo un apartamento de dos habitaciones para nosotros. Está tembloroso y débil, pero se alegra de estar aquí. Después de consultar a Lana, Bill le lleva los contratos del desventurado proyecto inmobiliario/casino a una conocida periodista, Clare McKay, una mujer pertinaz que está decidida a sacar a la luz la corrupción que parece seguir afectando al gobierno a nivel estatal. Los contratos causan bastante revuelo cuando llegan a manos de la Comisión Independiente Anticorrupción y algunos fragmentos aparecen en las portadas de los periódicos de Sídney. Frankie tenía razón: fue John quien casi mata a Bill de una paliza la noche de la exposición de Matthias. Tal vez la exposición reavivó viejos sentimientos; pero, fuera cual fuera la razón, aprovechó la oportunidad al ver a Bill, aunque en realidad no era a él a quien quería pegar, sino a sí mismo.

Después de que la comisión comience a reunir pruebas, John confiesa el asesinato de Frankie. Al parecer, fue un «error»: solo quería darle una lección para asegurarse de que no hablara de su afición por los chicos jóvenes, pero Frankie se defendió con fuerza y, cuando el esbirro de John movió la silla, a Frankie se le rompió el cuello, y eso fue todo.

Esta información parece ayudar a todos los allegados a Frankie a pasar página, salvo a mí. John es condenado. Esto hace que Bill se sienta mucho más seguro y mucho más aliviado; para él, ahora Frankie puede descansar en paz.

Pasa más tiempo. Polly y Charlie continúan su relación y en otoño, cuando las hojas caen sobre Macleay Street y crujen al pisarlas, se comprometen. Celebramos una fiesta para ellos en el restaurante y me paso toda la noche esperando, como hago cada mañana al abrir la puerta, que Frankie reaparezca de algún modo.

A veces sueño con él, con la descarga eléctrica al besarlo, o, cuando todavía no he acabado de despertarme del todo, mis labios retienen el recuerdo de una frase que acabo de decirle.

En mayo, Charlie anuncia que quiere ser chef. Se matricula en la escuela de cocina y realiza las prácticas en el Fortuna. Se convierte rápidamente en una bendición en la cocina y Serge lo apoya incansablemente.

A finales de ese mes nace el bebé de Maia y Leith, una niña llamada Rose. Me pregunto brevemente si el universo, con quien actualmente me llevo mal, me rematará reencarnando a Frankie en la hija de Leith; pero por el momento parece que no hay peligro. Después de consultarlo mucho con Julia, decido visitar a la recién nacida en el hospital y ser amable deseándoles lo mejor a sus padres. Maia parece alegrarse de verme. Leith está usando la esquina de un sonajero para sacarse algo de entre los dientes. Intercambiamos cortesías y luego él se va a «hacer una llamada».

Llego a pensar que Leith ha cambiado. Da la impresión de adorar a ese bultito de carne rosada: «mi Rosa», la llama. Y Maia parece agotada, pero feliz y relajada. No obstante, cuando me dirijo a los ascensores, lo veo tirándole los tejos a una médica muy joven y atractiva con un pecho impresionante y me recuerdo que la gente casi nunca cambia, y que esos cambios hay que ganárselos en lugar de esperar que te los regalen.

El nuevo restaurante de Maia y Leith se abre con la fanfarria de rigor, pero el Circa pierde un gorro; Hugo y yo brindamos con champán para celebrarlo.

Transcurre más tiempo. Mamá acepta mantener una relación monógama con Serge tras un trío fallido con Sandy. Bill me asegura que a él también le parece bien. Simplemente, se alegra de tener a mamá como amiga.
Para mi gran alivio, a él no le ha interesado salir con Sandy: las vegetarianas
quedan descartadas.

Me despierto cada mañana aferrada a mi almohada deseando que fuera
Frankie, busco su olor en todo lo que cocino, escucho su voz mientras
trabajo en la cocina. Nada me sabe bien, aunque Serge me asegura que
todo está perfecto.

Bill y yo heredamos un perro, Beau, un enorme cachorro de labrador
color chocolate cuya familia se ha mudado al extranjero. Bill y Beau se
vuelven inseparables… salvo cuando estoy cocinando. Nunca he visto a
Bill tan feliz.

El siguiente mes de marzo, el Fortuna es nombrado mejor nuevo restaurante de la ciudad y se celebra una fiesta, con discursos incluidos. Charlie está
empezando a diseñar sus propios menús. Nada parece real. Cuando estaba
con Leith, me disociaba y me perdía en mis ensoñaciones como vía de escape.
Pero esto es diferente, esto es un anhelo desgarrador por algo que el resto del
mundo ha superado, un secreto… cuya otra mitad se ha desvanecido.

Bullabesa

Ingredientes

- ½ taza de aceite de oliva
- 2 cebollas, picadas muy finas
- 4 dientes de ajo, pelados y cortados en rodajas finas, y 1 más, cortado por
  la mitad, para frotar
- 1 cogollo de hinojo, cotado en rodajas finas; reserva la parte superior para
  decorar
- 2 ramitas de tomillo y 2 de albahaca
- 2 hojas de laurel fresco
- 1 kilogramo de tomates en rama, pelados y sin semillas
- 16 langostinos crudos grandes, pelados pero con la cola; reserva la piel
- 4 cigarras chatas frescas, peladas; reserva la piel

- Una pizca de hebras de azafrán
- ¼ de taza de Pernod
- 8 rodajas gruesas de pan de masa madre
- 400 gramos de salmón o trucha, cortado en trozos de 3 centímetros
- 200 gramos de filete de pargo, cortado en trozos de 3 centímetros
- 12 vieiras
- 300 gramos de mejillones, raspados y sin filamentos
- Un puñado de perejil de hoja plana, picado en trozos grandes

Para la rouille

- 1 yema de huevo
- 1 diente de ajo, picado muy fino
- 1 cucharadita de mostaza Dijon
- 1 cucharadita de concentrado de tomate
- 200 mililitros de aceite de oliva virgen extra

Elaboración

Calienta la mitad del aceite de oliva en una cacerola grande a fuego medio; luego añade la cebolla, el ajo, el hinojo y las hierbas y saltea de 5 a 7 minutos o hasta que la cebolla se ablande. Aumenta el fuego y agrega las pieles de los langostinos y las cigarras chatas y el azafrán; cuécelo, removiendo de vez en cuando, de 5 a 7 minutos o hasta que la mezcla adquiera un tono rosado. Añade los tomates y 1 litro de agua y cuécelo a fuego lento de 25 a 30 minutos o hasta que se espese. Cuélalo en una cacerola grande y limpia, presionando los fragmentos sólidos para extraer la mayor cantidad de líquido posible. Cuanto más aprietes, más intenso será el sabor. Desecha los fragmentos sólidos. Añade el Pernod (toma un traguito rápido con fines digestivos), sazona al gusto, reserva 2 cucharadas para la rouille y mantenlo tapado y abrigadito en un horno a temperatura baja.

Para preparar la rouille, coloca la yema de huevo, el ajo, la mostaza y el concentrado de tomate en un robot de cocina y tritúralos hasta que tengan una consistencia suave. Con el motor en marcha, añade el caldo que dejaste reservado y luego el aceite poco a poco hasta que todo se mezcle y la rouille quede espesa. Sazona al gusto y reserva.

Precalienta a fuego alto un asador. Rocía el pan con el aceite de oliva restante, sazónalo, por supuesto, y tuéstalo, dándole la vuelta una vez, 1 o 2 minutos o hasta que esté dorado. Frótalo con el lado cortado del ajo, déjalo a un lado y mantenlo caliente en el horno.

Haz que el caldo vuelva a hervir a fuego lento y añade el salmón o la trucha, el pargo, las vieiras, las cigarras chatas y los langostinos y cocínalo, removiendo de vez en cuando, 1 o 2 minutos o hasta que estén bien cocidos. Mientras la sopa burbujea, introduce los mejillones en una sartén con 2 centímetros de agua, caliéntalos a fuego alto, tápalos y agítalos a intervalos durante 3 minutos, hasta que la mayoría de las conchas se abran. Desecha las que no lo hagan. Sazona la sopa al gusto y sírvela caliente, esparciéndole por encima mejillones, perejil, una generosa cucharada de rouille y el pan de masa madre tostado.

Acompáñalo de cálidos recuerdos.

66

Lucy

Al final, Julia me exige que le entregue mi copia de *El fantasma y la señora Muir* e intenta llevar a cabo otra intervención de una sola persona sobre los peligros, por no mencionar el aburrimiento, de pasarme los próximos cincuenta años paseando de un lado a otro por una playa, o entrando y saliendo de un restaurante, esperando a morir con la esperanza de reunirme con Frankie y revertir mi proceso de envejecimiento. Ella tiene razón y no quiero seguir autocompadeciéndome.

También me recuerda que me estoy acercando peligrosamente a los cuarenta y mi fertilidad está a punto de caer en picado, por lo que, si me interesa tener hijos algún día, debería congelar mis óvulos o, aún mejor, encontrar a alguien que los fecunde.

—Se ha ido, Luce, y no va a volver. Tienes que seguir adelante.

Cualquiera que haya sufrido por amor te dirá que este consejo es inútil.

Nunca creí que pudiera existir un amor como el que sentí por Frankie. Lo anhelaba, pero no creía que fuera real. Y, entonces, el maravilloso milagro al saber que él me correspondía. Lo nuestro no había terminado.

Miro a mi alrededor y me doy cuenta de lo afortunada que soy. Él está en todo lo que creo. Está en mí. Pero ojalá estuviera aquí. ¿Por qué no está aquí?

Por favor, Frankie, vuelve.

Lo busco en todas partes. Me convierto en esa mujer que ves en las paradas de autobús, en los cines y los aeropuertos, esa mujer de la que te compadeces: sola, afligida.

Paso por una fase que incluye lecturas psíquicas, orientación intuitiva por medio del tarot, limpieza de chakras…, todas esas cosas que he desdeñado durante toda mi vida. La mayoría son farsantes. Unos pocos ven al mago en las cartas, pero está en mi pasado. Ninguno de los clarividentes ve a Frankie. Uno me dice que conoceré a un joven brasileño y que montaremos un negocio de importación de alfombras. En serio, ¿qué parte de mi aura transmitía *esas* vibraciones?

Me paso varias vacaciones sola en Manyana, recorriendo la playa, repasando todas las conversaciones que mantuvimos. Únicamente cuando estoy sola puedo fantasear que seguimos juntos. Me lo imagino encendiendo la chimenea de la casita que he alquilado, a unas pocas calles de la que tenían mis abuelos. Compartimos el syrah que he abierto y él me lee un artículo del periódico que le parece divertido. Reprendemos al televisor a causa de las noticias de la noche. Preparamos algo extravagante para desayunar. Regresamos a la cama.

Ya sé que seguir con esta vida imaginaria es tan destructivo como permanecer en una mala relación, pero ¿qué se le va a hacer? Como me enseñó Emily Dickinson con su vida solitaria: «El corazón quiere lo que quiere... y lo demás no le importa».

Durante la fiesta de inauguración de la casa de Polly y Charlie, Lana propone lo que, según ella, es la solución perfecta para mi mal de amores imaginario. Me preparo para oír que debería inscribirme en una página web de citas, como me insiste Julia desde hace tiempo, pero me sorprendo gratamente cuando Lana, sonrojada de entusiasmo, anuncia su idea.

—Escribe un libro de cocina. Ahora mismo son el no va más. A la mierda Leith y su especial de Navidad, escribe el tuyo sobre el Fortuna y Frankie, y añade también tus propias recetas. Será un éxito.

Lana apura su copa de champán con una desenvoltura reservada para las personas inspiradas, las que se sienten realizadas y las que tienen buena nariz para un magnífico champán. Ha empezado a salir hace poco con un atractivo cámara submarino y se ha pasado mucho tiempo buceando en el mar del amor. Se la ve resplandeciente.

Polly, que está sentada con nosotros, proclama que la idea es «sumamente espectacular» y luego añade:

—Ve a todos los sitios de los que te habló Frankie y encuentra tus propias recetas allí. Quién sabe, puede que conozcas a alguien... o no. Sea como sea, vete y aléjate de aquí un tiempo. Si Frankie aparece, te llamaré.

—Ja, ja —contesto, pero siento un atisbo de emoción.

Un mes después y con un acuerdo literario en marcha, me encuentro en el aeropuerto despidiéndose de Sara, Serge, Julia y Bill. Tengo el itinerario para el viaje perfecto: Los Ángeles, Nueva York, cruzar el océano hasta Londres, París, el sur de Francia, Barcelona, la India, Bali y, luego, de vuelta a casa.

Como siempre, busco su rostro en todas las caras que veo. La anciana sentada a mi lado en el avión que chupa caramelos de menta, ronca y resuella. El empleado de aduanas que me da la bienvenida a Estados Unidos mientras me hace sentir que podrían esposarme y deportarme en cualquier momento. El camarero que empuja el carrito de postres en el puesto de tacos sobre el que escribió Frankie y que ahora es un restaurante de cinco estrellas, propiedad de celebridades.

De vez en cuando, siento que estoy cerca. Al atardecer, en el muelle de Malibú, mientras saboreo el primer bocado de una ensalada de melocotones y burrata. En el mercado de marisco de Santa Mónica, mientras degusto ostras de Half Moon Bay. En Nueva York, sentada en el bar del restaurante favorito de Frankie en el Soho, el Balthazar, mientras como bistec con patatas fritas seguido de sus legendarios profiteroles rellenos de helado; están tan buenos como me aseguró Frankie.

Mientras busco el prosciutto perfecto en el Borough Market de Londres o me siento en un bistró en Saint-Germaine con un simple panecillo, queso brie y una copa de vino tino, me imagino qué diría Frankie, por dónde pasearíamos, qué haríamos. Nuevas recetas surgen suavemente por las mañanas en costas extranjeras y las anoto en nuestro libro rojo, junto a las de Frankie.

El recetario se llena. Mi vida va tomando más forma cuando regreso y publico, regreso y cocino. Asisto a la boda de Polly y Charlie y, en la recepción, bailo con Helen. Me convierto en madrina de nuevo el año siguiente cuando Polly da a luz un niño: Louis Francis. Polly comienza a trabajar en una tesis que compara el parto con una nueva dimensión en física cuántica. Bill sufre gota, seguida de neumonía, pero se recupera; Beau permanece a su lado. Serge le pide matrimonio a mi madre cinco veces antes de que ella acepte a regañadientes. Mamá le pide a Bill que la acompañe al altar, algo que a ambos les hace gracia de una forma perversa.

Vista desde fuera, mi nueva vida puede parecer agradable: una profesión que me apasiona, una heterogénea familia compuesta de personas interesantes que se reúnen con frecuencia, mis deberes como madrina de Attica y Lou… Adoro a este pequeñín, pero tampoco creo que él sea Frankie reencarnado, aunque puede que no lo sepa hasta que pase un tiempo. Y, si lo es, para cuando cumpla la mayoría de edad, yo seré la querida y anciana tía a la que lleva a la ópera durante la semana dedicada a la tercera edad.

Escribo otros dos libros de cocina basados en mis viajes anuales; esa parece ser mi principal conexión con Frankie. Supongo que debería decir que tengo citas, pero no es así. A pesar de las súplicas y las preguntas de mis amigos, esa parte de mi vida sigue perteneciéndole a Frankie, y nadie más es bienvenido allí. Ahora mi pasión se limita la cocina y mis recetas.

Todos los años me propongo seguir una ruta distinta, pero la mayoría de las veces me encuentro en los mismos lugares maravillosos que Frankie me describió de forma tan vívida. Odio admitirlo, pero todavía sigo buscándolo tres años después. No directamente, solo cuando estoy distraída.

Después de un viaje en tren de París a Mónaco y días de verano nadando en las aguas color turquesa de la Costa Azul, me dirijo al mercado matutino de Saint Paul de Vence. Tengo mesa reservada para almorzar en La Colombe d'Or y, para matar el tiempo, deambulo entre los puestos con sus amplias bandejas de bayas —frambuesas, moras, arándanos y grosellas— expuestas. Recorro los puestos de frutas con hueso y me topo con los melocotones dorados, que me recuerdan que Frankie insistía en que son los mejores del mundo. Incluiré su receta para la crostata de melocotones en mi próximo libro, pienso mientras me encamino hacia allí.

Entonces la oigo.

Esa voz resonante, corrigiendo, desafiando e insultando con los típicos estilo y humor franceses. Logro descifrar unas cuantas palabras —hice un curso de actualización en la Alliance Française, pero mis habilidades siguen siendo rudimentarias, en el mejor de los casos— y, por lo que entiendo, está revisando la fruta en busca de seis melocotones *perfectos*. Me sitúo a su lado, sin que se dé cuenta de mi presencia, y comienzo a examinar la fruta también. Encuentro lo que Frankie tendría que admitir que es el melocotón perfecto. Me giro y se lo ofrezco. Antes de que nuestros ojos se encuentren, sé que es él. Percibo su cálido aroma, vivo y radiante.

—*Merci* —me dice sin levantar la vista.

—De nada —contesto.

Se queda inmóvil. Me mira. Y me mira y me sigue mirando. La actividad del resto del mercado se difumina y se desvanece mientras le devuelvo la mirada.

Al fin, dice con un profundo y resonante acento francés:

—Eres tú.

No puedo hablar.

—Me encontraste —murmura, maravillado.

—Sí.

Eso es lo único que consigo decir antes de que se desate un mar de lágrimas, tanto mías como suyas, y me levante en el aire y me envuelva con unos brazos cálidos y fuertes y una inmensa alegría. Los melocotones salen rodando por todas partes.

A través de pequeños fragmentos en francés, me entero de que este mercado formaba parte de uno de los recuerdos favoritos de Frankie, en el que estaba pensando cuando se desvaneció. Pasó un tiempo, aunque no sabría decir cuánto, en un lugar de espera, decidido a regresar para encontrarme.

Le habían ofrecido diferentes cuerpos. Al parecer, si no te interesa encarnarte en un recién nacido y cuentas con circunstancias atenuantes, se vuelve complicado. Unas de las opciones fue el cuerpo de una modelo de veinticinco años que se había suicidado por sobredosis. Me enteré de la muerte de la joven supermodelo varios años antes. Sus labios, su altura y sus caderas estrechas la habían hecho aparecer en vallas publicitarias por todo el mundo.

—¿Te la ofrecieron? —pregunto, asombrada—. ¿La supermodelo?

—Sí, pero ¿qué iba a hacer…, qué íbamos a hacer tú y yo? Sigo siendo yo, pero ¿qué habrías hecho tú? Aunque poder amarte como mujer —dice con ese inconfundible brillo en los ojos— podría haber tenido ciertas ventajas. —Luego me dedica su sonrisa deslumbrante—. Así que esperé y, entonces…, esto. Sin hijos, viudo. Quería ir a reunirse con su mujer. Me ofreció esto… Es muy viejo, pero lo acepté.

Señala su nuevo cascarón: cuarenta y tantos años, más alto que el antiguo Frankie, más grande, de complexión musculosa y denso e incontrolable cabello entrecano. En resumen, un auténtico bombón.

—¿Sabes quién soy? —me pregunta con expectación, pero yo no tengo ni idea—. ¿Te acuerdas de Bjørn, el artista, el hombre que me enseñó a vivir en París? Su sobrino, con el que fui a pescar cuando estuve aquí hace tantos años…, ¡ese es mi padre! Mi padre es estupendo, su hijo y él nunca se han llevado mejor. Ojalá pudiera decir lo mismo de mi madre, me está haciendo engordar, demasiados mimos, no me extraña que este tipo decidiera que no quería seguir en este mundo: su madre lo llevó a la tumba con tanto cariño. Todavía debo estar pagando mi karma con las mujeres. Son dueños de un viñedo que lleva siglos en la familia, es el mismo sitio en el que me quedé hace tantos años.

Frankie me cuenta que Jullian (su nuevo nombre, por ahora) acababa de almorzar con su madre, un *pâté de campagne* básico, antes de despedirse estaba a punto de cruzar la calle y…

—¡Bum! —Indica su nuevo cuerpo—. Pero *soy* yo, Lucille.

Me mira fijamente con la pícara intensidad que le pertenece solo a Frankie. Sé que es cierto con cada fibra de mi ser. Y, cuanto más lo miro a los ojos, más veo al hombre del que me enamoré. Es él, por fin, en carne y hueso.

—¿Servirá? Sé que ya no soy como antes…

Ahí está de nuevo ese brillo pícaro en sus ojos.

Me río. Su ego está en plena forma. ¿Servirá? Cómo no.

Frankie me cuenta que solo lleva en su nuevo «hábitat» unos meses, el tiempo suficiente para engordar tres kilos y asombrar a su familia y fastidiar a sus vecinos debido a su nuevo entusiasmo por la vida y su paladar cambiado. Tiene desconcertados a los otros vinateros. Quería volver a casa de inmediato, pero, debido al accidente, le prohibieron viajar durante seis meses. Ha estado intentando aprender inglés, pero se le da fatal. Le inquietaba regresar y no encontrarme allí. Me recuerda que me dijo que lo buscara en sus recetas y que todos los días esperaba que yo viniera. Le señalo que no sabía que lo había dicho en un sentido literal.

—¿Y el teléfono o el correo electrónico? —pregunto.

—¿Quieres que nuestra gran reunión sea que te envíe un *tuit*? ¿Qué te pida que seas mi amiga en Facebook? ¡Qué locura, Lucille, *non*!

Comienza a despotricar en una mezcla de francés e inglés, que se vuelve incomprensible enseguida. Solo puedo hacer una cosa. Y tengo que hacerlo ya o voy a explotar. Le agarro la cara y por fin, por fin, después de todo el sufrimiento, el anhelo y las lágrimas, lo beso. Mientras nuestros labios se unen, nos fundimos como lo hicimos aquella primera vez en el Fortuna.

—¿Todo bien, entonces? —Parece aliviado.

Yo estoy eufórica.

Nos damos más besos, nuestras manos se acarician y, mientras nos alejamos, él me dice que tenemos que preparar la crostata de inmediato. Bueno, casi de inmediato.

Empiezan a ocurrírseme ideas para nuevas recetas. El ingrediente secreto de todas ellas es la esperanza.

Estamos juntos. Veo nuestra sombra ante nosotros sobre el antiguo pavimento —nuestras manos, nuestras caderas, nuestros brazos rozándose— y lo único que deseo es que en muchos universos este momento sea real, que sea eterno y que no volvamos a separarnos.

Crostata de melocotones

Ingredientes

Para la masa:

- 2 ¾ tazas de harina
- ½ taza de azúcar
- 1 ½ cucharaditas de levadura en polvo
- ½ cucharadita de sal
- Ralladura de 1 limón
- 240 gramos de mantequilla fría sin sal, picada en trozos
- 1 huevo entero, más 1 yema extra
- 1 cucharadita de extracto de vainilla

Para el relleno:

- 2 tazas de jugosos y frescos melocotones dorados, pelados, sin hueso y cortados en rodajas
- ½ taza de azúcar granulada
- 2 cucharadas de harina

Para la cobertura:

- 1 huevo
- 1 cucharada de agua
- Azúcar gruesa para espolvorear

Elaboración

Para preparar la masa, vierte en un cuenco grande la harina, el azúcar, la levadura, la sal y la ralladura de limón y mézclalo.

Esparce los trozos de mantequilla sobre la mezcla de harina. Con los dedos limpios, amasa la mantequilla para combinarla con los demás ingredientes hasta que la mezcla forme grandes grumos del tamaño de arándanos. En un cuenco pequeño, bate el huevo entero, la otra yema y la vainilla hasta que formen una unión feliz.

Vierte la mezcla de huevo sobre la mezcla de harina y remueve hasta que la masa esté uniformemente húmeda y comience a unirse. Si la mezcla parece seca, agrega 1 cucharadita aproximadamente de agua fría.

Traslada la masa a una superficie de trabajo limpia y enharinada y divídala en dos partes, una un poco más grande que la otra. Envuélvelas por separado con film transparente y refrigéralas durante 45 minutos como mínimo o toda la noche.

Cuando vayas a hornear, precalienta el horno a 180 °C.

Para hacer el relleno, mezcla las rodajas de melocotón, el azúcar y la harina en un cuenco. Déjalo a un lado para que los ingredientes se asienten y se combinen.

En una superficie de trabajo limpia y ligeramente enharinada, saca tu rodillo a pasear y extiende el trozo más grande de masa formando un círculo de 30 centímetros. Colócalo sobre un molde para tarta que sea un poco más pequeña que la masa y con fondo extraíble. Aplana la masa, presionándola suavemente, pero con convicción, contra el fondo y los laterales del molde. Recorta los bordes, dejando que sobresalga 2 centímetros; de ese modo puedes doblarlo hacia dentro formando un bonito dobladillo. Vierte los melocotones en el molde forrado de masa y repártelos formando una capa uniforme.

Extiende el segundo trozo de masa. Usando un cuchillo, corta la masa en 10 tiras, cada una de 1 centímetro de ancho. Coloca la mitad de las tiras encima de la tarta, espaciándolas de manera uniforme. Ahora cambia de sentido y coloca las otras tiras encima para formar un patrón de celosía. Si las tiras se rompen, realiza una cirugía de emergencia con una gota de agua para volver a unir los trozos. Presiona los extremos de las tiras contra el lateral del molde para sellarlo bien.

Ahora, para rematar, bate el huevo y el agua en un cuenco. Con un pincel de repostería, pinta suavemente las tiras de masa con la mezcla de huevo. Para obtener un brillo adicional, espolvorea las tiras con azúcar gruesa.

Hornea durante 45 minutos o hasta que la masa se dore. Pasa la crostata a una rejilla, respira y deja que se enfríe durante 10 minutos antes de retirar el borde exterior del molde, y permite que la tarta se enfríe un poco o por completo.

Sírvela con nata montada fresca y tu propio final feliz.

Agradecimientos

Ante todo, mi más profundo agradecimiento para Jaki Arthur, por defender con tanta pasión mi trabajo y por animarme e insistir para que escribiera esta novela. Tu audaz y constante apoyo, junto con tu indomable talento y energía, hicieron posible esta aventura. Gracias.

Gracias también a la maravillosa Vanessa Radnidge, por amar el manuscrito y ser una fuerza de positividad, claridad y encanto con la que es un placer trabajar.

Gracias a mi editora, Karen Ward, por tu incansable paciencia y perspicacia.

Y a todo el equipo de Hachette, que me ha brindado muchísimo aliento y apoyo.

También me gustaría darles las gracias a las siguientes personas extraordinarias por mantenerme protegida, alimentada y cuerda durante la escritura y la edición de este libro: Antonia Murphy, Emma Jobson, Sarah Smith, Neal Kingston, Kim Lewis, Edwina Hayes, Deb Fryers, Grania Holtsbaum, Dr. Robert Hampshire, Ellenor Cox, Joanna Briant, Mel Rogan, Kim O'Brien, Andrew Knight, Gwendolyn Stukely, Jaison, Molly, Coco y Bodhi Morgan, Mark y Stacy Rivett, Sandy Webster, Jacqueline Hughes (mamá), Trudy Johnston y Brad Heydon, Caroline Teague, Marie Burrows, Dra. Janice Herbert y Rod Adams, Lulu Fay, Heath Felton, Lorin Adolph y Jonathan Wood.

Por último, también escribí esta novela en memoria de la sensacional Tiffany Moulton y el magnífico James Teague Hampshire, y para las personas que más los quieren.

ECOSISTEMA DIGITAL

NUESTRO PUNTO DE ENCUENTRO

www.edicionesurano.com

2 AMABOOK
Disfruta de tu rincón de lectura
y accede a todas nuestras **novedades**
en modo compra.
www.amabook.com

3 SUSCRIBOOKS
El límite lo pones tú,
lectura sin freno,
en modo suscripción.
www.suscribooks.com

DISFRUTA DE 1 MES
DE LECTURA GRATIS

1 REDES SOCIALES:
Amplio abanico
de redes para que
participes activamente.

4 APPS Y DESCARGAS
Apps que te
permitirán leer e
interactuar con
otros lectores.